수능



Supreme

# 수능 영어 듣기 모의고사 20회 기본

Supreme 수프림은

내신과 수능을 한 번에 잡아주는

프리미엄 고등 영어 브랜드입니다.

학습자의 마음을 읽는 동아영어콘텐츠연구팀

동아영어콘텐츠연구팀은 동아출판의 영어 개발 연구원, 현장 선생님, 그리고 전문 원고 집필자들이
공동연구를 통해 최적의 콘텐츠를 개발하는 연구조직입니다.

원고 개발에 참여하신 분들

김기천 이유진 구자은 김정현 최진영 오건석

수능·내신 프리미엄 고등 영어 시리즈

# Supreme

# 수능 영어 듣기 모의고사 20회 기본

# Structures 구성과 특징

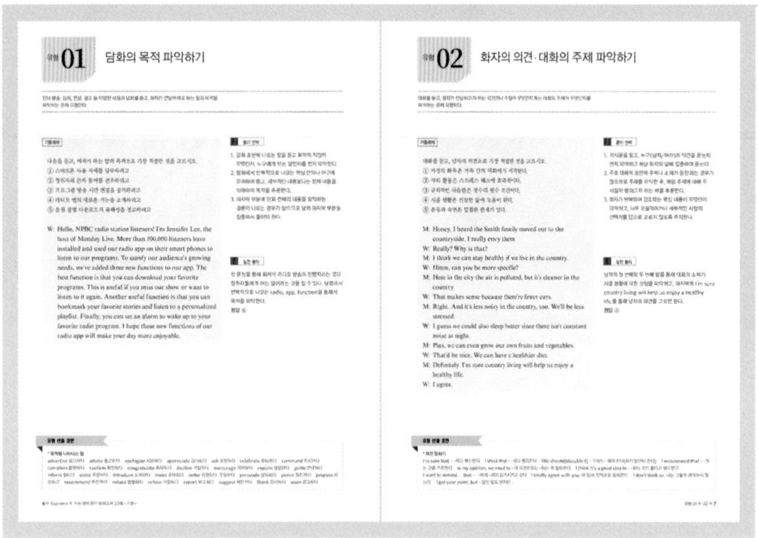


## 유형 설명 & 풀이 전략

- 최신 수능 듣기에 나오는 주요 문제 유형 14개를 분석하여 각 유형별 특징과 풀이전략을 소개하고, 기출 예제를 통해 실전 감각을 익힐 수 있도록 구성하였습니다.
- 각 유형 하단에 해당 문제 유형에서 자주 나오는 빈출 어휘와 표현을 정리하였습니다.

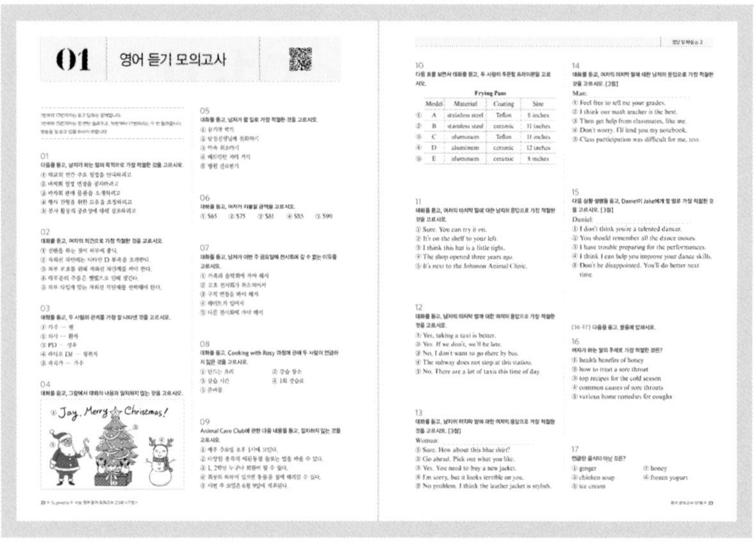


## 영어 듣기 모의고사 20회

- 최신 수능과 학력평가를 분석하여 문제 유형, 소재, 배치 등을 동일하게 구성하였으며, 수능 듣기를 처음 시작하는 학습자에게 적합한 고 1-2 학력평가 수준의 난이도로 총 20회의 실전 듣기 모의고사를 수록하였습니다.
- 편리한 QR 코드 스캔으로 바로 녹음 대본 음원 청취가 가능합니다.

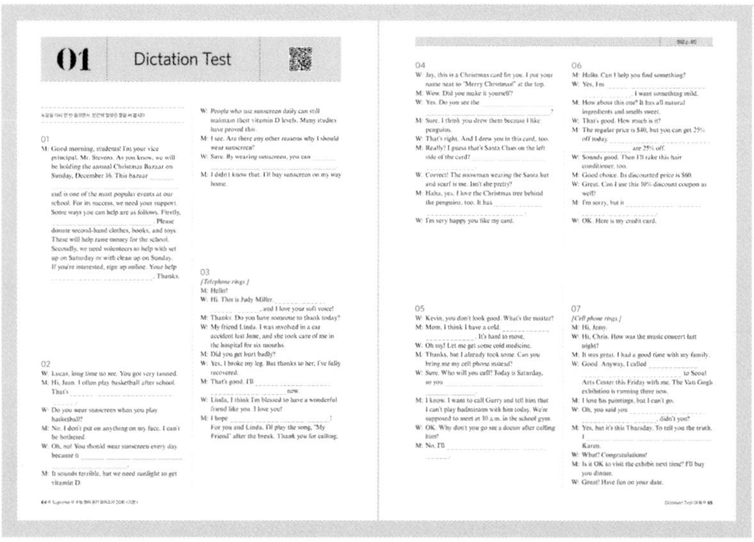


## Dictation Test 받아쓰기

20회 모의고사를 다시 한 번 들으면서 잘 안 들렸던 부분을 체크하고 핵심 단어와 표현을 받아쓰면서, 듣기 실력을 향상시키고 수능 실전을 준비할 수 있습니다.

# Contents 목차

## Part 1 유형편


유형 01 담화의 목적 파악하기 ······ 06
유형 02 화자의 의견 · 대화의 주제 파악하기 ······ 07
유형 03 화자의 관계 추론하기 ······ 08
유형 04 그림 내용 불일치 파악하기 ······ 09
유형 05 할 일 · 부탁한 일 파악하기 ······ 10
유형 06 지불할 금액 파악하기 ······ 11
유형 07 이유 파악하기 ······ 12
유형 08 언급되지 않은 내용 고르기 ······ 13
유형 09 내용 일치 여부 파악하기 ······ 14
유형 10 도표 정보 파악하기 ······ 15
유형 11 짧은 대화의 응답 찾기 ······ 16
유형 12 긴 대화의 마지막 말에 대한 응답 찾기 ······ 17
유형 13 상황에 적절한 말 고르기 ······ 18
유형 14 긴 담화 듣고 세트 문제 풀기 ······ 19


## Part 2 실전편


영어 듣기 모의고사 01회 ······ 22
영어 듣기 모의고사 02회 ······ 24
영어 듣기 모의고사 03회 ······ 26
영어 듣기 모의고사 04회 ······ 28
영어 듣기 모의고사 05회 ······ 30
영어 듣기 모의고사 06회 ······ 32
영어 듣기 모의고사 07회 ······ 34
영어 듣기 모의고사 08회 ······ 36
영어 듣기 모의고사 09회 ······ 38
영어 듣기 모의고사 10회 ······ 40
영어 듣기 모의고사 11회 ······ 42
영어 듣기 모의고사 12회 ······ 44
영어 듣기 모의고사 13회 ······ 46
영어 듣기 모의고사 14회 ······ 48
영어 듣기 모의고사 15회 ······ 50
영어 듣기 모의고사 16회 ······ 52
영어 듣기 모의고사 17회 ······ 54
영어 듣기 모의고사 18회 ······ 56
영어 듣기 모의고사 19회 ······ 58
영어 듣기 모의고사 20회 ······ 60


## Part 3 Dictation Test


Dictation Test 01회 ······ 64
Dictation Test 02회 ······ 68
Dictation Test 03회 ······ 72
Dictation Test 04회 ······ 76
Dictation Test 05회 ······ 80
Dictation Test 06회 ······ 84
Dictation Test 07회 ······ 88
Dictation Test 08회 ······ 92
Dictation Test 09회 ······ 96
Dictation Test 10회 ······ 100
Dictation Test 11회 ······ 104
Dictation Test 12회 ······ 108
Dictation Test 13회 ······ 112
Dictation Test 14회 ······ 116
Dictation Test 15회 ······ 120
Dictation Test 16회 ······ 124
Dictation Test 17회 ······ 128
Dictation Test 18회 ······ 132
Dictation Test 19회 ······ 136
Dictation Test 20회 ······ 140

Supreme

# Part 1 유형편

수능 영어 듣기 모의고사 20회 기본

# 유형 01 담화의 목적 파악하기

안내 방송, 강의, 연설, 광고 등 다양한 내용의 담화를 듣고, 화자가 전달하려고 하는 말의 목적을 파악하는 문제 유형이다.

기출예제

다음을 듣고, 여자가 하는 말의 목적으로 가장 적절한 것을 고르시오.

① 스마트폰 사용 자제를 당부하려고
② 청취자의 문자 참여를 권유하려고
③ 프로그램 방송 시간 변경을 공지하려고
④ 라디오 앱의 새로운 기능을 소개하려고
⑤ 음원 불법 다운로드의 유해성을 경고하려고

W: Hello, NPBC radio station listeners! I'm Jennifer Lee, the host of Monday Live. More than 100,000 listeners have installed and used our radio app on their smart phones to listen to our programs. To satisfy our audience's growing needs, we've added three new functions to our app. The best function is that you can download your favorite programs. This is useful if you miss our show or want to listen to it again. Another useful function is that you can bookmark your favorite stories and listen to a personalized playlist. Finally, you can set an alarm to wake up to your favorite radio program. I hope these new functions of our radio app will make your day more enjoyable.

풀이 전략

1. 담화 초반에 나오는 말을 듣고 화자의 직업이 무엇인지, 누구에게 하는 말인지를 먼저 파악한다.
2. 담화에서 반복적으로 나오는 핵심 단어나 어구에 유의하며 듣고, 세부적인 내용보다는 전체 내용을 이해하여 목적을 추론한다.
3. 마지막 부분에 담화 전체의 내용을 요약하는 결론이 나오는 경우가 많으므로 담화 마지막 부분을 집중해서 들어야 한다.

실전 풀이

첫 문장을 통해 화자가 라디오 방송의 진행자라는 것과 청취자들에게 하는 말이라는 것을 알 수 있다. 담화에서 반복적으로 나오는 radio, app, function을 통해서 목적을 파악한다.

정답 ④

유형 빈출 표현

• 목적을 나타내는 말

advertise 광고하다 advise 충고하다 apologize 사과하다 appreciate 감사하다 ask 요청하다 celebrate 축하하다 command 지시하다 complain 불평하다 confirm 확인하다 congratulate 축하하다 decline 거절하다 encourage 격려하다 explain 설명하다 guide 안내하다 inform 알리다 insist 주장하다 introduce 소개하다 invite 초대하다 order 명령하다, 주문하다 persuade 설득하다 praise 칭찬하다 propose 제안하다 recommend 추천하다 refund 환불하다 refuse 거절하다 report 보고하다 suggest 제안하다 thank 감사하다 warn 경고하다

## 유형 02 화자의 의견·대화의 주제 파악하기

대화를 듣고, 화자가 전달하고자 하는 의견이나 주장이 무엇인지 또는 대화의 주제가 무엇인지를 파악하는 문제 유형이다.

기출예제

대화를 듣고, 남자의 의견으로 가장 적절한 것을 고르시오.

① 가정의 화목은 가족 간의 대화에서 시작된다.
② 야외 활동은 스트레스 해소에 효과적이다.
③ 규칙적인 식습관은 장수의 필수 조건이다.
④ 시골 생활은 건강한 삶에 도움이 된다.
⑤ 운동과 숙면은 밀접한 관계가 있다.

M: Honey, I heard the Smith family moved out to the countryside. I really envy them.
W: Really? Why is that?
M: I think we can stay healthy if we live in the country.
W: Hmm, can you be more specific?
M: Here in the city the air is polluted, but it's cleaner in the country.
W: That makes sense because there're fewer cars.
M: Right. And it's less noisy in the country, too. We'll be less stressed.
W: I guess we could also sleep better since there isn't constant noise at night.
M: Plus, we can even grow our own fruits and vegetables.
W: That'd be nice. We can have a healthier diet.
M: Definitely. I'm sure country living will help us enjoy a healthy life.
W: I agree.

풀이 전략

1. 지시문을 읽고, 누구(남자/여자)의 의견을 묻는지 먼저 파악하고 해당 화자의 말에 집중하며 듣는다.
2. 주로 대화의 초반에 주제나 소재가 등장하는 경우가 많으므로 주제를 파악한 후, 해당 주제에 대해 두 사람이 말하고자 하는 바를 추론한다.
3. 화자가 반복하여 강조하는 핵심 내용이 무엇인지 파악하고, 너무 포괄적이거나 세부적인 사항의 선택지를 답으로 고르지 않도록 주의한다.

실전 풀이

남자의 첫 번째와 두 번째 말을 통해 대화의 소재가 시골 생활에 대한 것임을 파악하고, 마지막에 I'm sure country living will help us enjoy a healthy life.를 통해 남자의 의견을 고르면 된다.

**정답** ④

**유형 빈출 표현**

**• 의견 말하기**

I'm sure that ~ ~라고 확신한다  I think that ~ ~라고 생각한다  We should[shouldn't] ~ 우리는 ~해야 한다[하지 말아야 한다]  I recommend that ~ ~하는 것을 추천한다  in my opinion, we need to ~ 내 의견으로는 ~하는 게 필요하다  I think it's a good idea to ~ ~하는 것이 좋다고 생각한다  I want to remind ... that ~ …에게 ~라고 상기시키고 싶다  I totally agree with you. 네 말에 전적으로 동의한다.  I don't think so. 나는 그렇게 생각하지 않는다.  I get your point, but ~ 당신 말도 맞지만 ~

# 유형 03 화자의 관계 추론하기

대화를 듣고, 대화가 이루어지는 상황이나 장소 등 전체 대화의 내용을 통해 두 사람의 관계를 추론하는 문제 유형이다.

기출예제

대화를 듣고, 두 사람의 관계를 가장 잘 나타낸 것을 고르시오.

① 시민 − 경찰관
② 환자 − 간호사
③ 학생 − 소방관
④ 고객 − 차량 정비사
⑤ 학부모 − 영양사

W: Mr. Thomson. Thank you for your demonstration. I learned a lot today.
M: Glad to hear that. Everyone should know what to do in emergencies.
W: Right. Can I ask you some questions? I'm thinking of getting a job in your field after graduation.
M: Sure. Go ahead.
W: Fighting fires is your main duty. But what other things do you do?
M: One thing we do is search for and rescue people during natural disasters like floods.
W: Wonderful. I'd love to learn more.
M: Well, we provide a job experience program for high schoolers on weekday afternoons at our fire station.
W: Really? I think I have time after school. What would I do there?
M: You'll practice how to use various equipment for extinguishing fires. You can also check out the fire trucks.
W: Sounds great. How do I sign up?
M: Your teacher has some pamphlets, so you can ask her.

**풀이 전략**

1. 선택지를 보면서 각 관계별로 일어날 수 있는 상황을 떠올려 본다.
2. 대화자가 처한 상황이나 상대방에 대한 태도, 어조, 호칭 등에 주목하면서 듣는다.
3. 특정 직업이나 업무와 관련된 전형적인 표현이나 구체적인 단서를 통해 두 사람과 관계를 추론한다.

**실전 풀이**

대화에 나오는 emergencies, fighting fires, rescue people, fire station, extinguishing fires 등을 통해 남자가 소방관임을 알 수 있고, learn, after graduation, high schoolers, your teacher 등을 통해 여자가 학생임을 유추할 수 있다.

**정답** ③

**유형 빈출 표현**

- **직업** director 감독 veterinarian 수의사 reporter 기자 repairman 수리공 mechanic 정비공 interviewer 면접관 interviewee 면접 받는 사람 client 고객, 의뢰인 librarian 사서 passenger 승객 counselor 상담원 deliveryman 배달원 sales clerk 점원 travel agent 여행사 직원 security guard 경비원 tour guide 관광 안내원
- **장소** **[공항]** passport 여권 turbulence 난기류 lost luggage desk 수하물 분실 센터 transfer 환승하다 baggage 수화물 delay 지연
  **[회사]** part-time 시간제의 résumé 이력서 promote 승진하다 coworker 동료 sales department 영업부 hire 고용하다
  **[병원]** emergency 응급 prescription 처방 drugstore 약국 operation 수술 first aid 응급 처치 regular checkup 정기 검진

유형 **04** 

# 그림 내용 불일치 파악하기

대화를 듣고, 제시된 그림에서 대화의 내용과 일치하지 않는 것을 고르는 문제 유형이다.

**기출예제**

대화를 듣고, 그림에서 대화의 내용과 일치하지 않는 것을 고르시오.

M: Honey, Aunt Sophie just called me and said we can stay at her house next weekend.
W: Wonderful. I really like the family room there.
M: She said she rearranged it and emailed me a photo. *[Clicking sound]* Here. Look.
W: Wow, the curtains on the window are pretty. I like their star pattern.
M: That's her favorite style.
W: Do you see the chair next to the sofa? It looks comfortable.
M: Maybe we should get one like that.
W: Good idea.
M: What do you think of the vase between the lamp and the book?
W: Oh, it's lovely. I also like the flowers in the vase.
M: Wait. I know those two candles on the fireplace. They were our gift for her birthday.
W: That's right. Hey, look at the round mirror on the wall.
M: It looks cute. I can't wait to see it all in person.

**풀이 전략**

1. 대화를 듣기 전에 제시된 그림을 주의 깊게 살펴보고, 사람/사물의 위치나 모양 등 대략적인 정보들을 미리 파악한다.
2. 대화를 들으면서 대화에서 언급되는 대상을 하나하나 짚어가며 그림을 묘사하는 표현들을 잘 듣고 내용과 일치하는 선택지를 지워나간다.
3. 그림에 대한 대략적인 정보뿐만 아니라 사물의 모양이나 배치, 인물의 옷차림이나 행동 등 세부적인 정보를 파악하여 정답을 찾는다.

**실전 풀이**

방 안의 사물 모양과 가구 배치에 유의하여 대화를 듣는다. 대화의 내용과 일치하는 부분은 선택지에서 지워나간다. 대화의 마지막에 벽에 걸린 둥근 거울(the round mirror)을 보라는 언급이 있는데 그림에는 직사각형 모양의 거울이 있으므로 내용과 일치하지 않는 것은 거울 모양이다.

**정답** ⑤

**유형 빈출 표현**

- **모양** circle 원형 round 원형(의) square 정사각형(의) rectangular 직사각형의 triangle 삼각형 oval 타원형의 striped 줄무늬의 floral 꽃무늬의 wide 넓은 narrow 좁은 curved 곡선의 plain 무늬가 없는 horizontal 가로의 vertical 세로의
- **위치** in front of ~ 앞에 behind ~ 뒤에 next to ~ 옆에 on top of ~ 위에 in the middle of ~의 중앙에 between A and B A와 B 사이에 opposite 맞은편에 across from ~의 맞은편에 above ~보다 위에 bottom 맨 아래쪽에 around 사방에, 빙 둘러

유형 **05** 

# 할 일·부탁한 일 파악하기

대화를 듣고, 남자[여자]가 가까운 미래나 대화 직후에 할 일을 파악하거나 상대방에게 부탁한 일을 묻는 문제 유형이다.

기출예제

대화를 듣고, 남자가 할 일로 가장 적절한 것을 고르시오.

① 항공권 취소하기
② 출장 신청하기
③ 로고 디자인하기
④ 호텔 예약하기
⑤ 티셔츠 주문하기

W: Charlie, our department workshop in Jeju is only two weeks away.
M: That's right. Let's check if everything is prepared.
W: Okay. I've already booked the flight for everyone. Did you take care of the accommodations?
M: I did. I called several possible hotels and made a reservation at the one that gave us the best group price.
W: Excellent. Then what else do we need to do?
M: We need to figure out where to eat and also order the T-shirts with the company logo.
W: I heard there're many good places to eat in Jeju. I'll find restaurants online.
M: Sounds good. Then I'll order the T-shirts.
W: You have everybody's sizes, right?
M: Of course. I got them the other day.
W: That's perfect.

**풀이 전략**

1. 지시문을 통해 누가 할 일인지, 누가 누구에게 부탁한 일인지를 먼저 파악하고, 선택지를 읽고 대화의 내용을 추측해 본다.
2. 수업, 여행, 생일 파티, 행사 준비 등 일상 생활과 관련된 상황에서 어떤 식의 도움이나 행동이 취해질지를 파악한다.
3. 주로 대화 후반부에 결정적인 단서가 제시되는 경우가 많고, 중간에 오답을 유도하는 함정 요소들이 등장하므로 끝까지 주의 깊게 듣고 답을 찾는다.

**실전 풀이**

지시문을 통해 남자가 할 일임을 유념하며 듣는다. 부서 워크숍 준비 상황을 점검하는 내용으로 대화의 마지막 부분에 남자가 티셔츠를 주문하겠다는 언급이 결정적 단서이다. 대화 중간에 나온 여러 함정 요소(항공권, 호텔, 로고 디자인 등)를 답으로 고르지 않도록 주의한다.

**정답** ⑤

**유형 빈출 표현**

• 요청/권유

Can[Could/Would/Will] you (please) ~? ~을 해 주시겠어요? Would you mind if I ~?/Can[May] I ~? 제가 ~해도 될까요? What would you like to do? 무엇을 하고 싶으세요? Can I ask you to do something for me? 부탁 좀 드려도 될까요? Can you do me a favor? 부탁 들어줄 수 있나요? Why don't you ~? ~하는 게 어때요? I wonder if you can ~. 당신이 ~을 해줄 수 있는지 궁금해요.

# 유형 06 지불할 금액 파악하기

대화에서 언급된 수치에 관련된 정보를 듣고, 물건의 가격이나 입장료, 수업료, 참가비, 승차 요금 등 지불해야 하는 총 금액을 계산하여 푸는 문제 유형이다.

기출예제

대화를 듣고, 남자가 지불할 금액을 고르시오.

① $36 ② $45 ③ $54 ④ $60 ⑤ $63

W: Hello. Can I help you?

M: Yes. I need a winter blanket.

W: How about this one? It's lightweight but it'll keep you warm.

M: Oh, it's soft, too. How much is it?

W: It was originally $50, but it's on sale. Now it's only $40.

M: Great. I'll take one. Do you also have pillows?

W: Of course. What kind of pillow are you looking for?

M: I'm looking for a supportive pillow because my neck hurts sometimes.

W: This one will keep your head slightly raised. The price is also reasonable. It's $10.

M: That's exactly what I need. I'll take two.

W: Okay. You're getting one blanket and two pillows, right?

M: Right. And can I use this coupon I got from your website?

W: Sure. You'll get 10% off the total price.

M: Great. I'll use the coupon and pay by credit card.

풀이 전략

1. 대화를 들으면서 숫자가 등장할 때마다 관련 내용을 메모한다.
2. 대화의 중후반부에 나오는 함정 요소, 즉 구입할 물건의 추가 개수나 할인율, 할부 여부 등에 주의하며 듣고 메모한다.
3. 대화가 끝나면 메모한 숫자 정보와 함정 요소를 가지고 빠르게 계산해서 답을 고른다. 이때, 함정에 빠졌을 경우 선택할 수 있는 오답이 선택지에 반드시 나오므로 함정에 빠지지 않도록 주의한다.

실전 풀이

총합 60달러(이불 40달러+베개 20달러(10달러×2))이고 전체 금액의 10%(6달러) 할인 받았다. 따라서 60-6=54달러이다.

**정답** ③

**유형 빈출 표현**

• 계산/가격

add 더하다 subtract 빼다 multiply 곱하다 divide 나누다 three times 3배 additional 추가의 extra charge 추가 비용 tax 세금

It's on sale now. 지금 세일 중입니다. It's a fixed price. 정찰제입니다. They are $5 each. 각각 5달러입니다. Your total comes to $100. 총 100달러입니다. get 10% off[get a 10% discount] 10퍼센트 할인받다 take 30% off the total price 총 금액에서 30퍼센트 할인해주다

# 유형 07 이유 파악하기

대화를 듣고, 화자가 처한 상황에서 특정 행위를 하거나 하지 못하는 이유를 파악하는 문제 유형이다.

**기출예제**

대화를 듣고, 여자가 영화를 보고 있는 이유를 고르시오.

① 맡은 배역을 더 잘 이해하고 싶어서
② 훌륭한 영화감독이 되고 싶어서
③ 좋아하는 장르의 작품이어서
④ 주연 배우들을 좋아해서
⑤ 작문 숙제를 해야 해서

M: Ellen, what are you looking at on your smart phone?
W: Hey, John. I'm watching the movie *Romeo and Juliet*.
M: I didn't know you're interested in romantic movies.
W: To be honest, I like action movies.
M: Then, is it for your writing assignment? You said you needed to write a paper on Shakespeare.
W: No, I've already finished it.
M: Well, do you like the actors in the movie?
W: Not really. Actually, I'm going to play Juliet in the school play. And I'm watching this because I want to better understand my role.
M: Oh, that's a good idea. I'm sure it'll help you.
W: I hope so. I really want to do well.
M: Don't worry. You'll do great.
W: Thanks. You should come and watch the play.

**풀이 전략**

1. 지시문과 선택지를 먼저 읽고 대화의 내용을 미리 추측해본다.
2. 주로 대화 초반에 화자가 처한 상황이 제시되고, 이후에 그 이유에 대한 언급이 이어지므로 대화의 흐름을 잘 따라가면서 단서를 찾는다.
3. 이유를 묻는 표현 뒤에 이어지는 대답이 정답의 단서일 가능성이 크므로 그 부분에 특히 유의해서 듣고, 대화 중간에 제시되는 오답을 유도하는 내용에 유의하며 정답을 찾는다.

**실전 풀이**

여자가 스마트폰으로 '로미오와 줄리엣' 영화를 보고 있는 이유에 대해 묻고 있는 상황으로, 후반부에 여자의 말 And I'm watching this because I want to better understand my role.이 정답의 단서이다.

**정답** ①

**유형 빈출 표현**

- **이유를 묻는 표현:** Why? 왜? How come? 어째서? For what? 무엇 때문에? Really? 정말?
- **이유에 답하는 표현:** Because ~ 왜냐하면 ~ It's probably ~ 그것은 아마도 ~ 야 because of ~ ~ 때문에 Actually, ~ 사실은 ~ That's (the reason) why ~ 그것이 ~한 이유야

유형 **08**

# 언급되지 않은 내용 고르기

대화를 듣고, 특정 소재에 대해 두 사람이 대화에서 언급하지 않은 것을 고르는 문제 유형이다.

기출예제

대화를 듣고, Winter Discovery Camp에 관해 언급되지 않은 것을 고르시오.

① 참가 대상 ② 활동 내용 ③ 기간
④ 기념품 ⑤ 참가비

M: Honey, I'm looking at the Natural History Museum's website. The museum's going to hold the Winter Discovery Camp.
W: What's it about?
M: It says here that the theme is dinosaurs.
W: That sounds interesting. You know our son Peter loves dinosaurs.
M: He does. The camp is for elementary school students, so it's perfect for him.
W: What activities will they do?
M: The camp offers fun, hands-on activities. For example, participants will look for dinosaur bones hidden in sand and then put them together.
W: I'm sure Peter will love the camp. When is it?
M: It'll be held from January 11 to 13.
W: That's good. It won't overlap with our family trip. And how much does it cost?
M: The participation fee is $20.
W: That's not bad. I'll ask Peter if he wants to go.
M: Okay.

### 풀이 전략

1. 지시문을 통해 대화의 소재를 파악하고 선택지를 보면서 대화의 세부 내용을 추측해본다.
2. 선택지에 제시된 항목들이 순서대로 대화 전체에 걸쳐서 나오므로 항목들에 집중하면서 듣는다.
3. 대화에서 언급된 내용이 나올 때마다 선택지에서 하나씩 지워나가며 정답의 범위를 좁히면서 답을 찾는다.

### 실전 풀이

지시문을 통해 소재가 Winter Discovery Camp임을 확인하고 남자의 말에 집중해서 듣는다.
① 참가 대상(elementary school students),
② 활동 내용(fun, hands-on activities),
③ 기간(from January 11 to 13),
⑤ 참가비($20)
**정답** ④

### 유형 빈출 표현

**• 행사 안내 표현 I**
science camp 과학 캠프 temple stay 템플 스테이 campaign 캠페인 charity event 자선 행사 job fair 채용 박람회 exposition[expo] 박람회 awards ceremony 시상식 concert 연주회 flea market 벼룩 시장 souvenir 기념품 free gift 증정품
What kind of survey[camp] is it? 설문[캠프]는 무엇에 관한 것인가요? The event is for ~ 그 행사는 ~을 위한 것이다 It will be held from ~ to ... 그것은 ~부터 …까지 열릴 것이다 participation fee 참가비 admission fee 입장료

# 유형 09 내용 일치 여부 파악하기

특정 소재에 대한 담화를 듣고, 담화에서 말한 세부적인 사실들의 일치 여부를 파악하는 문제 유형이다.

기출예제

Global Design Conference에 관한 다음 내용을 듣고, 일치하지 않는 것을 고르시오.

① Chicago에서 매년 개최된다.
② 유명 디자이너들의 강연이 있을 것이다.
③ 100명의 디자이너가 제작한 작품들이 전시될 것이다.
④ 6월 20일에 시작한다.
⑤ 등록비는 환불이 가능하다.

W: Welcome back to Design Talk. Today I have exciting news for you. One of the world's largest design conferences is coming soon. It's the Global Design Conference. The conference is held every year in Chicago. It aims to keep people informed about the current trends in design. This year there'll be lectures by famous designers and practical workshops. In addition, the works made by 100 designers will be displayed. These selected works will change the way you look at design. The conference begins on June 20 and ends on the 22. Registration is only available on the conference website. The registration fee is $30, and it's non-refundable. If design is important to you, mark your calendar now!

**풀이 전략**

1. 지시문을 통해 소재를 파악하고, 선택지를 읽으며 세부 내용으로 무엇이 언급될지 예측한다.
2. 담화의 순서대로 선택지가 제시되므로 일치 여부를 차례로 확인하고, 일치하지 않는 내용이 있을 경우 메모를 해두고 오답을 지워나간다.
3. 특정 소재에 관해 자신이 알고 있는 상식에 의존하지 말고 담화 내용에 근거하여 정답을 찾도록 유의해야 한다.

**실전 풀이**

선택지의 핵심어에 유의하면서 듣고, 담화의 마지막 부분에 The registration fee is $30, and it's non-refundable.(등록비는 30달러이고 환불되지 않는다.)이라는 언급이 있으므로 ⑤가 내용과 일치하지 않는다.

**정답** ⑤

**유형 빈출 표현**

• **행사 안내 표현 II**

conference 회의, 학회 contest 대회 audition 오디션 workshop 워크숍, 연수 lecture 강연 volunteer work 자원봉사 booth 부스, 전시장 community 지역 사회 participant 참가자 application form 신청서 registration fee 등록비 refundable 환불 가능한 available 이용 가능한

It has 50 years of history. 50년의 역사를 갖고 있다. It is held every year in New York. 뉴욕에서 해마다 열린다. It aims to ~ ~하는 것을 목적으로 한다

~ will be displayed ~이 전시될 것이다 Registration is only available on the website. 등록은 웹사이트에서만 가능하다.

# 유형 10 도표 정보 파악하기

주어진 도표를 보면서 대화를 듣고, 화자가 구입할 물건, 공연, 프로그램 등을 고르는 문제 유형이다.

기출예제

다음 표를 보면서 대화를 듣고, 여자가 구입할 재킷을 고르시오.

**Blackhills Hiking Jackets**

| | Model | Price | Pockets | Waterproof | Color |
|---|---|---|---|---|---|
| ① | A | $40 | 3 | × | brown |
| ② | B | $55 | 4 | ○ | blue |
| ③ | C | $65 | 5 | ○ | yellow |
| ④ | D | $70 | 6 | × | gray |
| ⑤ | E | $85 | 6 | ○ | black |

M: Alice, Blackhills Hiking Jackets is having a big sale this weekend.
W: Nice. I need a jacket for the hiking trip next week, Jason.
M: Here. Have a look at their online catalog.
W: Wow! They all look nice. But I don't want to spend more than $80.
M: Then you should choose from these four. How many pockets do you want?
W: The more the better. Three pockets are not enough.
M: Does it need to be waterproof?
W: Of course. It's really important because it often rains in the mountains.
M: Then there're two options left.
W: I like this yellow one.
M: It looks nice, but yellow can get dirty easily.
W: That's true. Then I'll buy the other one.
M: I think that's a good choice.

**풀이 전략**

1. 대화를 듣기 전에 지시문과 도표를 먼저 보고, 대화의 내용을 예측해본다.
2. 도표의 세부 항목에 해당하는 내용을 집중적으로 듣고, 도표 내의 선택지를 비교하면서 오답을 지워나간다.
3. 대화를 들으면서 도표와 관련된 구체적인 정보를 도표에 직접 메모하면 정답을 찾는 데 도움이 된다.

**실전 풀이**

지시문과 도표를 통해 구입할 재킷에 대한 정보임을 예측하고 대화에 나온 조건에 해당하지 않는 선택지를 하나씩 지워나가면서 답을 찾는다. (가격: $80 이하이므로 ⑤ 제외, 주머니: 3개는 충분하지 않다고 했으므로 ① 제외, 방수: 필요하므로 ①, ④ 제외, 색상: 남은 두 가지 중 노란색은 쉽게 더러워지므로 다른 하나를 선택한다고 했으므로 ③ 제외)

**정답** ②

**유형 빈출 표현**

**• 쇼핑 관련 표현**

model 모델, 제품　price range 가격대　online catalog 온라인 카탈로그　option 선택 (사항)　choice 선택　pocket 주머니　waterproof 방수(의)　flyer 전단, 광고지　home appliance 가정용 전기제품

Do you have a particular model in mind? 생각하고 있는 특별한 모델이 있나요?　Which do you prefer ~? ~이 더 마음에 드니?　the more the better 많을수록 더 좋다　the cheaper the better 쌀수록 더 좋다　we have only one option 한 가지 선택만이 있다　there are two options left 두 가지 선택이 남아 있다　I'll buy the other one. 다른 하나를 살 것이다.　I'll take this one. 이것을 살 것이다.

유형 **11**

# 짧은 대화의 응답 찾기

A - B - A - (B)로 이어지는 짧은 대화를 듣고, 두 번째 A의 말에 이어질 B의 응답으로 가장 적절한 것을 고르는 문제 유형이다.

**기출예제**

대화를 듣고, 여자의 마지막 말에 대한 남자의 응답으로 가장 적절한 것을 고르시오.

① Not yet. I forgot to send it.
② Of course. You can have it.
③ Sorry. We're sold out of pictures.
④ Right. You shouldn't buy a book.
⑤ No, thanks. I don't want an album.

W: Dad, I want to send this book to Grandma. Do you have a box?
M: Yeah. I've got this one to put photo albums in, but it's a bit small.
W: The box looks big enough for the book. Can I use it?
M: ______________________________

**풀이 전략**

1. 대화를 듣기 전에 선택지를 먼저 읽고 대화의 내용을 추측한다.
2. 대화가 짧게 끝나므로 처음부터 집중해서 들으면서 대화의 흐름을 파악한다.
3. 대화의 마지막 말, 즉 두 번째 여자[남자]의 말이 정답의 결정적 단서가 되므로 유의해서 듣고, 대화에 나온 일부 표현을 이용한 오답이 많으므로 함정에 빠지지 않도록 주의해야 한다.

**실전 풀이**

할머니께 책을 보내기 위해 상자가 필요한 상황에서 아빠에게 상자를 사용해도 되는지를 묻는 마지막 말에 대한 응답을 고른다. 대화에 나온 send, photo, book, album 등을 이용한 오답을 선택하지 않도록 주의한다.

**정답** ②

## 유형 빈출 표현

**• 제안/요청의 질문과 응답**

Why don't we go to the movies tonight? 오늘 밤에 영화 보러 가는 게 어때?
– That's a good idea! 좋은 생각이야! / Sorry, I have to prepare for a test. 미안하지만 시험 준비를 해야 해.

Would you like me to take you to the airport? 너를 공항까지 데려다 줄까?
– Yes, I'd really appreciate that. 네, 정말 감사해요. / That's OK. There's an airport shuttle stop near here. 괜찮아요. 근처에 공항 셔틀 정류장이 있어요.

Can I use your tablet PC for a moment? 잠깐 네 테블릿 PC를 사용해도 될까?
– Sure, no problem. 그럼. / No, I'm working on it. 아니, 내가 사용 중이야.

May I see your driver's license? 운전면허증을 보여주시겠어요?
– Yes, here it is. 네, 여기 있어요. / I'm afraid I'm not carrying it now. 유감스럽게도 지금 갖고 있지 않아요.

유형 12

# 긴 대화의 마지막 말에 대한 응답 찾기

긴 대화를 듣고 남자[여자]의 마지막 말에 대한 상대방의 응답으로 가장 적절한 것을 고르는 문제 유형이다.

기출예제

대화를 듣고, 여자의 마지막 말에 대한 남자의 응답으로 가장 적절한 것을 고르시오. [3점]

Man: ______________________________

① Yes. The hotel is within walking distance.
② All right. Let's go on a bus tour then.
③ I agree. The place was too crowded.
④ Of course. It's very warm downtown.
⑤ Sure. Our last vacation was the best ever.

W: Richard, this is a great place to spend vacation, isn't it?
M: Yes. I really love this city, Mom.
W: So what do you want to do today?
M: Why don't we take a walking tour downtown? I heard it's a must-do.
W: I don't think a walking tour is a good idea.
M: Why not?
W: It's very cold and windy today. We might catch a cold if we walk outside too long.
M: But I want to see the famous tourist attractions downtown.
W: Then we can take a bus tour, instead.
M: A bus tour? I didn't think about that.
W: The bus goes around downtown and visits all the famous places.
M: Well, I guess we could see all the places and stay warm on the bus.
W: Definitely. And we can save time, too.
M: ______________________________

**풀이 전략**

1. 대화를 듣기 전에 선택지를 읽고, 대화의 내용을 예측해 본다.
2. 주로 주어진 상황에 대한 의견이나 조언, 생각 등이 답이 되는 경우가 많으므로, 대화의 상황과 전체적인 흐름을 잘 이해하는 것이 중요하다.
3. 마지막 말에 결정적인 단서가 나오는 경우가 많으므로 마지막에 언급되는 화자의 말을 집중해서 듣는다.

**실전 풀이**

엄마와 아들이 여행을 온 상황으로 추운 날씨 때문에 걸어서 하는 투어 대신 버스 투어를 하자는 엄마의 제안에 아들이 긍정적인 반응을 보였으므로 동의를 표하는 응답이 적절하다.

**정답** ②

**유형 빈출 표현**

• **평서문에 대한 응답**

I think we should leave now. 우리는 지금 출발해야 할 것 같아요. – Right, we shouldn't be late. 맞아요, 우리는 늦으면 안 돼요. (동의) / But Daniel hasn't come yet. 하지만 Daniel이 아직 오지 않았어요. (반대)
It looks like rain. 비가 올 것 같아요. – Yes, I think so. 나도 그렇게 생각해. (동의) / If it rains, the picnic will be canceled. 비가 내리면 소풍이 취소될 거야. (가정) / Didn't you bring your umbrella? 우산 안 가져 왔니? (질문)

# 유형 13 상황에 적절한 말 고르기

특정 상황을 설명하는 담화를 듣고, 그 상황에서 해당 인물이 할 말로 가장 적절한 것을 고르는 문제 유형이다.

기출예제

다음 상황 설명을 듣고, David가 Julia에게 할 말로 가장 적절한 것을 고르시오.

David: ______________________

① How about joining the program after school?
② Let me assign this work to the other teachers.
③ Let's ask the students what they prefer to do.
④ Why don't we cancel the program this year?
⑤ We need to check what we did last year.

W: David and Julia are teachers working at the same high school. This year, they have to develop an after-school program for first-year students. Before they get to work, they look at the last year's program, which was very successful. Julia thinks the program looks quite good and wants to do it again. However, David is unsure. He thinks that the students may want to do different things from what last year's students did. And he wants to first find out what this year's students would like to do. Therefore, he wants to suggest to Julia that they should hear from the students about their preferences. In this situation, what would David most likely say to Julia?

풀이 전략

1. 대화를 듣기 전에 지시문과 선택지를 읽고 어떤 상황이 나올지 예측해 본다.
2. 세부 사항보다는 전체적인 분위기와 흐름을 통해 인물이 처한 상황을 제대로 파악한다.
3. 주로 마지막 부분에 핵심 정보가 나오므로 끝까지 집중해서 듣고 적절한 답을 찾는다.

실전 풀이

담화 첫 부분을 통해 David와 Julia가 같은 고등학교 교사이고, 방과 후 프로그램을 함께 개발해야 하는 상황임을 파악할 수 있다. 마지막 부분의 Therefore 이후의 내용이 David가 Julia에게 할 말에 대한 결정적 단서가 된다.

**정답** ③

**유형 빈출 표현**

- **감사** I don't know how to thank you. 어떻게 감사드려야 할지 모르겠어요. Thanks. I made it because of you. 고마워요. 당신 덕분에 해냈어요.
- **격려** Cheer up. You'll do better next time. 기운 내. 다음 번에는 더 잘할 거야. Keep going! You can make it. 계속해. 넌 해낼 수 있어.
- **충고** If I were you, I wouldn't do that. 내가 너라면 그것을 하지 않을 거야. Why don't you tell her you're sorry? 그녀에게 미안하다고 말하는 게 어때?
- **제안** How about eating out tonight? 오늘 밤에 외식하는 게 어때? Why don't we ask for help? 도움을 청하는 게 어때?

# 유형 14 긴 담화 듣고 세트 문제 풀기

긴 담화를 두 번 반복해서 듣고, 중심 내용(주제, 목적)과 세부 사항(언급되지 않은 것)을 묻는
두 개의 세트 문항을 해결해야 하는 문제 유형이다.

기출예제

다음을 듣고, 물음에 답하시오.

01. 남자가 하는 말의 주제로 가장 적절한 것은?

① materials used to make musical instruments
② ways to preserve ancient instruments
③ use of music for rest and relaxation
④ trends in modern art around the world
⑤ relationship between music and civilization

02. 언급된 나라가 아닌 것은?

① China ② Mongolia ③ Nigeria
④ Australia ⑤ Colombia

M: Good morning, everyone. Last class, we learned about different kinds of musical instruments around the world. Today, we'll talk about a variety of materials used to make them. One common source of materials is different parts of animals. For example, in China, a wing bone from a large bird was made into a flute about 8,000 years ago. Another example of making musical instruments from animals comes from Mongolia. There, people made a stringed instrument using animal skin around a frame and horsehair for the strings. In another part of the world, people in Nigeria dig out clay from the ground to make a traditional drum. The entire process of making this musical instrument takes around a month. Lastly, in Australia, the material of choice is hardwood from local trees. It's made into a type of wind instrument by the native people there. Now let's take a look at some photos, and then we'll discuss them in detail.

풀이 전략

1. 지시문과 선택지를 먼저 읽고 담화의 내용을 예측한다.
2. 두 번 연속 듣기가 나오므로 처음 들을 때는 주제나 목적이 잘 드러나는 첫 부분과 마지막 부분에 집중해서 들으며 첫 번째 문제의 답을 찾는다.
3. 두 번째 들을 때는 세부 사항 파악에 초점을 맞춰 선택지와 비교하면서 오답을 제거하면서 듣고 두 번째 문제의 답을 찾는다.

실전 풀이

01. 담화 앞 부분에 주제(악기의 다양한 재료)에 대한 언급이 나오고 뒤이어 그 예들이 소개되고 있다.
02. For example 뒤에 구체적인 예가 나오고 있으므로 언급된 나라를 선택지에서 지워나가며 답을 찾는다.

**정답** 01. ① 02. ⑤

**유형 빈출 표현**

how to preserve 보존하는 방법 ways to prevent 예방하는 방법 similarities and differences 유사점과 차이점 relationship between A and B A와 B 사이의 관계 different types[kinds] of ~ 다양한 종류의 ~ tip 팁, 조언 advice 조언, 충고 ingredient 재료, 구성 요소 material 재료, 소재 species 종 side effect 부작용 advantage 이점 feature 특징 reason 이유 source 원천, 자료(의 출처)

Supreme

# Part 2 실전편

## 수능 영어 듣기 모의고사 20회 기본

# 01 영어 듣기 모의고사

1번부터 17번까지는 듣고 답하는 문제입니다.
1번부터 15번까지는 한 번만 들려주고, 16번부터 17번까지는 두 번 들려줍니다.
방송을 잘 듣고 답을 하시기 바랍니다.

## 01
**다음을 듣고, 남자가 하는 말의 목적으로 가장 적절한 것을 고르시오.**

① 학교의 연간 주요 일정을 안내하려고
② 바자회 일정 변경을 공지하려고
③ 바자회 판매 물품을 소개하려고
④ 행사 진행을 위한 도움을 요청하려고
⑤ 봉사 활동의 중요성에 대해 강조하려고

## 02
**대화를 듣고, 여자의 의견으로 가장 적절한 것을 고르시오.**

① 선탠을 하는 것이 피부에 좋다.
② 자외선 차단제는 비타민 D 부족을 초래한다.
③ 피부 보호를 위해 자외선 차단제를 써야 한다.
④ 대부분의 주름은 햇빛으로 인해 생긴다.
⑤ 피부 타입에 맞는 자외선 차단제를 선택해야 한다.

## 03
**대화를 듣고, 두 사람의 관계를 가장 잘 나타낸 것을 고르시오.**

① 가수 — 팬
② 의사 — 환자
③ PD — 성우
④ 라디오 DJ — 청취자
⑤ 작곡가 — 가수

## 04
**대화를 듣고, 그림에서 대화의 내용과 일치하지 않는 것을 고르시오.**

## 05
**대화를 듣고, 남자가 할 일로 가장 적절한 것을 고르시오.**

① 감기약 먹기
② 담임선생님께 전화하기
③ 약속 취소하기
④ 배드민턴 치러 가기
⑤ 병원 진료받기

## 06
**대화를 듣고, 여자가 지불할 금액을 고르시오.**

① \$65 ② \$75 ③ \$81 ④ \$85 ⑤ \$90

## 07
**대화를 듣고, 남자가 이번 주 금요일에 전시회에 갈 수 없는 이유를 고르시오.**

① 가족과 음악회에 가야 해서
② 고흐 전시회가 취소되어서
③ 구직 면접을 봐야 해서
④ 데이트가 있어서
⑤ 다른 전시회에 가야 해서

## 08
**대화를 듣고, Cooking with Rosy 과정에 관해 두 사람이 언급하지 않은 것을 고르시오.**

① 만드는 요리 ② 강습 장소
③ 강습 시간 ④ 1회 강습료
⑤ 준비물

## 09
**Animal Care Club에 관한 다음 내용을 듣고, 일치하지 않는 것을 고르시오.**

① 매주 수요일 오후 1시에 모인다.
② 다양한 종류의 애완동물 돌보는 법을 배울 수 있다.
③ 1, 2학년 누구나 회원이 될 수 있다.
④ 회장의 허락이 있으면 동물을 집에 데려갈 수 있다.
⑤ 이번 주 모임은 6월 9일에 개최된다.

## 10

다음 표를 보면서 대화를 듣고, 두 사람이 주문할 프라이팬을 고르시오.

**Frying Pans**

| | Model | Material | Coating | Size |
|---|---|---|---|---|
| ① | A | stainless steel | Teflon | 8 inches |
| ② | B | stainless steel | ceramic | 11 inches |
| ③ | C | aluminum | Teflon | 11 inches |
| ④ | D | aluminum | ceramic | 12 inches |
| ⑤ | E | aluminum | ceramic | 8 inches |

## 11

대화를 듣고, 여자의 마지막 말에 대한 남자의 응답으로 가장 적절한 것을 고르시오.

① Sure. You can try it on.
② It's on the shelf to your left.
③ I think this hat is a little tight.
④ The shop opened three years ago.
⑤ It's next to the Johnson Animal Clinic.

## 12

대화를 듣고, 남자의 마지막 말에 대한 여자의 응답으로 가장 적절한 것을 고르시오.

① Yes, taking a taxi is better.
② Yes. If we don't, we'll be late.
③ No, I don't want to go there by bus.
④ The subway does not stop at this station.
⑤ No. There are a lot of taxis this time of day.

## 13

대화를 듣고, 남자의 마지막 말에 대한 여자의 응답으로 가장 적절한 것을 고르시오. [3점]

Woman: ______________________

① Sure. How about this blue shirt?
② Go ahead. Pick out what you like.
③ Yes. You need to buy a new jacket.
④ I'm sorry, but it looks terrible on you.
⑤ No problem. I think the leather jacket is stylish.

## 14

대화를 듣고, 여자의 마지막 말에 대한 남자의 응답으로 가장 적절한 것을 고르시오. [3점]

Man: ______________________

① Feel free to tell me your grades.
② I think our math teacher is the best.
③ Then get help from classmates, like me.
④ Don't worry. I'll lend you my notebook.
⑤ Class participation was difficult for me, too.

## 15

다음 상황 설명을 듣고, Daniel이 Jake에게 할 말로 가장 적절한 것을 고르시오. [3점]

Daniel: ______________________

① I don't think you're a talented dancer.
② You should remember all the dance moves.
③ I have trouble preparing for the performances.
④ I think I can help you improve your dance skills.
⑤ Don't be disappointed. You'll do better next time.

[16-17] 다음을 듣고, 물음에 답하시오.

## 16

여자가 하는 말의 주제로 가장 적절한 것은?

① health benefits of honey
② how to treat a sore throat
③ top recipes for the cold season
④ common causes of sore throats
⑤ various home remedies for coughs

## 17

언급된 음식이 <u>아닌</u> 것은?

① ginger ② honey
③ chicken soup ④ frozen yogurt
⑤ ice cream

# 02 영어 듣기 모의고사

1번부터 17번까지는 듣고 답하는 문제입니다.
1번부터 15번까지는 한 번만 들려주고, 16번부터 17번까지는 두 번 들려줍니다.
방송을 잘 듣고 답을 하시기 바랍니다.

## 01
**다음을 듣고, 여자가 하는 말의 목적으로 가장 적절한 것을 고르시오.**

① 제철 과일 섭취의 중요성을 강조하려고
② 계절별 인기 여행지를 알려주려고
③ 딸기 농장 체험을 소개하려고
④ 신선한 딸기 구매 방법을 안내하려고
⑤ 주말 농장 분양을 홍보하려고

## 02
**대화를 듣고, 여자의 의견으로 가장 적절한 것을 고르시오.**

① 과중한 업무는 스트레스의 주요 원인이다.
② 적당한 카페인 섭취는 건강에 좋다.
③ 커피는 하루에 두 잔 이하로 마셔야 한다.
④ 저녁에 마시는 커피는 수면을 방해한다.
⑤ 수면 시간보다 수면의 질이 중요하다.

## 03
**대화를 듣고, 두 사람의 관계를 가장 잘 나타낸 것을 고르시오.**

① 아버지 — 딸
② 의사 — 환자
③ 코치 — 운동선수
④ 심판 — 테니스 선수
⑤ 물리치료사 — 환자

## 04
**대화를 듣고, 그림에서 대화의 내용과 일치하지 <u>않는</u> 것을 고르시오.**

## 05
**대화를 듣고, 여자가 할 일로 가장 적절한 것을 고르시오.**

① 식기 세팅하기
② 꽃다발 사오기
③ 케이크 주문하기
④ 의자 준비하기
⑤ 친구에게 전화하기

## 06
**대화를 듣고, 여자가 지불할 금액을 고르시오. [3점]**

① $90　② $95　③ $99　④ $100　⑤ $110

## 07
**대화를 듣고, 남자가 스키 캠프에 갈 수 <u>없는</u> 이유를 고르시오.**

① 겨울 방학이 늦게 시작해서
② 스키를 못 타서
③ 스노보드 강습을 받아야 해서
④ 런던에 가야 해서
⑤ 사촌들이 오기로 되어 있어서

## 08
**대화를 듣고, Korean Culture Day 행사에 관해 언급되지 <u>않은</u> 것을 고르시오.**

① 행사 장소　② 행사 시간　③ 참가비
④ 주최 단체　⑤ 행사 내용

## 09
**Montana University Summer Music Camp에 관한 다음 내용을 듣고, 일치하지 <u>않는</u> 것을 고르시오.**

① 일 년 이상 악기를 배운 고등학생만 참여할 수 있다.
② 다른 학생들과 함께 밴드에서 연주하는 기회가 주어진다.
③ 캠프 마지막 날에는 콘서트가 열린다.
④ 학생들은 오디션 결과에 따라 두 그룹으로 나뉜다.
⑤ 500달러의 추가 비용을 내면 개인 레슨을 받을 수 있다.

## 10

다음 표를 보면서 대화를 듣고, 여자가 구입할 코트를 고르시오.

**Down Coats for Women**

| | Model | Length | Hood | Price |
|---|---|---|---|---|
| ① | A | hip length | ○ | $700 |
| ② | B | knee length | ○ | $510 |
| ③ | C | knee length | × | $450 |
| ④ | D | hip length | × | $690 |
| ⑤ | E | knee length | ○ | $670 |

## 11

대화를 듣고, 여자의 마지막 말에 대한 남자의 응답으로 가장 적절한 것을 고르시오.

① I'm sorry, but I like that beige sofa.
② Yes, I do. The old one was out of style.
③ Above all, a sofa should be comfortable.
④ I think it's better than the old wallpaper.
⑤ No, you can use a leather sofa for a long time.

## 12

대화를 듣고, 남자의 마지막 말에 대한 여자의 응답으로 가장 적절한 것을 고르시오.

① It's next to the public library.
② Yes, I'd like to purchase two fans.
③ Sure. I think it was a good bargain.
④ No, but I heard it sells the newest models.
⑤ Sure. I bought all my electronics there.

## 13

대화를 듣고, 여자의 마지막 말에 대한 남자의 응답으로 가장 적절한 것을 고르시오. [3점]

Man: ______________________________

① I wonder why you didn't watch it.
② Yes. It was the best game I've ever seen.
③ I think you're the best player on the team.
④ Don't be disappointed. We'll win next time.
⑤ You should have. Our team led the game from the start.

## 14

대화를 듣고, 남자의 마지막 말에 대한 여자의 응답으로 가장 적절한 것을 고르시오. [3점]

Woman: ______________________________

① That's how I got a good grade on the exam.
② Because I didn't study enough, I failed it.
③ I would rather study with you than go to the concert.
④ OK. I'll try to solve the math problems faster.
⑤ Thanks. I just don't want the same thing to happen again.

## 15

다음 상황 설명을 듣고, Aiden이 학급 친구들에게 할 말로 가장 적절한 것을 고르시오.

Aiden: ______________________________

① Please tell me more about the documentary.
② Did you know that water pollution is a big problem?
③ Don't leave the water running while brushing your teeth.
④ How about taking a short shower to save water?
⑤ You should brush your teeth for at least two minutes.

[16-17] 다음을 듣고, 물음에 답하시오.

## 16

남자가 하는 말의 주제로 가장 적절한 것은?

① major causes of tsunamis
② ways to survive earthquakes
③ different types of earthquakes
④ the necessity of disaster management
⑤ faster care in emergency situations

## 17

언급된 장소가 아닌 것은?

① house ② stadium ③ elevator
④ theater ⑤ shore

# 03 영어 듣기 모의고사

1번부터 17번까지는 듣고 답하는 문제입니다.
1번부터 15번까지는 한 번만 들려주고, 16번부터 17번까지는 두 번 들려줍니다.
방송을 잘 듣고 답을 하시기 바랍니다.

## 01
**다음을 듣고, 여자가 하는 말의 목적으로 가장 적절한 것을 고르시오.**

① 하복 착용 가능 기간을 공지하려고
② 교복 재구매 신청 방법을 안내하려고
③ 교복에 대한 불만에 대해 해명하려고
④ 학생회의 교복 변경 건의를 수락하려고
⑤ 새로운 하복 도입과 선정 과정을 알리려고

## 02
**대화를 듣고, 남자의 의견으로 가장 적절한 것을 고르시오.**

① 굳이 비싼 컴퓨터를 살 필요가 없다.
② 비싸다고 컴퓨터의 성능이 좋지는 않다.
③ 모니터가 큰 것이 게임을 하는 데 더 좋다.
④ 부모님께는 고성능 컴퓨터를 사드리는 편이 낫다.
⑤ 2,000달러로는 성능 좋은 컴퓨터를 사기 어렵다.

## 03
**대화를 듣고, 두 사람의 관계를 가장 잘 나타낸 것을 고르시오.**

① 의사 — 환자
② 교사 — 학부모
③ 간병인 — 환자 보호자
④ 상담사 — 학생
⑤ 무용학원 강사 — 수강생

## 04
**대화를 듣고, 그림에서 대화의 내용과 일치하지 않는 것을 고르시오.**

## 05
**대화를 듣고, 남자가 할 일로 가장 적절한 것을 고르시오.**

① 살충제 뿌리기
② 전자 모기향 구입하기
③ 모기장 설치하기
④ 창문 밑에 난 구멍 막기
⑤ 자기 전에 샤워하기

## 06
**대화를 듣고, 두 사람이 지불할 금액을 고르시오.**

① $240
② $270
③ $300
④ $540
⑤ $600

## 07
**대화를 듣고, 여자의 포스터가 철거된 이유를 고르시오.**

① 승인을 받지 않아서
② 게시 기간이 초과되어서
③ 포스터에 도장을 받지 않아서
④ 적절한 장소에 부착되지 않아서
⑤ 게시 가능 기간이 아직 안 되어서

## 08
**대화를 듣고, 여자의 병에 관해 두 사람이 언급하지 않은 것을 고르시오.**

① 발병 부위
② 증상
③ 발병 원인
④ 치료 장소
⑤ 치료 방법

## 09
**Audio Fest에 관한 다음 내용을 듣고, 일치하지 않는 것을 고르시오.**

① 2월 21일에서 23일까지 개최된다.
② 50여 개 이상의 기업이 참여한다.
③ 고해상도 플레이어와 무선 이어폰이 전시된다.
④ 최신 스피커 사운드를 체험할 수 있는 방음 공간이 있다.
⑤ 13세 이하 어린이들의 입장료는 15달러이다.

## 10
다음 표를 보면서 대화를 듣고, 남자가 구매할 백팩을 고르시오.

**Backpacks**

| | Model | Material | Color | Outside Pocket | Price |
|---|---|---|---|---|---|
| ① | A | fabric | black | × | $300 |
| ② | B | leather | navy | ○ | $300 |
| ③ | C | fabric | navy | ○ | $250 |
| ④ | D | leather | navy | ○ | $250 |
| ⑤ | E | leather | black | × | $250 |

## 11
대화를 듣고, 여자의 마지막 말에 대한 남자의 응답으로 가장 적절한 것을 고르시오.

① Yes, but I am a big fan of his.
② No, but I don't know Mike very well.
③ No, this is his second book I've read.
④ Sure, but I didn't need to read it at all.
⑤ Yes, so far I've read three of his novels.

## 12
대화를 듣고, 남자의 마지막 말에 대한 여자의 응답으로 가장 적절한 것을 고르시오.

① Hand it to me. I'll try it on.
② I think this jacket really suits you.
③ Thank you. I hope you'll like it.
④ I'm afraid the jacket is out of date.
⑤ I'm so sorry. Would you like a refund or an exchange?

## 13
대화를 듣고, 여자의 마지막 말에 대한 남자의 응답으로 가장 적절한 것을 고르시오. [3점]

Man: ______________________________

① I can't understand why fantasy fans do that.
② That's why the movie is hard to understand.
③ I don't think they are different from each other.
④ The reviews will help you understand the books.
⑤ Sure. I think they will help you enjoy the movies more.

## 14
대화를 듣고, 남자의 마지막 말에 대한 여자의 응답으로 가장 적절한 것을 고르시오. [3점]

Woman: ______________________________

① Well, I don't expect a lot from you.
② I might go on a trip this weekend.
③ I see. I'm so eager to visit Las Vegas again.
④ I'm sorry, but I don't want to be outside now.
⑤ Trust me. It was one of the best shows I've seen recently.

## 15
다음 상황 설명을 듣고, Emma가 Leo에게 할 말로 가장 적절한 것을 고르시오. [3점]

Emma: ______________________________

① I think we should start practicing now.
② Let's postpone practicing until the finals are over.
③ I don't think we are prepared enough for the festival.
④ We need to prepare regularly for the exams.
⑤ Taking part in the group practice is necessary.

[16-17] 다음을 듣고, 물음에 답하시오.

## 16
남자가 하는 말의 주제로 가장 적절한 것은?

① steps to fix old and used items
② the process to join student council
③ how the school bazaar started
④ guidelines for donations to the school bazaar
⑤ reasons why student council should run the bazaar

## 17
언급된 물건이 <u>아닌</u> 것은?

① toys ② books
③ cleaners ④ clothing
⑤ computers

# 04 영어 듣기 모의고사

1번부터 17번까지는 듣고 답하는 문제입니다.
1번부터 15번까지는 한 번만 들려주고, 16번부터 17번까지는 두 번 들려줍니다.
방송을 잘 듣고 답을 하시기 바랍니다.

## 01

**다음을 듣고, 여자가 하는 말의 목적으로 가장 적절한 것을 고르시오.**

① 교복 선정 과정에 대해 안내하려고
② 졸업 전 교복 기부를 권유하려고
③ 불우이웃 돕기 성금 모금을 독려하려고
④ 중고 교복 구매 방법에 대해 설명하려고
⑤ 졸업생들에게 축하와 격려의 말을 전하려고

## 02

**대화를 듣고, 두 사람이 하는 말의 주제로 가장 적절한 것을 고르시오.**

① 중간고사 대비 시간 활용법
② 체중 감량을 위한 적절한 방법
③ 청소년들의 외모에 대한 지나친 관심
④ 불규칙적인 식습관으로 인한 문제점
⑤ 운동을 통한 근력 강화의 중요성

## 03

**대화를 듣고, 두 사람의 관계를 가장 잘 나타낸 것을 고르시오.**

① 배우 지망생 — 영화감독
② 의사 — 환자
③ 연출가 — 발레 무용수
④ 학원 강사 — 학부모
⑤ 담임교사 — 학생

## 04

**대화를 듣고, 그림에서 대화의 내용과 일치하지 않는 것을 고르시오.**

## 05

**대화를 듣고, 남자가 할 일로 가장 적절한 것을 고르시오.**

① 식당 예약하기
② 파티 초대장 보내기
③ 인형 사러 가기
④ 친구를 차로 데려오기
⑤ 여자의 친구 집에서 인형 가져오기

## 06

**대화를 듣고, 여자가 지불할 금액을 고르시오.**

① $70 ② $120 ③ $130 ④ $140 ⑤ $150

## 07

**대화를 듣고, 여자가 배낭여행을 갈 수 없는 이유를 고르시오.**

① 봉사활동을 가야 해서
② 겨울에 배낭여행을 갈 계획이어서
③ 아프리카로 이미 여행을 다녀와서
④ 엄마의 약국 개업 일을 도와야 해서
⑤ 가족 중 아픈 사람이 있어서

## 08

**대화를 듣고, Dream Ice Show에 관해 언급하지 않은 것을 고르시오.**

① 개최 목적 ② 개최 날짜
③ 행사 진행자 ④ 티켓 구매 방법
⑤ 티켓 가격

## 09

**Claire라는 노래에 관한 다음 내용을 듣고, 일치하지 않는 것을 고르시오.**

① 기타 연주자가 작곡한 곡이다.
② 죽은 딸을 그리워하는 아버지에 관한 이야기이다.
③ 발표 당시 차트 1위까지 올랐던 인기곡이다.
④ 노래의 길이가 7분이 넘는다.
⑤ 기타 솔로 파트를 뮤지션들이 즐겨 연주한다.

## 10
다음 표를 보면서 대화를 듣고, 두 사람이 선택한 수업을 고르시오.

**Classes at the Community Center**

| | Class | Age | Time | Fee |
|---|---|---|---|---|
| ① | Toy Workshop | 4~5 | 9 a.m. | $15 |
| ② | Robot World | 6~7 | 9 a.m. | $15 |
| ③ | Toy World | 4~5 | 2 p.m. | $15 |
| ④ | Robot Workshop | 6~7 | 9 a.m. | $30 |
| ⑤ | Hello Robo | 6~7 | 2 p.m. | $30 |

## 11
대화를 듣고, 여자의 마지막 말에 대한 남자의 응답으로 가장 적절한 것을 고르시오.

① OK, but I don't think it would work for us.
② I'm sorry I couldn't be there with you.
③ Why don't you get a family membership?
④ Sure. You are more than welcome.
⑤ I'm afraid Kelly can't join us.

## 12
대화를 듣고, 남자의 마지막 말에 대한 여자의 응답으로 가장 적절한 것을 고르시오.

① No, but I'm quite sure about it.
② Yes, but I didn't write anything on it.
③ Yes, but he didn't give me an exact answer.
④ No, he doesn't seem to care about it much.
⑤ Yes, he will give me some points if I ask him.

## 13
대화를 듣고, 남자의 마지막 말에 대한 여자의 응답으로 가장 적절한 것을 고르시오. [3점]

Woman: ______________________

① Then you have to study physics more.
② That's why I recommended the company.
③ Of course, a career in marketing offers you a promising future.
④ Well, liking a company and working there are two different things.
⑤ Physics is difficult, but you can master it if you try.

## 14
대화를 듣고, 여자의 마지막 말에 대한 남자의 응답으로 가장 적절한 것을 고르시오. [3점]

Man: ______________________

① I agree. I'll tell him to be punctual.
② Then you need to ask him to join your team.
③ I don't think it's easy for him to be responsible.
④ I think it's hard to do the chemistry assignment alone.
⑤ I think it's best that you talk to him about this issue.

## 15
다음 상황 설명을 듣고, Liz가 Judy에게 할 말로 가장 적절한 것을 고르시오. [3점]

Liz: Judy, ______________________.

① don't judge a book by its cover
② every cloud has a silver lining
③ you can't teach an old dog new tricks
④ a man is known by the company he keeps
⑤ the grass is always greener on the other side

[16-17] 다음을 듣고, 물음에 답하시오.

## 16
남자가 하는 말의 주제로 가장 적절한 것은?

① reasons to listen to your doctor
② ways to help you look after your teeth
③ the importance of regular medical checkups
④ food you should avoid for your health
⑤ tips for staying healthy in your daily life

## 17
언급된 음식이 아닌 것은?

① candies ② chocolate bars
③ rice cakes ④ soft drinks
⑤ fruit juice

# 05 영어 듣기 모의고사

1번부터 17번까지는 듣고 답하는 문제입니다.
1번부터 15번까지는 한 번만 들려주고, 16번부터 17번까지는 두 번 들려줍니다.
방송을 잘 듣고 답을 하시기 바랍니다.

## 01
**다음을 듣고, 남자가 하는 말의 목적으로 가장 적절한 것을 고르시오.**

① 협동정신의 중요성을 강조하려고
② 연간 체육수업 계획을 안내하려고
③ 체육 대회 일부 행사 취소를 공지하려고
④ 학교 축구팀 선수 선발을 안내하려고
⑤ 미세먼지 대책을 비판하려고

## 02
**대화를 듣고, 남자의 의견으로 가장 적절한 것을 고르시오.**

① 연극을 활용한 영어 회화 수업이 효과적이다.
② 조연도 주연만큼 매력적일 수 있다.
③ 원작을 변형하는 것은 위험이 따른다.
④ 연극에서 배우뿐 아니라 무대장치도 중요하다.
⑤ '로미오와 줄리엣'은 가장 인기있는 희곡이다.

## 03
**대화를 듣고, 두 사람의 관계를 가장 잘 나타낸 것을 고르시오.**

① 의사 — 환자
② 수의사 — 고양이 주인
③ 식당 주인 — 손님
④ 유치원 교사 — 학부모
⑤ 애완동물용품점 점원 — 고객

## 04
**대화를 듣고, 그림에서 대화의 내용과 일치하지 않는 것을 고르시오.**

## 05
**대화를 듣고, 여자가 할 일로 가장 적절한 것을 고르시오.**

① 음식 추가 주문하기
② 유아용 의자 배치하기
③ 시설 개선에 대한 조언하기
④ 음식을 더 맵게 조리하기
⑤ 식당 블로그에 리뷰 쓰기

## 06
**대화를 듣고, 여자가 지불할 금액을 고르시오. [3점]**

① \$80 ② \$90 ③ \$96 ④ \$100 ⑤ \$120

## 07
**대화를 듣고, 남자가 구입한 재킷을 환불받을 수 <u>없는</u> 이유를 고르시오.**

① 구매한 영수증을 잃어버려서
② 단순 변심으로 인한 환불 요청이어서
③ 재킷을 구매한 날짜가 7일이 지나서
④ 겨울용 코트는 현재 환불이 불가능해서
⑤ 할인받은 쿠폰의 조건이 교환만 가능해서

## 08
**대화를 듣고, graphene의 활용 가능 제품으로 언급되지 <u>않은</u> 것을 고르시오.**

① 비행기 ② 자동차 ③ 전자 종이
④ 컴퓨터 ⑤ 특수 섬유

## 09
**Movie Makers Club 수업에 관한 다음 내용을 듣고, 일치하지 <u>않는</u> 것을 고르시오.**

① 강좌는 이틀간 이루어진다.
② 재학생은 누구라도 참여할 수 있다.
③ 오전 8시에 시작해서 오후 5시에 끝난다.
④ 오후에 실습 시간이 주어진다.
⑤ 수강생은 스마트폰 외에 카메라를 준비해야 한다.

## 10
다음 표를 보면서 대화를 듣고, 두 사람이 선택한 테이블을 고르시오.

**Dining Tables**

| | Model | Table Top Material | Shape | Color | Price |
|---|---|---|---|---|---|
| ① | A | marble | round | white | $300 |
| ② | B | wood | round | black | $200 |
| ③ | C | marble | square | black | $300 |
| ④ | D | wood | square | white | $300 |
| ⑤ | E | wood | square | white | $200 |

## 11
대화를 듣고, 남자의 마지막 말에 대한 여자의 응답으로 가장 적절한 것을 고르시오.

① Of course. Let's stay inside for now.
② Yeah, I'd like that. Let's go now.
③ Sorry, but I don't like swimming.
④ No problem. Let's visit Mr. Park now.
⑤ Yes, but you don't need to buy a new camera.

## 12
대화를 듣고, 여자의 마지막 말에 대한 남자의 응답으로 가장 적절한 것을 고르시오.

① It's not good to compare everything, Charlie.
② I don't like pizza that much, actually.
③ It was my mother's birthday that day.
④ I think the cream pasta there is one of the best.
⑤ They plan to open another restaurant soon.

## 13
대화를 듣고, 여자의 마지막 말에 대한 남자의 응답으로 가장 적절한 것을 고르시오.

Man: ______________________

① I'm sorry, but the answer sheet isn't mine.
② Thank you, Ms. Jones. I'll be more careful next time.
③ OK, but the scanner doesn't seem to work.
④ Sure. I'll hand in the report to the principal.
⑤ Yes, I'm afraid there are no clear principles in this school.

## 14
대화를 듣고, 남자의 마지막 말에 대한 여자의 응답으로 가장 적절한 것을 고르시오. [3점]

Woman: ______________________

① You're right. I should always keep that in mind.
② I see that. I won't do too much exercise again.
③ I agree. You need to choose the right exercise for yourself.
④ I'm worried now. You need to exercise for your health.
⑤ Me too. There are many more important things out there.

## 15
다음 상황 설명을 듣고, May가 Peter에게 할 말로 가장 적절한 것을 고르시오. [3점]

May: ______________________

① When your parents get home, you need to welcome them.
② When you go outside, you have to tell Ms. Simmons first.
③ You should play less games and be more polite.
④ Before you play video games, you need to take care of the baby.
⑤ If you want to play video games, you should do your homework first.

[16-17] 다음을 듣고, 물음에 답하시오.

## 16
여자가 하는 말의 주제로 가장 적절한 것은?

① the variety of prey killer whales feed on
② the way killer whales hunt as a group
③ biological features of killer whales
④ reasons why killer whales are nearly extinct
⑤ similarities between killer whales and tyrannosaurus

## 17
언급된 동물이 아닌 것은?

① seal ② squid ③ penguin
④ lizard ⑤ shark

# 06 영어 듣기 모의고사

1번부터 17번까지는 듣고 답하는 문제입니다.
1번부터 15번까지는 한 번만 들려주고, 16번부터 17번까지는 두 번 들려줍니다.
방송을 잘 듣고 답을 하시기 바랍니다.

## 01
**다음을 듣고, 남자가 하는 말의 목적으로 가장 적절한 것을 고르시오.**

① 새로운 수영장 개장을 홍보하려고
② 수영의 네 가지 영법을 설명하려고
③ 새로운 수영 코치가 온다는 것을 알려주려고
④ 공사로 인한 수영장 임시 사용 금지를 공지하려고
⑤ 규칙적인 수영 연습의 중요성에 대해 설명하려고

## 02
**대화를 듣고, 여자의 의견으로 가장 적절한 것을 고르시오.**

① 바퀴 달린 의자는 구입하면 안 된다.
② 항상 안전을 최우선으로 생각해야 한다.
③ 잠자리에서 책을 읽는 것은 시력에 좋지 않다.
④ 독서를 할 때 적절한 밝기의 전등을 사용해야 한다.
⑤ 혼자하기 어려운 일은 이웃에게 부탁해야 한다.

## 03
**대화를 듣고, 두 사람의 관계를 가장 잘 나타낸 것을 고르시오.**

① 설문 조사원 — 상점 주인
② 학생 — 대학 교수
③ 시장 — 기자
④ 촬영기자 — 건물 경비원
⑤ 선거 관리 위원 — 투표자

## 04
**대화를 듣고, 그림에서 대화의 내용과 일치하지 않는 것을 고르시오.**

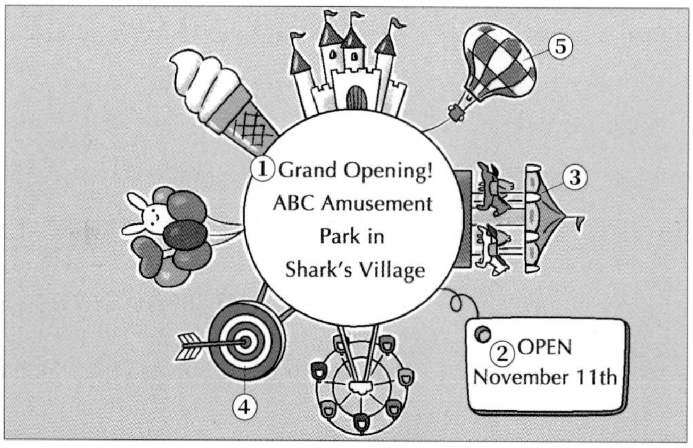


## 05
**대화를 듣고, 남자가 할 일로 가장 적절한 것을 고르시오.**

① 의사에게 진료받기
② 치료비 지불하기
③ 처방전 받기
④ 약국에 가서 약 받기
⑤ 물리치료 받기

## 06
**대화를 듣고, 남자가 지불할 금액을 고르시오. [3점]**

① $63　② $70　③ $90　④ $120　⑤ $126

## 07
**대화를 듣고, 여자가 쉬는 날에 출근해야 하는 이유를 고르시오.**

① 급하게 처리할 일이 많아서
② 쉬는 날을 잘못 알고 있어서
③ 상사가 초과 근무를 강요해서
④ 동료와 함께 해야 할 일이 있어서
⑤ 다친 동료 대신 회의에 참석해야 해서

## 08
**대화를 듣고, 남자가 보고 있는 경기에 관해 언급하지 않은 것을 고르시오.**

① 이름　② 규칙
③ 시작한 나라　④ 역대 최다 우승팀
⑤ 참가 자격

## 09
**Drone taxi에 관한 다음 내용을 듣고, 일치하지 않는 것을 고르시오.**

① 8개의 프로펠러와 4개의 다리가 있다.
② 무게는 440파운드이며, 11,500피트 높이까지 날 수 있다.
③ 시속 100마일 정도의 평균 속도로 날 수 있다.
④ 미리 입력된 정해진 목적지에만 갈 수 있다.
⑤ 배터리 용량이 부족하여 30분 정도만 날 수 있다.

## 10
다음 표를 보면서 대화를 듣고, 여자가 구입할 세탁기를 고르시오.

**Washing Machines**

| | Model | Price | Dryer | AddWash | Power Wash |
|---|---|---|---|---|---|
| ① | A | $400 | × | × | × |
| ② | B | $500 | × | ○ | × |
| ③ | C | $800 | ○ | × | × |
| ④ | D | $900 | ○ | × | ○ |
| ⑤ | E | $1,300 | ○ | ○ | ○ |

## 11
대화를 듣고, 여자의 마지막 말에 대한 남자의 응답으로 가장 적절한 것을 고르시오.

① I have met your friend before.
② I'm already aware of its meaning.
③ How about meeting her instead of me?
④ Wow! Now I'm very excited.
⑤ I have bad memories about the blind date.

## 12
대화를 듣고, 남자의 마지막 말에 대한 여자의 응답으로 가장 적절한 것을 고르시오.

① I don't know how often it stops.
② The bus will be coming soon.
③ You'd better take a taxi.
④ I have been to the science park before.
⑤ It takes 30 minutes to get there by bus.

## 13
대화를 듣고, 여자의 마지막 말에 대한 남자의 응답으로 가장 적절한 것을 고르시오. [3점]

Man: ______________________________

① Why do you want me to lose weight?
② I really like to sweat while climbing.
③ You should climb a mountain almost every day.
④ How about taking a picture to show our friends?
⑤ Mountain climbing helps you sleep well.

## 14
대화를 듣고, 남자의 마지막 말에 대한 여자의 응답으로 가장 적절한 것을 고르시오. [3점]

Woman: ______________________________

① Our children have plenty of time.
② I think we need a house with more rooms.
③ I agree. We had better find another house.
④ I have to sell this house to commute to work.
⑤ This house is a little more expensive than I expected.

## 15
다음 상황 설명을 듣고, Nancy가 Steve에게 할 말로 가장 적절한 것을 고르시오.

Nancy: Steve, ______________________

① slow down for our own safety.
② do you know how to drive a car?
③ why don't we put off the meeting?
④ how about taking a rest for a moment?
⑤ can I drive this car for you? I can drive.

[16-17] 다음을 듣고, 물음에 답하시오.

## 16
여자가 하는 말의 주제로 가장 적절한 것은?

① climate change from global warming
② a worldwide movement to turn off lights
③ landmarks worthy of visiting around the world
④ interesting events to do with your family
⑤ a blackout from the breakdown of a power plant

## 17
Earth Hour에 관해 언급된 내용이 아닌 것은?

① 시간 ② 날짜
③ 처음 시작한 도시 ④ 2008년 참여한 나라 수
⑤ 2017년 참여 인원

# 07 영어 듣기 모의고사

1번부터 17번까지는 듣고 답하는 문제입니다.
1번부터 15번까지는 한 번만 들려주고, 16번부터 17번까지는 두 번 들려줍니다.
방송을 잘 듣고 답을 하시기 바랍니다.

## 01
**다음을 듣고, 여자가 하는 말의 목적으로 가장 적절한 것을 고르시오.**

① 안전한 승강기 탑승 요령을 알려주려고
② 지진이 자주 발생하는 시기를 알려주려고
③ 학교 담당 소방관이 하는 일을 소개하려고
④ 지진이 발생했을 때 행동 요령을 설명하려고
⑤ 화재 발생시 탈출 방법을 설명하려고

## 02
**대화를 듣고, 여자의 의견으로 가장 적절한 것을 고르시오.**

① 무거운 책은 두고 다녀야 한다.
② 일기예보를 믿고 우산을 챙겨야 한다.
③ 밤 10시 전에는 귀가해야 한다.
④ 시험 하루 전에는 일찍 자는 것이 좋다.
⑤ 일기예보는 정확성이 떨어진다.

## 03
**대화를 듣고, 두 사람의 관계를 가장 잘 나타낸 것을 고르시오.**

① 택배 기사 — 집주인
② 옷 가게 점원 — 손님
③ 아파트 경비원 — 수리 기사
④ 고객 상담실 직원 — 구매 고객
⑤ 온라인 쇼핑몰 사장 — 온라인 쇼핑몰 직원

## 04
**대화를 듣고, 그림에서 대화의 내용과 일치하지 않는 것을 고르시오.**

## 05
**대화를 듣고, 남자가 할 일로 가장 적절한 것을 고르시오.**

① IPTV 해지하기
② 연결 케이블 구입하기
③ 인터넷 연결하기
④ 새 전화기 구입하기
⑤ 이삿짐센터에 전화하기

## 06
**대화를 듣고, 남자가 지불할 금액을 고르시오. [3점]**

① $60 ② $70 ③ $80 ④ $100 ⑤ $110

## 07
**대화를 듣고, 여자가 세미나에 참석하지 못하는 이유를 고르시오.**

① 다른 출장 계획이 잡혀 있어서
② 세미나 장소가 너무 멀어서
③ 다친 아들을 간호해야 해서
④ 방학 동안 다음 학기 수업을 준비해야 해서
⑤ 남편 출장 준비를 도와야 해서

## 08
**대화를 듣고, 겨울용품 판매 상점에 관해 두 사람이 언급하지 않은 것을 고르시오.**

① 상점 위치
② 가는 방법
③ 사려고 하는 물품
④ 구매 한도
⑤ 판매 기간

## 09
**Floating Cleanup Machine에 관한 다음 내용을 듣고, 일치하지 않는 것을 고르시오.**

① 네덜란드의 한 십 대 청소년이 발명했다.
② 바다를 떠다니며 쓰레기를 청소하는 기계이다.
③ 바다에 떠다니는 플라스틱 쓰레기가 발명 계기가 되었다.
④ 모든 플라스틱 쓰레기는 재활용될 수 있다.
⑤ 청소 과정에서 해양 동물에 해를 입힐 수 있다.

## 10

다음 표를 보면서 대화를 듣고, 여자가 구입할 스마트폰을 고르시오.

**Smart Phones**

| | Model | Price | Waterproof | Location Tracking | Battery Capacity |
|---|---|---|---|---|---|
| ① | A | $100 | × | ○ | 2,000 mAh |
| ② | B | $130 | ○ | × | 2,000 mAh |
| ③ | C | $140 | × | ○ | 2,500 mAh |
| ④ | D | $150 | × | × | 2,500 mAh |
| ⑤ | E | $200 | ○ | ○ | 3,000 mAh |

## 11

대화를 듣고, 여자의 마지막 말에 대한 남자의 응답으로 가장 적절한 것을 고르시오.

① I don't know what to cook for you.
② I'm glad you enjoyed it.
③ You should have checked your belt.
④ You have to eat everything before leaving.
⑤ Could you help me cook for our dinner?

## 12

대화를 듣고, 남자의 마지막 말에 대한 여자의 응답으로 가장 적절한 것을 고르시오.

① Sorry. I don't have much time.
② I can't wait to watch the concert.
③ The concert starts the day after tomorrow.
④ They stopped selling tickets yesterday.
⑤ I have only five minutes before tickets go on sale.

## 13

대화를 듣고, 여자의 마지막 말에 대한 남자의 응답으로 가장 적절한 것을 고르시오.

Man: ____________________

① Thanks for letting me get my license.
② That's what I have told you many times.
③ I promise to always wear a safety helmet.
④ Many traffic accidents occur because of kickboards.
⑤ I found a cheap electric kickboard at this shop.

## 14

대화를 듣고, 남자의 마지막 말에 대한 여자의 응답으로 가장 적절한 것을 고르시오. [3점]

Woman: ____________________

① I want you to read more educational books.
② Do you really think that you like to read books?
③ Next time I visit your teacher, he'll compliment you.
④ You should be careful not to make mistakes in the classroom.
⑤ How about playing with your classmates at school and reading books at home?

## 15

다음 상황 설명을 듣고, Brad가 Sharon에게 할 말로 가장 적절한 것을 고르시오. [3점]

Brad: ____________________

① Your seat is the perfect size for your body.
② You can look at the local landscape from the car.
③ Your seat belt will protect you in case of an accident.
④ I think learning to drive is necessary for you.
⑤ When buying a new car, you should check the seat belt.

[16-17] 다음을 듣고, 물음에 답하시오.

## 16

남자가 하는 말의 주제로 가장 적절한 것은?

① the purpose of the school's student council
② ways to write a letter of recommendation
③ advantages of thinking positively
④ recruiting new members for student council
⑤ various volunteering jobs students can apply for

## 17

언급된 조건이 아닌 것은?

① 지원서 작성하기
② 교사 추천서 받기
③ 출석 일수 채우기
④ 징계 기록 없음
⑤ 일찍 등교하기

# 08 영어 듣기 모의고사

1번부터 17번까지는 듣고 답하는 문제입니다.
1번부터 15번까지는 한 번만 들려주고, 16번부터 17번까지는 두 번 들려줍니다.
방송을 잘 듣고 답을 하시기 바랍니다.

## 01

**다음을 듣고, 남자가 하는 말의 목적으로 가장 적절한 것을 고르시오.**

① 의류 할인 판매 기간을 공지하려고
② 판매되는 상품의 종류를 소개하려고
③ 쇼핑몰 개장 시간 변경을 공지하려고
④ 쇼핑몰에 신설된 여러 매장을 안내하려고
⑤ 폐장 시간에 따른 쇼핑 정리를 부탁하려고

## 02

**대화를 듣고, 남자의 의견으로 가장 적절한 것을 고르시오.**

① 금연에 관한 공익광고를 늘려야 한다.
② 비만을 일종의 질병으로 인식해야 한다.
③ 패스트푸드 광고를 TV에서 금지해야 한다.
④ TV의 먹는 방송에 대한 규제가 요구된다.
⑤ TV 시청은 과식을 유도할 수 있다.

## 03

**대화를 듣고, 두 사람의 관계를 가장 잘 나타낸 것을 고르시오.**

① 사진사 — 고객
② 상점 주인 — 구매자
③ 헤어 디자이너 — 손님
④ 여행사 직원 — 여행객
⑤ 시청 직원 — 여권 신청자

## 04

**대화를 듣고, 그림에서 대화의 내용과 일치하지 않는 것을 고르시오.**

## 05

**대화를 듣고, 남자가 할 일로 가장 적절한 것을 고르시오.**

① 애완견 입양하기
② 수족관 구입하기
③ 고양이 먹이주기
④ 물고기 고르기
⑤ 이사할 집 알아보기

## 06

**대화를 듣고, 여자가 지불할 금액을 고르시오.**

① $20 ② $25 ③ $27 ④ $29 ⑤ $30

## 07

**대화를 듣고, 여자가 전화를 한 이유를 고르시오.**

① 제품 환불을 받으려고
② 사은품을 받지 못해서
③ 할인 정보가 궁금해서
④ 배송 상황을 알기 위해서
⑤ 선물을 주문하려고

## 08

**대화를 듣고, City Half Marathon에 관해 언급되지 않은 것을 고르시오.**

① 대회 일시 ② 출발 장소
③ 참가자 연령 제한 ④ 참가비
⑤ 우승 상품

## 09

**AU International Baby Shower에 관한 다음 내용을 듣고, 일치하지 않는 것을 고르시오.**

① 예비 부모와 3살 미만의 유아 부모를 위한 행사이다.
② 아이 양육에 관한 경험을 공유할 수 있다.
③ 저녁 식사가 무료로 제공된다.
④ 금요일 오후에 3시간 동안 진행된다.
⑤ 유아에게 음식 알레르기가 있으면 미리 알려줘야 한다.

## 10
다음 표를 보면서 대화를 듣고, 남자가 주문할 샌들을 고르시오.

**Sports Sandals**

| | Model | Size | Color | Straps | Price |
|---|---|---|---|---|---|
| ① | A | 8.5 | white | O | $60.89 |
| ② | B | 9 | blue | X | $55.99 |
| ③ | C | 9 | blue | X | $58.89 |
| ④ | D | 9.5 | black | X | $53.99 |
| ⑤ | E | 9.5 | blue | O | $62.89 |

## 11
대화를 듣고, 여자의 마지막 말에 대한 남자의 응답으로 가장 적절한 것을 고르시오.

① You're right. I'd better not drink coffee now.
② I got it. I'll just get mine as quickly as possible.
③ Thanks. I'm glad you helped me prepare for it.
④ I see. On the way back, I'll get you a cup of coffee.
⑤ I'm worried you'll be late for the meeting.

## 12
대화를 듣고, 남자의 마지막 말에 대한 여자의 응답으로 가장 적절한 것을 고르시오.

① I agree. Robert deserves to be promoted at work.
② Don't mention it. You helped me get promoted.
③ Don't be modest. You deserve it more than anyone else.
④ I feel sorry for you. You worked six hours of overtime last week.
⑤ Poor guy. You must be pretty stressed out.

## 13
대화를 듣고, 여자의 마지막 말에 대한 남자의 응답으로 가장 적절한 것을 고르시오. [3점]

Man: ______________________

① You seem to be right. Email is convenient to use.
② Oh, I see. I'll call her right now. Thank you.
③ No problem. I'm willing to clean her room.
④ I hope my friend will not reject my email.
⑤ I appreciate your advice. I already sent her an email.

## 14
대화를 듣고, 남자의 마지막 말에 대한 여자의 응답으로 가장 적절한 것을 고르시오. [3점]

Woman: ______________________

① I know what you mean. You're not a fan of them.
② I don't think so. It isn't harmful to watch them.
③ Be careful! We need to cut down on your drama watching.
④ You can say that again. I like watching dramas.
⑤ Right. Drugs are so dangerous.

## 15
다음 상황 설명을 듣고, Gloria가 Julia에게 할 말로 가장 적절한 것을 고르시오. [3점]

Gloria: ______________________

① I didn't know that you went out to see your friends.
② I'll lend you my shoes when you need them.
③ My friend likes to wear sports shoes even when it rains.
④ As a matter of fact, I didn't get your text messages.
⑤ I'm so sorry that I borrowed your sneakers without permission.

[16-17] 다음을 듣고, 물음에 답하시오.

## 16
여자가 하는 말의 주제로 가장 적절한 것은?

① how to live a long and healthy life
② problems caused by excessive exercise
③ the different cause of diseases
④ factors that help us stay in good shape
⑤ pros and cons of consuming health food

## 17
언급된 것이 아닌 것은?

① nuts ② vinegar ③ exercise
④ stress ⑤ sleep

# 09 영어 듣기 모의고사

1번부터 17번까지는 듣고 답하는 문제입니다.
1번부터 15번까지는 한 번만 들려주고, 16번부터 17번까지는 두 번 들려줍니다.
방송을 잘 듣고 답을 하시기 바랍니다.

## 01
**다음을 듣고, 여자가 하는 말의 목적으로 가장 적절한 것을 고르시오.**

① 신축 도서관 이용 방법을 안내하려고
② 공사 지연에 대해 사과하려고
③ 학교 시설 현황에 대해 설명하려고
④ 공사 중 안전 수칙을 공지하려고
⑤ 학교 주변 차량 이용 자제를 요청하려고

## 02
**대화를 듣고, 두 사람이 하는 말의 주제로 가장 적절한 것을 고르시오.**

① 애완동물 기르는 것의 장단점
② 유기견 보호시설 확충의 필요성
③ 애완견의 공원 출입 제한의 당위성
④ 부실한 애완동물 관련 법규의 문제점
⑤ 공공장소에서 애완동물 주인들의 의무와 책임

## 03
**대화를 듣고, 두 사람의 관계를 가장 잘 나타낸 것을 고르시오.**

① 모델 — 사진작가
② 의사 — 환자 보호자
③ 영화감독 — 영화배우
④ 프랑스어 교사 — 학생
⑤ 영화 제작자 — 시나리오 작가

## 04
**대화를 듣고, 그림에서 대화의 내용과 일치하지 않는 것을 고르시오.**

## 05
**대화를 듣고, 남자가 할 일로 가장 적절한 것을 고르시오.**

① 고객 만나기
② 보고서 작성하기
③ 발표 자료 찾기
④ 복사하기
⑤ 다과 준비하기

## 06
**대화를 듣고, 남자가 지불할 금액을 고르시오. [3점]**

① $30　② $36　③ $44　④ $46　⑤ $52

## 07
**대화를 듣고, 여자가 남자와 함께 모터쇼에 갈 수 없는 이유를 고르시오.**

① 모터쇼에 이미 다녀와서
② 새로 구입한 자동차 시운전을 하기로 해서
③ 친구의 이사를 도와야 해서
④ 이사할 새 아파트를 계약하러 가야 해서
⑤ 다른 친구와 보러 가기로 약속해서

## 08
**대화를 듣고, 집들이 준비물로 언급되지 않은 것을 고르시오.**

① 소고기　② 채소　③ 영화 파일
④ 사탕　⑤ 보드 게임

## 09
**Dolphin Watching Tour에 관한 다음 내용을 듣고, 일치하지 않는 것을 고르시오.**

① 총 3시간 동안 진행된다.
② 괌 서쪽 해안에서 진행된다.
③ 스노클링 외에 다른 활동도 준비되어 있다.
④ 스노클링 후에 간식과 물이 제공된다.
⑤ 스노클링 장비는 각자 준비해야 한다.

## 10

다음 표를 보면서 대화를 듣고, 여자가 주문할 가방을 고르시오.

**Sports Bags for Climbing**

| | Model | Size | Color | Front Pockets |
|---|---|---|---|---|
| ① | A | large | gray | × |
| ② | B | medium | gray | ○ |
| ③ | C | large | navy | ○ |
| ④ | D | large | beige | ○ |
| ⑤ | E | medium | navy | × |

## 11

대화를 듣고, 남자의 마지막 말에 대한 여자의 응답으로 가장 적절한 것을 고르시오.

① The costumes were not my choice.
② I like their creative ideas.
③ I liked the vampire most.
④ I wore a dress and carried a magic wand.
⑤ My favorite one is the children's parade.

## 12

대화를 듣고, 여자의 마지막 말에 대한 남자의 응답으로 가장 적절한 것을 고르시오.

① Great! I need to fix it there.
② Really? I'll go there tomorrow.
③ Sorry, I don't like that bicycle.
④ I think I bought it for a cheap price.
⑤ That's right. K-mart is the best in town.

## 13

대화를 듣고, 여자의 마지막 말에 대한 남자의 응답으로 가장 적절한 것을 고르시오. [3점]

Man: ________________

① You should. His book is very interesting.
② No, it doesn't mean much to me.
③ First of all, you have to apologize.
④ I can't tell you how sorry I am!
⑤ Still, it won't be the same.

## 14

대화를 듣고, 남자의 마지막 말에 대한 여자의 응답으로 가장 적절한 것을 고르시오.

Woman: ________________

① It looks like he's doing fine.
② Really? That sounds very tough.
③ I think you need to work harder.
④ Wow. You must be a workaholic.
⑤ That's too bad. Just call your coworkers.

## 15

다음 상황 설명을 듣고, Ian이 Luna에게 할 말로 가장 적절한 것을 고르시오. [3점]

Ian: ________________

① How much is the bus fare?
② Would you help me find my wallet?
③ My transportation card doesn't work.
④ I'm sorry, but can I borrow some money?
⑤ We'd better hurry up, or we'll miss the bus.

[16-17] 다음을 듣고, 물음에 답하시오.

## 16

남자가 하는 말의 주제로 가장 적절한 것은?

① how to lose weight fast
② benefits of aerobic exercise
③ ways to strengthen your heart
④ the importance of regular exercise
⑤ various kinds of aerobic exercise

## 17

언급된 운동이 아닌 것은?

① aerobic dance
② swimming
③ jogging
④ jumping rope
⑤ inline skating

# 10 영어 듣기 모의고사

1번부터 17번까지는 듣고 답하는 문제입니다.
1번부터 15번까지는 한 번만 들려주고, 16번부터 17번까지는 두 번 들려줍니다.
방송을 잘 듣고 답을 하시기 바랍니다.

## 01
**다음을 듣고, 여자가 하는 말의 목적으로 가장 적절한 것을 고르시오.**

① 절도범 검거 진행 상황을 전달하려고
② 차량 내 물품 도난 예방 요령을 알려주려고
③ 치안 강화의 필요성을 건의하려고
④ 안전한 주차 방법을 공지하려고
⑤ 차량 관련 범죄에 대한 경각심을 높이려고

## 02
**대화를 듣고, 남자의 의견으로 가장 적절한 것을 고르시오.**

① 자신이 좋아하는 것을 전공해야 한다.
② 취업이 잘 되는 전공을 선택해야 한다.
③ 교사가 되기 위한 자격 요건을 강화해야 한다.
④ 재능이 없더라도 꿈을 위해 계속 노력해야 한다.
⑤ 청년 실업 문제 해결을 위해 모두 노력해야 한다.

## 03
**대화를 듣고, 두 사람의 관계를 가장 잘 나타낸 것을 고르시오.**

① 남편 — 아내
② 선생님 — 학부모
③ 집주인 — 세입자
④ 부동산 중개업자 — 고객
⑤ 인테리어 디자이너 — 의뢰인

## 04
**대화를 듣고, 그림에서 대화의 내용과 일치하지 않는 것을 고르시오.**

## 05
**대화를 듣고, 여자가 할 일로 가장 적절한 것을 고르시오.**

① 보고서 작성하기
② 쇼핑몰에 가기
③ 선물 포장하기
④ 생일 카드 사기
⑤ 친구에게 전화하기

## 06
**대화를 듣고, 여자가 지불할 금액을 고르시오.**

① $108 ② $110 ③ $216 ④ $220 ⑤ $240

## 07
**대화를 듣고, 여자가 전화를 한 이유를 고르시오.**

① 테니스를 같이 칠 수 있는지 물어보려고
② 연락이 안 되는 친구를 찾으려고
③ 숙제를 하는 데 도움을 요청하려고
④ 새로운 서점의 위치를 물어보려고
⑤ 숙제에 필요한 잡지를 빌리려고

## 08
**대화를 듣고, Alice Lake에 관해 두 사람이 언급하지 않은 것을 고르시오.**

① 이동 시간 ② 가능한 야외 활동
③ 이용료 ④ 편의시설
⑤ 애완동물 동반 가능 여부

## 09
**Student Essay Contest에 관한 다음 내용을 듣고, 일치하지 않는 것을 고르시오.**

① 에세이 주제는 '나의 영웅'이다.
② 제출 마감일은 11월 10일이다.
③ 최소 1,000자 이상이 되어야 한다.
④ 제출물에 이름, 학년, 주소가 기재되어야 한다.
⑤ 3등까지 시상한다.

## 10

다음 표를 보면서 대화를 듣고, 여자가 구입할 청소기를 고르시오.

**Vacuum Cleaners**

| | Model | Cordless | Run Time | Price |
|---|---|---|---|---|
| ① | A | ○ | 30 minutes | $850 |
| ② | B | ○ | 45 minutes | $920 |
| ③ | C | × | 40 minutes | $700 |
| ④ | D | ○ | 25 minutes | $810 |
| ⑤ | E | ○ | 50 minutes | $890 |

## 11

대화를 듣고, 여자의 마지막 말에 대한 남자의 응답으로 가장 적절한 것을 고르시오.

① That's great. I'm proud of you.
② What? He must be very talented.
③ We really enjoyed playing the violin.
④ I'm sure he'll win the violin competition.
⑤ I'm sorry to hear that. He'll do better next time.

## 12

대화를 듣고, 남자의 마지막 말에 대한 여자의 응답으로 가장 적절한 것을 고르시오.

① No, we have just sixteen copies.
② Sure. I've already handed them out.
③ Yes. We don't need to copy more.
④ The sales meeting has been cancelled.
⑤ Yes, the copy machine is out of order now.

## 13

대화를 듣고, 여자의 마지막 말에 대한 남자의 응답으로 가장 적절한 것을 고르시오. [3점]

Man: ______________________________

① Because of heavy traffic, it was delayed.
② Please make sure this doesn't happen again.
③ No, thanks. I already drank a glass of milk.
④ I'd like to sign up for a home milk delivery service.
⑤ As you know, I ordered two bottles of milk, not one.

## 14

대화를 듣고, 남자의 마지막 말에 대한 여자의 응답으로 가장 적절한 것을 고르시오. [3점]

Woman: ______________________________

① OK. I thought you would love it, too.
② I got it. Let's eat at a Thai restaurant then.
③ Really? I didn't know you're tired of Japanese food.
④ You should not eat sushi when you have a stomachache.
⑤ Then I'll search for another Japanese restaurant on my phone.

## 15

다음 상황 설명을 듣고, Dan이 점원에게 할 말로 가장 적절한 것을 고르시오. [3점]

Dan: ______________________________

① I'll pay with a credit card.
② How can I get a discount?
③ I'm afraid the total price is wrong.
④ I think vegetables are expensive here.
⑤ I'm sorry, but I'll take out these mushrooms.

[16-17] 다음을 듣고, 물음에 답하시오.

## 16

남자가 하는 말의 주제로 가장 적절한 것은?

① the importance of the food chain
② ways to end ocean pollution
③ hidden dangers of microplastics
④ various causes of ocean pollution
⑤ types and sources of microplastics

## 17

언급된 해양 생물이 아닌 것은?

① plankton ② whales ③ seals
④ shrimp ⑤ shellfish

# 11 영어 듣기 모의고사

1번부터 17번까지는 듣고 답하는 문제입니다.
1번부터 15번까지는 한 번만 들려주고, 16번부터 17번까지는 두 번 들려줍니다.
방송을 잘 듣고 답을 하시기 바랍니다.

## 01
**다음을 듣고, 남자가 하는 말의 목적으로 가장 적절한 것을 고르시오.**

① 교통 규칙 준수를 강조하려고
② 재활용 쓰레기 배출 요일을 안내하려고
③ 쓰레기 처리 규정 준수를 촉구하려고
④ 쓰레기 처리 시설 이용 방법을 설명하려고
⑤ 불법 쓰레기 배출에 대한 벌금 부과를 알리려고

## 02
**대화를 듣고, 남자의 의견으로 가장 적절한 것을 고르시오.**

① 어려운 과목은 예습을 할 필요가 있다.
② 동아리 활동보다 성적 관리에 신경을 써야 한다.
③ 물리 과목을 잘하려면 수학을 열심히 해야 한다.
④ 축제와 같은 다양한 활동에 참여하는 것이 중요하다.
⑤ 고등학교와 중학교의 과목 난이도는 차이가 있다.

## 03
**대화를 듣고, 두 사람의 관계를 가장 잘 나타낸 것을 고르시오.**

① 기자 — 수사관
② 영화배우 — 영화감독
③ 수감자 — 교도관
④ 소설가 — 편집장
⑤ 시나리오 작가 — 영화 제작자

## 04
**대화를 듣고, 그림에서 대화의 내용과 일치하지 않는 것을 고르시오.**

## 05
**대화를 듣고, 남자가 할 일로 가장 적절한 것을 고르시오.**

① 간식 준비하기
② TV 수리하기
③ 보고서 작성하기
④ 스피커 가져오기
⑤ 경기 시간 확인하기

## 06
**대화를 듣고, 남자가 지불할 금액을 고르시오.**

① $27 ② $30 ③ $36 ④ $40 ⑤ $44

## 07
**대화를 듣고, 남자가 화가 난 이유를 고르시오.**

① 진료 대기 시간이 길어서
② 담당 물리 치료사가 변경되어서
③ 치료 경과가 좋지 않아서
④ 진료 예약 과정이 복잡해서
⑤ 치료 예약이 잘못되어 있어서

## 08
**대화를 듣고, Bologna Children's Book Fair에 관해 언급되지 않은 것을 고르시오.**

① 개최 국가
② 규모
③ 창립 연도
④ 행사 내용
⑤ 참가비

## 09
**Toy Flea Market에 관한 다음 내용을 듣고, 일치하지 않는 것을 고르시오.**

① 개장 기간은 총 7일간이다.
② 개장 시간은 오전 10시부터 오후 7시까지이다.
③ 판매되는 장난감은 종류별로 분류되어 있다.
④ 망가진 장난감은 구매자가 수리해야 한다.
⑤ 만화책 코너에서는 DVD도 판매한다.

정답 및 해설 p. 41

## 10

다음 표를 보면서 대화를 듣고, 여자가 주문할 공기청정기를 고르시오.

**Air Purifiers**

| | Model | Price | Remote Control | Noise Level(db) | HEPA Filter |
|---|---|---|---|---|---|
| ① | A | $250 | ○ | 56 | ○ |
| ② | B | $130 | × | 35 | × |
| ③ | C | $200 | ○ | 56 | × |
| ④ | D | $130 | × | 35 | ○ |
| ⑤ | E | $130 | ○ | 35 | ○ |

## 11

대화를 듣고, 여자의 마지막 말에 대한 남자의 응답으로 가장 적절한 것을 고르시오.

① It's only a ten-minute walk.
② It's five minutes to five now.
③ It is not what I expected at first.
④ It's not as expensive as you think.
⑤ It's not exciting to move away from home.

## 12

대화를 듣고, 남자의 마지막 말에 대한 여자의 응답으로 가장 적절한 것을 고르시오.

① I hope she is at home now.
② I don't know how she is doing.
③ I don't want to take care of her anymore.
④ I'm so sorry, but I can't be there tomorrow.
⑤ Fortunately, she is doing much better now.

## 13

대화를 듣고, 여자의 마지막 말에 대한 남자의 응답으로 가장 적절한 것을 고르시오. [3점]

Man: ______________________________

① I don't think I'd be surprised at all.
② But watching those scenes will help you understand the movie.
③ I can finish the assignment by next Thursday.
④ That's why I started to collect romance movie DVDs.
⑤ Then how about going to the movies?

## 14

대화를 듣고, 남자의 마지막 말에 대한 여자의 응답으로 가장 적절한 것을 고르시오. [3점]

Woman: ______________________________

① Sure. You can check to see if it works fine here.
② Go ahead. I think your laptop needs to be fixed.
③ Sorry, but you can't check it at your place.
④ OK, I'll be glad to go to the party, too.
⑤ I see. We can fix your laptop right away.

## 15

다음 상황 설명을 듣고, Jenny가 Dr. James에게 할 말로 가장 적절한 것을 고르시오. [3점]

Jenny: ______________________________

① How can I relieve my pain?
② I'm sorry, but I don't want to go to the party.
③ Will it be OK if I put off my birthday party?
④ What is the best medicine for a burn like this?
⑤ Can I change my appointment to the day after tomorrow?

[16-17] 다음을 듣고, 물음에 답하시오.

## 16

여자가 하는 말의 주제로 가장 적절한 것은?

① diversity of the wildlife in the Galapagos
② rules for tourists to follow in the Galapagos
③ how to join the special tour of the Galapagos
④ dangers that wild animals face in the Galapagos
⑤ reasons to forbid tourists from the Galapagos

## 17

언급된 사항이 아닌 것은?

① food　② photos
③ clothing　④ natural objects
⑤ distance from animals

# 12 영어 듣기 모의고사

1번부터 17번까지는 듣고 답하는 문제입니다.
1번부터 15번까지는 한 번만 들려주고, 16번부터 17번까지는 두 번 들려줍니다.
방송을 잘 듣고 답을 하시기 바랍니다.

## 01
**다음을 듣고, 남자가 하는 말의 목적으로 가장 적절한 것을 고르시오.**

① 근력 운동의 중요성을 강조하려고
② 새로 나온 운동 기구를 판매하려고
③ 다음 주에 열리는 체육대회를 안내하려고
④ 신체 단련장 사용 시 주의 사항을 공지하려고
⑤ 신체 단련장 프로그램을 홍보하려고

## 02
**대화를 듣고, 두 사람이 하는 말의 주제로 가장 적절한 것을 고르시오.**

① '돈'을 의미하는 나라별 손동작
② 신체 언어 사용이 의사전달에 미치는 영향
③ 문화에 따라 의미가 다른 손짓이나 몸짓
④ 다양한 외국어 교육의 중요성
⑤ 외국 여행 시 몸짓 언어 이용의 장점

## 03
**대화를 듣고, 두 사람의 관계를 가장 잘 나타낸 것을 고르시오.**

① 경찰 — 사고 목격자
② 경찰 지망생 — 면접 감독관
③ 보험회사 직원 — 사고 운전자
④ 자동차 판매원 — 자동차 구매자
⑤ 뉴스 아나운서 — 911 전화 상담원

## 04
**대화를 듣고, 그림에서 대화의 내용과 일치하지 않는 것을 고르시오.**

## 05
**대화를 듣고, 남자가 할 일로 가장 적절한 것을 고르시오.**

① 식당 예약하기
② 부모님과 친척들에게 연락하기
③ 케이크 주문하기
④ 선물 포장하기
⑤ 부엌 청소하기

## 06
**대화를 듣고, 남자가 지불할 금액을 고르시오.**

① \$16 ② \$18 ③ \$20 ④ \$22.5 ⑤ \$25

## 07
**대화를 듣고, 남자가 시험을 미루려고 하는 이유를 고르시오.**

① 집에 손님들이 와서
② 에어컨을 고쳐야 해서
③ 영어 수업을 들어야 해서
④ 집을 구하러 가야 해서
⑤ 시험 준비를 다하지 못해서

## 08
**대화를 듣고, 공개 수업에 관해 두 사람이 언급하지 않은 것을 고르시오.**

① 일시 ② 장소 ③ 대상 학년
④ 과목 ⑤ 신청 방법

## 09
**Titanosaur에 관한 다음 내용을 듣고, 일치하지 않는 것을 고르시오.**

① 1억 년 전에 숲에서 살았다고 알려져 있다.
② 아르헨티나에서 발견되어 뉴욕으로 옮겼다.
③ 목에서 머리까지의 길이가 37미터에 달한다.
④ 매년 오백만 명 정도의 사람들이 와서 구경한다.
⑤ 무게는 코끼리 10마리 무게와 거의 비슷하다.

## 10

다음 표를 보면서 대화를 듣고, 여자가 대여할 정수기를 고르시오.

**Rent a Water Purifier**

| | Model | Price (per month) | Ice | Hot Water | Self-cleaning |
|---|---|---|---|---|---|
| ① | A | $30 | × | ○ | × |
| ② | B | $50 | ○ | × | × |
| ③ | C | $60 | ○ | × | ○ |
| ④ | D | $80 | ○ | × | ○ |
| ⑤ | E | $100 | ○ | ○ | ○ |

## 11

대화를 듣고, 여자의 마지막 말에 대한 남자의 응답으로 가장 적절한 것을 고르시오.

① How about buying a new hat and gloves?
② You must keep warm so as not to catch a cold.
③ They say it's going to snow heavily tomorrow.
④ Walking outside in this weather sounds funny.
⑤ Why don't you see a doctor?

## 12

대화를 듣고, 남자의 마지막 말에 대한 여자의 응답으로 가장 적절한 것을 고르시오.

① I happen to like English literature.
② I'd love to enter university this year.
③ I'll study English very hard at university.
④ Studying English is easier than studying math.
⑤ I want to teach students in middle or high school.

## 13

대화를 듣고, 여자의 마지막 말에 대한 남자의 응답으로 가장 적절한 것을 고르시오. [3점]

Man: ______________________________

① I would rather come here next time.
② Do you want me to wait for you?
③ I don't know how much money I have.
④ Right. I should just wait.
⑤ That's okay. I've already sent some money to New York.

## 14

대화를 듣고, 남자의 마지막 말에 대한 여자의 응답으로 가장 적절한 것을 고르시오. [3점]

Woman: ______________________________

① I really like to watch baseball games.
② I want you to play basketball instead.
③ Playing baseball won't make you feel better.
④ I recommend that you do more outdoor activities.
⑤ You can do brain exercises, like solving puzzles.

## 15

다음 상황 설명을 듣고, Olivia가 Luke에게 할 말로 가장 적절한 것을 고르시오. [3점]

Olivia: ______________________________

① You can really help me study math.
② They are really good at math, aren't they?
③ They'll be glad to help you. Don't be afraid.
④ Let's go somewhere after the final exams.
⑤ Why don't you tell them to study science instead?

[16-17] 다음을 듣고, 물음에 답하시오.

## 16

여자가 하는 말의 주제로 가장 적절한 것은?

① disadvantages of going abroad to study
② the impact of enthusiasm on teenagers
③ benefits of travel and how to prepare for it
④ how to recharge yourself during a vacation
⑤ how to prepare for a student exchange program

## 17

언급된 준비 사항이 아닌 것은?

① 시기 ② 장소 ③ 할 일
④ 비용 ⑤ 동행자

# 13 영어 듣기 모의고사

1번부터 17번까지는 듣고 답하는 문제입니다.
1번부터 15번까지는 한 번만 들려주고, 16번부터 17번까지는 두 번 들려줍니다.
방송을 잘 듣고 답을 하시기 바랍니다.

## 01
**다음을 듣고, 남자가 하는 말의 목적으로 가장 적절한 것을 고르시오.**

① 시간을 아껴 쓸 것을 당부하려고
② 규칙적인 비타민 복용을 권장하려고
③ 바쁜 현실에 적응할 것을 조언하려고
④ 자신을 위한 시간을 가질 것을 충고하려고
⑤ 균형 잡힌 영양분 섭취의 중요성을 강조하려고

## 02
**대화를 듣고, 남자의 의견으로 가장 적절한 것을 고르시오.**

① 대기업은 인간관계 맺기가 더 용이하다.
② 중소기업은 다양한 무상교육을 제공한다.
③ 중소기업은 동료들과 고객들에 대해 보다 잘 알 수 있다.
④ 중소기업과 대기업의 차이는 쉽게 구별할 수 없다.
⑤ 대기업은 중소기업보다 강점이 많다.

## 03
**대화를 듣고, 두 사람의 관계를 가장 잘 나타낸 것을 고르시오.**

① 교사 — 학생　② 기자 — 영화감독
③ 연극 연출가 — 연기자　④ 어머니 — 아들
⑤ 극작가 — 배우 지망생

## 04
**대화를 듣고, 그림에서 대화의 내용과 일치하지 않는 것을 고르시오.**

## 05
**대화를 듣고, 여자가 할 일로 가장 적절한 것을 고르시오.**

① 주소 변경하기　② 이삿짐 싸기
③ 인터넷 설치하기　④ 단체 메일 보내기
⑤ 집들이 음식 준비하기

## 06
**대화를 듣고, 여자가 지불할 금액을 고르시오. [3점]**

① $152　② $162　③ $172
④ $180　⑤ $190

## 07
**대화를 듣고, 여자가 당황한 이유를 고르시오.**

① 선물을 분실해서
② 불량품을 구입해서
③ 선물을 바꿔 보내서
④ 선물이 마음에 들지 않아서
⑤ 선물을 비싸게 주고 사서

## 08
**대화를 듣고, Star Stay에 관해 두 사람이 언급하지 않은 것을 고르시오.**

① 주차장　② 전망　③ 교통편
④ 와이파이　⑤ 수영장

## 09
**Bandera Historical Ride에 관한 다음 내용을 듣고, 일치하지 않는 것을 고르시오.**

① 강을 따라 말을 타게 된다.
② 말에게 먹이를 줄 기회를 가질 수 있다.
③ 10세 이하면 보호자가 동승해야 한다.
④ 현장 신청자는 말을 타지 못할 수도 있다.
⑤ 투어 중에 음료수가 무료로 제공된다.

10
다음 표를 보면서 대화를 듣고, 남자가 주문할 골프 가방을 고르시오.

**Golf Bags**

| | Model | Color | Price | Pattern | Extra Gift |
|---|---|---|---|---|---|
| ① | A | white | $100 | checked | balls |
| ② | B | blue | $110 | checked | gloves |
| ③ | C | black | $105 | striped | balls |
| ④ | D | blue | $120 | striped | gloves |
| ⑤ | E | black | $103 | flower | balls |

11
대화를 듣고, 여자의 마지막 말에 대한 남자의 응답으로 가장 적절한 것을 고르시오.

① I go jogging for an hour every morning.
② I'm surprised to hear that you exercise regularly.
③ I think it's better to get enough sleep every night.
④ I'm working for a food company.
⑤ Actually, I've stayed home since last month.

12
대화를 듣고, 남자의 마지막 말에 대한 여자의 응답으로 가장 적절한 것을 고르시오.

① I can't forget the way he greeted me.
② I didn't want to go to the fan meeting.
③ I knew he was sick before I went there.
④ He may have had other plans at that time.
⑤ No wonder he received a huge welcome from fans.

13
대화를 듣고, 남자의 마지막 말에 대한 여자의 응답으로 가장 적절한 것을 고르시오. [3점]

Woman: ______________________

① I'm sorry. The product is out of stock now.
② Of course. You can order the perfume again.
③ Exactly. You've already received the product.
④ OK. I'll cancel your credit card transaction.
⑤ I see. Can I see your mailing address, please?

14
대화를 듣고, 여자의 마지막 말에 대한 남자의 응답으로 가장 적절한 것을 고르시오.

Man: ______________________

① They don't belong to me. They are yours.
② I don't want to. They are precious to me.
③ Sure, cleaning always makes me feel refreshed.
④ I'll try to clean off the dust from the bookshelf.
⑤ OK. You want to read some books.

15
다음 상황 설명을 듣고, Rebecca가 아빠에게 할 말로 가장 적절한 것을 고르시오. [3점]

Rebecca: ______________________

① Will you prepare for the math quiz?
② I got a good grade on the math quiz yesterday.
③ I'm sorry, but could you give me a ride to school?
④ I hope you will enjoy a meal every morning.
⑤ I don't understand why you didn't wake me up this morning.

[16-17] 다음을 듣고, 물음에 답하시오.

16
여자가 하는 말의 주제로 가장 적절한 것은?

① reasons why we have to throw a party
② side effects of using plastic products
③ solutions to decrease global warming
④ the necessity of recycling products at work
⑤ ways to throw an eco-friendly party

17
언급된 물건이 아닌 것은?

① plastic plates
② plastic straws
③ plastic bowls
④ invitations
⑤ plastic spoons

# 14 영어 듣기 모의고사

1번부터 17번까지는 듣고 답하는 문제입니다.
1번부터 15번까지는 한 번만 들려주고, 16번부터 17번까지는 두 번 들려줍니다.
방송을 잘 듣고 답을 하시기 바랍니다.

## 01

**다음을 듣고, 여자가 하는 말의 목적으로 가장 적절한 것을 고르시오.**

① 주차 카드 발급을 촉구하려고
② 주차장의 잠정 폐쇄를 공지하려고
③ 주차 시설이 고장 났음을 알리려고
④ 주차장 확장 공사 일정을 공지하려고
⑤ 불법 주차 차량에 대한 처벌 강화를 알리려고

## 02

**대화를 듣고, 여자의 의견으로 가장 적절한 것을 고르시오.**

① 아이들에게 유해한 게임을 차단해야 한다.
② 아이들이 어떤 게임을 하는지 파악할 필요가 있다.
③ 학습용 게임을 하는 것은 아이들에게 도움이 된다.
④ 게임 때문에 아이들이 공부하는 시간이 부족하다.
⑤ 게임이 습관화되는 것은 문제이다.

## 03

**대화를 듣고, 두 사람의 관계를 가장 잘 나타낸 것을 고르시오.**

① 쇼 진행자 — 운동선수
② 라디오 진행자 — 영화배우
③ 영화감독 — 영화배우
④ 시사회 진행자 — 관람객
⑤ 기자 — 시나리오 작가

## 04

**대화를 듣고, 그림에서 대화의 내용과 일치하지 않는 것을 고르시오.**

## 05

**대화를 듣고, 여자가 할 일로 가장 적절한 것을 고르시오.**

① 비행기 예약하기
② 숙소 예약하기
③ 고양이 밥 주기
④ 여행지 날씨 확인하기
⑤ 여권 재발급 받기

## 06

**대화를 듣고, 남자가 지불할 금액을 고르시오. [3점]**

① $20 ② $30 ③ $32 ④ $40 ⑤ $42

## 07

**대화를 듣고, 남자가 면접 한 곳을 포기해야 하는 이유를 고르시오.**

① 면접에 늦어서
② 지원 가능한 대학 수를 초과해서
③ 면접 장소가 너무 멀어서
④ 면접 자격을 박탈당해서
⑤ 두 곳의 면접 시간이 겹쳐서

## 08

**대화를 듣고, 부모님의 결혼기념일 준비 사항으로 언급되지 않은 것을 고르시오.**

① 식당 예약하기
② 꽃 주문하기
③ 반지 맞추기
④ 케이크 주문하기
⑤ 손편지 쓰기

## 09

**Rocket Swimming Center에 관한 다음 내용을 듣고, 일치하지 않는 것을 고르시오.**

① 전 올림픽 금메달리스트가 기금 모금에 도움을 주었다.
② 전 올림픽 금메달리스트가 시설 자문을 했다.
③ 실내 수영장은 올림픽 규격에 적합하다.
④ 야외 수영장은 연중 내내 주민들에게 개방된다.
⑤ 지역 주민들에게는 입장료가 할인된다.

## 10
다음 표를 보면서 대화를 듣고, 여자가 주문할 신발을 고르시오.

**Sneakers**

| | Model | Color | Size | Waterproof | Price |
|---|---|---|---|---|---|
| ① | A | Pink | 6 | × | $120 |
| ② | B | Black | 6 | ○ | $150 |
| ③ | C | Pink | 5 | × | $120 |
| ④ | D | Violet | 5 | ○ | $150 |
| ⑤ | E | Black | 5 | × | $120 |

## 11
대화를 듣고, 남자의 마지막 말에 대한 여자의 응답으로 가장 적절한 것을 고르시오.

① I'm not sure exactly when we'll eat dinner.
② I don't like pasta and pizza anymore.
③ I don't remember where we went last time.
④ Yes, I'll determine what food my kids will have.
⑤ I want pasta or pizza, but the kids want Chinese food.

## 12
대화를 듣고, 여자의 마지막 말에 대한 남자의 응답으로 가장 적절한 것을 고르시오.

① Why don't you start therapy next week?
② I'm sorry, but I'm excited about learning yoga.
③ I'm not sure whether to start exercising again.
④ I'd love to, but I'm not flexible enough to learn it.
⑤ I'm surprised you already recovered from your back pain.

## 13
대화를 듣고, 여자의 마지막 말에 대한 남자의 응답으로 가장 적절한 것을 고르시오. [3점]

Man: ______________________________

① No, you can choose the basic course.
② Sure, his class is for basic learners.
③ Yes, it is possible to understand his lectures.
④ Right. Try Mr. Smith's class, instead.
⑤ All right. I'll recommend it to other students, too.

## 14
대화를 듣고, 남자의 마지막 말에 대한 여자의 응답으로 가장 적절한 것을 고르시오. [3점]

Woman: ______________________________

① Now I don't know what exactly you want.
② Then you can decide after trying it out here.
③ If I were you, I wouldn't buy a tablet PC like this one.
④ It is needless to say that the design is most important.
⑤ Sometimes popular opinions are very different from mine.

## 15
다음 상황 설명을 듣고, Janet이 Bill에게 할 말로 가장 적절한 것을 고르시오.

Janet: Bill, ______________________________.

① see a doctor to get your medication
② you'll be in trouble if you don't go to school
③ you have to change your phone to a newer one
④ you should stop playing games at night and go to bed earlier
⑤ your mother sent me to help you study for the test

[16-17] 다음을 듣고, 물음에 답하시오.

## 16
남자가 하는 말의 주제로 가장 적절한 것은?

① positive effects of worrying
② ways to help you to stop worrying
③ advantages of regular meditation
④ how to find the right exercise for you
⑤ things to be thankful for in your daily life

## 17
언급된 것이 아닌 것은?

① walking ② dancing
③ watching TV ④ deep breathing
⑤ meditation

# 15 영어 듣기 모의고사

1번부터 17번까지는 듣고 답하는 문제입니다.
1번부터 15번까지는 한 번만 들려주고, 16번부터 17번까지는 두 번 들려줍니다.
방송을 잘 듣고 답을 하시기 바랍니다.

## 01

**다음을 듣고, 남자가 하는 말의 목적으로 가장 적절한 것을 고르시오.**

① 화장실 이용에 대해 안내하려고
② 고속도로 상황을 알려주려고
③ 휴대전화 주인을 찾으려고
④ 버스 여행 상품을 홍보하려고
⑤ 출발 지연에 대해 사과하려고

## 02

**대화를 듣고, 여자의 의견으로 가장 적절한 것을 고르시오.**

① 홈쇼핑 시청을 자제해야 한다.
② 온라인 쇼핑몰을 늘려야 한다.
③ 옷은 직접 보고 구매해야 한다.
④ 옷은 다양한 곳에서 구매해야 한다.
⑤ 온라인 쇼핑몰 물건은 질이 떨어진다.

## 03

**대화를 듣고, 두 사람의 관계를 가장 잘 나타낸 것을 고르시오.**

① 부모 — 자녀　② 차주 — 주차 요원
③ 매점 직원 — 손님　④ 경찰 — 운전자
⑤ 매표소 직원 — 영화 관객

## 04

**대화를 듣고, 그림에서 대화의 내용과 일치하지 않는 것을 고르시오.**

## 05

**대화를 듣고, 여자가 할 일로 가장 적절한 것을 고르시오.**

① 계약서 쓰기　② 이삿짐 싸기
③ 지붕 수리하기　④ 세입자 구하기
⑤ 아들과 상의하기

## 06

**대화를 듣고, 여자가 지불할 금액을 고르시오.**

① $400　② $450　③ $500
④ $950　⑤ $1,800

## 07

**대화를 듣고, 아빠가 딸을 바로 데리러 갈 수 없는 이유를 고르시오.**

① 이웃에 볼일이 생겨서
② 아들을 기다려야 해서
③ 피아노 레슨이 늦어져서
④ 여권 사진을 찍어야 해서
⑤ 사진을 찾으러 가야 해서

## 08

**대화를 듣고, Summer Swag에 관해 언급되지 않은 것을 고르시오.**

① 티켓 가격　② 개최 날짜
③ 시작 시간　④ 개최 장소
⑤ 초대 가수

## 09

**Namsangol Night Market에 관한 다음 내용을 듣고, 일치하지 않는 것을 고르시오.**

① 한옥마을에서 매주 토요일에 열린다.
② 조선시대 시장의 모습을 재현했다.
③ 올해로 세 번째 열리는 행사이다.
④ 5월에 개장하여 10월에 폐장한다.
⑤ 7월 한 달간은 열리지 않는다.

## 10
다음 표를 보면서 대화를 듣고, 남자가 구입할 선글라스를 고르시오.

**Audrey Sunglasses**

| | Model | Frame Shape | Color | Lens | Price |
|---|---|---|---|---|---|
| ① | A | oval | black | glass | $100 |
| ② | B | round | blue | glass | $120 |
| ③ | C | oval | blue | plastic | $140 |
| ④ | D | oval | black | plastic | $150 |
| ⑤ | E | square | black | plastic | $200 |

## 11
대화를 듣고, 남자의 마지막 말에 대한 여자의 응답으로 가장 적절한 것을 고르시오.

① OK, but I'll do it after work.
② I'll be at the office at that time.
③ No, I haven't seen the movie yet.
④ Sorry, Dad. I have an appointment.
⑤ Yes, I'll take a day off tomorrow.

## 12
대화를 듣고, 여자의 마지막 말에 대한 남자의 응답으로 가장 적절한 것을 고르시오.

① No, I left early to avoid being late.
② Oh no. Can you give me a ride?
③ No, I'm leaving earlier than that.
④ I said so, but I got up early today.
⑤ No, but I must leave in 30 minutes.

## 13
대화를 듣고, 남자의 마지막 말에 대한 여자의 응답으로 가장 적절한 것을 고르시오. [3점]

Woman: ______________________

① I have an appointment and can't make it that day.
② I lost her necklace, so I bought her a new one.
③ She likes eating better than watching movies.
④ I had a paper to write. It was due today.
⑤ It'll be final because we'll go to different colleges.

## 14
대화를 듣고, 여자의 마지막 말에 대한 남자의 응답으로 가장 적절한 것을 고르시오. [3점]

Man: ______________________

① Don't worry. You can do it tomorrow.
② Sure, I can. Just put them on my desk.
③ Yes, I can. You may go right away.
④ I'm sorry. Work should be your priority.
⑤ That's OK. You don't need to bring them.

## 15
다음 상황 설명을 듣고, Lucas가 Melanie에게 할 말로 가장 적절한 것을 고르시오. [3점]

Lucas: Melanie, ______________________

① tell your sister that two dogs are too many.
② how about asking your sister to watch him?
③ let's just go but by car. He's not allowed in.
④ let's find out more about our airline's policy.
⑤ how about leaving him home for a few days?

[16-17] 다음을 듣고, 물음에 답하시오.

## 16
여자가 하는 말의 주제로 가장 적절한 것은?

① ways to enjoy your vacation
② ways to buy a good, safe house
③ how to prevent burglary on holidays
④ tips for catching criminals on the spot
⑤ what to do to make your house better

## 17
언급된 항목이 아닌 것은?

① doors ② mail ③ valuables
④ lights ⑤ keys

# 16 영어 듣기 모의고사

1번부터 17번까지는 듣고 답하는 문제입니다.
1번부터 15번까지는 한 번만 들려주고, 16번부터 17번까지는 두 번 들려줍니다.
방송을 잘 듣고 답을 하시기 바랍니다.

## 01
**다음을 듣고, 여자가 하는 말의 목적으로 가장 적절한 것을 고르시오.**

① 종이컵 사용을 장려하려고
② 직원들의 협조에 감사하려고
③ 새로운 정부 정책을 발표하려고
④ 공사 일정 변경에 대해 공지하려고
⑤ 기기 설치에 대해 양해를 구하려고

## 02
**대화를 듣고, 남자의 의견으로 가장 적절한 것을 고르시오.**

① 쓰레기통을 더 많이 설치해야 한다.
② 재활용 쓰레기를 잘 활용해야 한다.
③ 길거리 음식을 사먹지 말아야 한다.
④ 어린이 횡단보도 사고를 줄여야 한다.
⑤ 아이들에게 공중도덕을 잘 가르쳐야 한다.

## 03
**대화를 듣고, 두 사람의 관계를 가장 잘 나타낸 것을 고르시오.**

① 이웃 — 이웃
② 세입자 — 집주인
③ 아파트 주민 — 경비원
④ 부동산 중개인 — 의뢰인
⑤ 인테리어 디자이너 — 수리공

## 04
**대화를 듣고, 그림에서 대화의 내용과 일치하지 <u>않는</u> 것을 고르시오.**

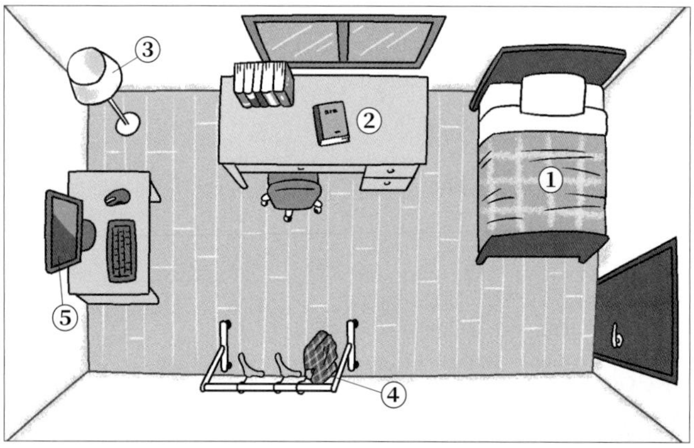


## 05
**대화를 듣고, 여자가 할 일로 가장 적절한 것을 고르시오.**

① 강아지 밥 주기
② 남편 마중 가기
③ 산책하러 가기
④ 강아지 목욕시키기
⑤ 예방 주사 맞기

## 06
**대화를 듣고, 여자가 지불할 금액을 고르시오.**

① $10 ② $40 ③ $41 ④ $45 ⑤ $46

## 07
**대화를 듣고, 남자가 아직 출근하지 <u>않은</u> 이유를 고르시오.**

① 늦잠을 자서
② 버스를 놓쳐서
③ 앞니가 빠져서
④ 출근길에 넘어져서
⑤ 치아 교정기를 분실해서

## 08
**대화를 듣고, Mister International에 관해 언급되지 <u>않은</u> 것을 고르시오.**

① 개최 주기
② 창설 국가
③ 올해 우승자
④ 다음 개최지
⑤ 공식 사이트 주소

## 09
**Healthy Family Retreat에 관한 다음 내용을 듣고, 일치하지 <u>않는</u> 것을 고르시오.**

① 다양한 실외 체험을 할 수 있다.
② 4인 이하의 가족이어야 한다.
③ 활동 장소 선택이 가능하다.
④ 학교당 4가정을 선착순으로 선정한다.
⑤ 당첨 결과는 학교 웹사이트에 공지된다.

## 10

다음 표를 보면서 대화를 듣고, 남자가 구입할 미니 선풍기를 고르시오.

**Handheld Mini Fans**

| | Model | Price | Blades | LED Light | Speeds |
|---|---|---|---|---|---|
| ① | A | $10 | 3 | × | 1 |
| ② | B | $13 | 3 | × | 2 |
| ③ | C | $17 | 5 | ○ | 2 |
| ④ | D | $20 | 5 | ○ | 3 |
| ⑤ | E | $25 | × | ○ | 3 |

## 11

대화를 듣고, 여자의 마지막 말에 대한 남자의 응답으로 가장 적절한 것을 고르시오.

① Right. I'll do it later though.
② It won't work as you expect.
③ Yes, that's exactly what I want.
④ Well, drinking milk might help.
⑤ I don't think that's a good idea.

## 12

대화를 듣고, 남자의 마지막 말에 대한 여자의 응답으로 가장 적절한 것을 고르시오.

① Yes. We should change buses.
② Don't worry. They'll fix it soon.
③ I don't know, but it broke down.
④ No. Get off the bus in two stops.
⑤ No. Look at the accident over there.

## 13

대화를 듣고, 남자의 마지막 말에 대한 여자의 응답으로 가장 적절한 것을 고르시오. [3점]

Woman: ______________________

① Don't worry, Rodney. I can wait.
② Sorry, Rodney. I'll join you later.
③ All right. I'll be there in five minutes.
④ Thank you, Rodney. Say sorry to Vincent.
⑤ Yes, of course. But don't make me wait long.

## 14

대화를 듣고, 여자의 마지막 말에 대한 남자의 응답으로 가장 적절한 것을 고르시오. [3점]

Man: ______________________

① Not bad, but take your time. It's on Monday.
② No. It was the opposite. She liked the hair dryer.
③ No. You should have bought a different model.
④ Good. That'll make her less angry.
⑤ It couldn't be better. I'm going to buy it this time.

## 15

다음 상황 설명을 듣고, Maria가 Fred에게 할 말로 가장 적절한 것을 고르시오. [3점]

Maria: Fred, ______________________

① Ryan is late. See if his after-school class ended.
② you should hurry. We have only five minutes left.
③ slow down. We just entered the school zone now.
④ you shouldn't be here. Pull over outside the zone.
⑤ let's meet somewhere else. It's very crowded here.

[16-17] 다음을 듣고, 물음에 답하시오.

## 16

남자가 하는 말의 주제로 가장 적절한 것은?

① summer seaside etiquette
② ways to swim safely in the sea
③ ways to plan for summer vacation
④ ideas for enjoying summer holidays
⑤ tips for preventing a heart attack in the sea

## 17

언급된 내용이 아닌 것은?

① weather ② meals
③ sunscreen ④ warm-ups
⑤ area

# 17 영어 듣기 모의고사

1번부터 17번까지는 듣고 답하는 문제입니다.
1번부터 15번까지는 한 번만 들려주고, 16번부터 17번까지는 두 번 들려줍니다.
방송을 잘 듣고 답을 하시기 바랍니다.

## 01
**다음을 듣고, 남자가 하는 말의 목적으로 가장 적절한 것을 고르시오.**

① 자녀들의 안전을 부탁하려고
② 신입생 배정 시기를 알리려고
③ 중학교 입학 절차를 안내하려고
④ 아파트 재건축 일정을 공지하려고
⑤ 옆 중학교의 휴교 사실을 전하려고

## 02
**대화를 듣고, 두 사람이 하는 말의 주제로 가장 적절한 것을 고르시오.**

① 자동판매기 이용의 편리성
② 무단 쓰레기 배출 단속 방법
③ 노점상에 대한 경찰 단속의 필요성
④ 영세 상공인을 위한 지원의 필요성
⑤ 과태료 부과가 공공 법규 위반에 미치는 영향

## 03
**대화를 듣고, 두 사람의 관계를 가장 잘 나타낸 것을 고르시오.**

① 교사 — 학부모　② 의사 — 환자 보호자
③ 오빠 — 여동생　④ 사서 — 도서관 이용자
⑤ 환자 — 간호사

## 04
**대화를 듣고, 그림에서 대화의 내용과 일치하지 <u>않는</u> 것을 고르시오.**

## 05
**대화를 듣고, 남자가 할 일로 가장 적절한 것을 고르시오.**

① 빨리 귀가하기　② 아들 숙제 돕기
③ 우체국에 들르기　④ 채소 썰어놓기
⑤ 장보러 가기

## 06
**대화를 듣고, 여자가 지불할 금액을 고르시오.**

① $18　② $20　③ $22　④ $30　⑤ $32

## 07
**대화를 듣고, 여자가 일찍 퇴근해야 하는 이유를 고르시오.**

① 병원에 입원해야 해서
② 아들이 사고를 당해서
③ 아들 간병을 해야 해서
④ 중요한 모임이 생겨서
⑤ 남편의 회사일을 도와줘야 해서

## 08
**대화를 듣고, Summer Sports Camp에 관해 언급되지 <u>않은</u> 것을 고르시오.**

① 운영 기간　② 참가 조건
③ 운영 장소　④ 신청 기간
⑤ 신청 방법

## 09
**Pet Land에 관한 다음 내용을 듣고, 일치하지 <u>않는</u> 것을 고르시오.**

① 펫시터 중개 앱서비스이다.
② 지원 서류는 방문 제출이 원칙이다.
③ 펫시팅 수업 및 실습 교육을 한다.
④ 펫랜드 앱 사용법을 교육시킨다.
⑤ 야간 돌봄 이용료는 40달러이다.

## 10

다음 표를 보면서 대화를 듣고, 여자가 구입할 중고차를 고르시오.

**Used Cars**

| | Model | Type | Fuel | Size | Price |
|---|---|---|---|---|---|
| ① | A | sedan | gasoline | compact | $12,000 |
| ② | B | sedan | hybrid | mid-size | $20,000 |
| ③ | C | SUV | diesel | large | $10,000 |
| ④ | D | hatchback | gasoline | large | $12,000 |
| ⑤ | E | hatchback | electric | compact | $15,000 |

## 11

대화를 듣고, 여자의 마지막 말에 대한 남자의 응답으로 가장 적절한 것을 고르시오.

① OK, I'll buy you a new cello.
② All right. Practice makes perfect.
③ Sorry, but let's make it tomorrow.
④ OK, I'll see you this afternoon.
⑤ Yes. You should have told me in advance.

## 12

대화를 듣고, 남자의 마지막 말에 대한 여자의 응답으로 가장 적절한 것을 고르시오.

① Then he'd better go to bed at once.
② He should see it with his friends.
③ No, it was funny. I'd watch it again.
④ Yes. The middle part was really fun.
⑤ You shouldn't sleep during the movie.

## 13

대화를 듣고, 여자의 마지막 말에 대한 남자의 응답으로 가장 적절한 것을 고르시오. [3점]

Man: ______________________

① Sure. You're on good terms with him.
② I think so. He likes the job very much.
③ He won't say yes, so just give up now.
④ Don't worry. I work only four hours a day.
⑤ I know. I'll talk to him when he gets home.

## 14

대화를 듣고, 남자의 마지막 말에 대한 여자의 응답으로 가장 적절한 것을 고르시오. [3점]

Woman: ______________________

① Don't worry. You only have to turn it in today.
② I know. You'd better have it taken out before it start to hurt.
③ That's too bad. How about telling him the truth?
④ Then don't wait any longer. Have it pulled out right away.
⑤ I understand. It's hard to do both at the same time.

## 15

다음 상황 설명을 듣고, Mason이 Paula에게 할 말로 가장 적절한 것을 고르시오. [3점]

Mason: Paula, ______________________

① listen to me. Change jobs right away.
② don't work too much. Slow down.
③ this is enough. Don't talk about it anymore.
④ I'm serious. Don't put off seeing the doctor.
⑤ you're mistaken. We can do it for sure.

[16-17] 다음을 듣고, 물음에 답하시오.

## 16

여자가 하는 말의 주제로 가장 적절한 것은?

① information about the concert
② items to bring to the practice
③ things to note for the practice
④ steps to become a choir member
⑤ tips for holding a successful concert

## 17

언급된 내용이 아닌 것은?

① place　② score
③ uniform　④ tumbler
⑤ snack

# 18 영어 듣기 모의고사

1번부터 17번까지는 듣고 답하는 문제입니다.
1번부터 15번까지는 한 번만 들려주고, 16번부터 17번까지는 두 번 들려줍니다.
방송을 잘 듣고 답을 하시기 바랍니다.

## 01

다음을 듣고, 여자가 하는 말의 목적으로 가장 적절한 것을 고르시오.

① 댄스 동아리 활동을 홍보하려고
② 봉사활동 보고서 양식에 대해 설명하려고
③ 적극적인 동아리 활동 참여를 요청하려고
④ 동아리 외부 활동 허가서 제출을 당부하려고
⑤ 외부 봉사활동 시 안전 우선을 강조하려고

## 02

대화를 듣고, 두 사람의 의견으로 가장 적절한 것을 고르시오.

① 초등학생들은 미세먼지에 더 취약하다.
② 미세먼지가 심한 날은 등교를 금지해야 한다.
③ 초등학생들의 체육 교육을 확대해야 한다.
④ 대기오염 완화를 위해 대중교통을 이용해야 한다.
⑤ 미세먼지가 심한 날은 실내 활동을 해야 한다.

## 03

대화를 듣고, 두 사람의 관계를 가장 잘 나타낸 것을 고르시오.

① 신발 판매원 — 고객
② 택배기사 — 건물 관리인
③ 구두수선공 — 수선 의뢰인
④ 고객상담원 — 구입 고객
⑤ 구두 디자이너 — 구두수선공

## 04

대화를 듣고, 그림에서 대화의 내용과 일치하지 않는 것을 고르시오.

## 05

대화를 듣고, 남자가 할 일로 가장 적절한 것을 고르시오.

① 지하철 타기
② 고객센터에 전화하기
③ 카드 정지시키기
④ 교통카드 구입하기
⑤ 교통카드 찾기

## 06

대화를 듣고, 여자가 지불할 금액을 고르시오.

① \$25 ② \$27 ③ \$28 ④ \$32 ⑤ \$36

## 07

대화를 듣고, 여자가 도서관에 가는 이유를 고르시오.

① 대출했던 책을 반납하려고
② 작가의 글쓰기 특강을 들으려고
③ 유명 작가의 신작 소설을 대출하려고
④ 유명 작가의 사인회에 참석하려고
⑤ 친구와 숙제를 함께 하려고

## 08

대화를 듣고, 스포츠 센터에 관해 언급되지 않은 것을 고르시오.

① 어린이용 수영장
② 무료 이용 기간
③ 회원 가입 자격
④ 회원 등록 기간
⑤ 강습 종목

## 09

Housing Fair에 관한 다음 내용을 듣고, 일치하지 않는 것을 고르시오.

① 5월 14일부터 21일까지 열린다.
② 건축, 인테리어 디자인 업체가 참여한다.
③ 시작하고 3일 동안 컨설팅 서비스를 제공한다.
④ 역대 최대 규모의 부스가 세워진다.
⑤ 참가비로 미리 10달러를 내야 한다.

## 10

다음 표를 보면서 대화를 듣고, 두 사람이 선택할 시계를 고르시오.

**Watches for Women**

| | Model | Price | Type | Strap | Waterproof |
|---|---|---|---|---|---|
| ① | A | $85 | analog | leather | 35 meters |
| ② | B | $80 | digital | metal | 20 meters |
| ③ | C | $65 | digital | leather | 10 meters |
| ④ | D | $75 | analog | metal | 35 meters |
| ⑤ | E | $70 | analog | metal | 20 meters |

## 11

대화를 듣고, 여자의 마지막 말에 대한 남자의 응답으로 가장 적절한 것을 고르시오.

① Why did you change your phone number?
② Give me your number, and I'll call you back.
③ Press the call button, and it will work.
④ Call the stranger and ask for my number.
⑤ How can I call you back?

## 12

대화를 듣고, 남자의 마지막 말에 대한 여자의 응답으로 가장 적절한 것을 고르시오.

① No. I get sick whenever I eat that.
② Good idea! Let's order it at 10 p.m.
③ Great! Do you want me to cook it now?
④ Sorry. I used to like chicken but not anymore.
⑤ Yes, but I'm not hungry at all.

## 13

대화를 듣고, 남자의 마지막 말에 대한 여자의 응답으로 가장 적절한 것을 고르시오. [3점]

Woman: ______________________

① How are you going to go outside?
② What's so special about today's food?
③ Thanks! I've already taken some pills.
④ I'd love to, but I can't get the permission slip.
⑤ Sorry, but can you get the pills for me, please?

## 14

대화를 듣고, 여자의 마지막 말에 대한 남자의 응답으로 가장 적절한 것을 고르시오. [3점]

Man: ______________________

① I already called them last night.
② They're on their way to pick me up.
③ If they don't deliver, I'll leave right away.
④ I want to clean my shirts and blankets.
⑤ How far is the dry cleaners from here?

## 15

다음 상황 설명을 듣고, Claire가 Judy에게 할 말로 가장 적절한 것을 고르시오. [3점]

Claire: ______________________

① The concert tickets weren't very expensive.
② Did you bring the light-up headbands?
③ I'm sorry, but I can't go to the concert.
④ How much are the tickets?
⑤ I can't wait to see you tonight.

[16-17] 다음을 듣고 물음에 답하시오.

## 16

남자가 하는 말의 주제로 가장 적절한 것은?

① how to purchase a weekend farm
② basic tips for gardening beginners
③ various kinds of farming tools
④ ways to improve gardening skills
⑤ how to decorate a flower garden

## 17

언급된 도구가 아닌 것은?

① shovel
② sprinkler
③ gloves
④ thermometer
⑤ plow

# 19 영어 듣기 모의고사

1번부터 17번까지는 듣고 답하는 문제입니다.
1번부터 15번까지는 한 번만 들려주고, 16번부터 17번까지는 두 번 들려줍니다.
방송을 잘 듣고 답을 하시기 바랍니다.

## 01

**다음을 듣고, 여자가 하는 말의 목적으로 가장 적절한 것을 고르시오.**

① 쇼핑몰 시설 점검 일정을 공지하려고
② 스프링클러 오작동을 해명하고 사과하려고
③ 지하 2층 매장이 침수되었음을 알리려고
④ 스프링클러 작동 시 대피 요령을 설명하려고
⑤ 지하 2층에서 누수 공사가 진행 중임을 알리려고

## 02

**대화를 듣고, 두 사람이 하는 말의 주제로 가장 적절한 것을 고르시오.**

① 토론식 수업과 문답식 수업의 차이점
② 우열반 분리 수업의 필요성
③ 다양한 수업 도구 활용의 필요성
④ 교실 환경이 학생들에게 미치는 영향
⑤ 토론 수업에 학생들의 참여를 높이는 방법

## 03

**대화를 듣고, 두 사람의 관계를 가장 잘 나타낸 것을 고르시오.**

① 경찰관 — 행인
② 고객 — 자동차 세일즈맨
③ 보험회사 직원 — 운전자
④ 행인 — 자동차 정비공
⑤ 차량 소유주 — 서비스센터 직원

## 04

**대화를 듣고, 그림에서 대화의 내용과 일치하지 않는 것을 고르시오.**

## 05

**대화를 듣고, 여자가 할 일로 가장 적절한 것을 고르시오.**

① 텐트 설치 돕기
② 짐 운반하기
③ 화장실 위치 파악하기
④ 저녁 준비하기
⑤ 침구 정리하기

## 06

**대화를 듣고, 여자가 지불할 금액을 고르시오. [3점]**

① $17 ② $24 ③ $31 ④ $36 ⑤ $42

## 07

**대화를 듣고, 여자가 집회에 참여하는 이유를 고르시오.**

① 여성 문제를 제대로 알고 싶어서
② 여성 운동 관련 뉴스 취재를 하기 위해
③ 직장 내 불평등 사례를 고발하기 위해
④ 여성을 대변하는 정치인이 되고 싶어서
⑤ 집회 인식에 대한 설문 조사를 하기 위해

## 08

**대화를 듣고, 위성방송 서비스에 관해 언급되지 않은 것을 고르시오.**

① 채널 이름 ② 이용 요금
③ 북마크 기능 ④ 멤버십 가입비
⑤ 멤버십 가입 방법

## 09

**Student Career Fair에 관한 다음 내용을 듣고, 일치하지 않는 것을 고르시오.**

① 서울시 교육청의 후원을 받아 3일간 열린다.
② 손목 밴드를 보여주어야만 부스 방문이 가능하다.
③ South 섹션 부스에서는 소정의 참가비를 내야 한다.
④ 120개의 교육업체와 기관이 참여한다.
⑤ 일대일 멘토링 서비스를 제공한다.

## 10
다음 표를 보면서 대화를 듣고, 두 사람이 선택할 꽃다발을 고르시오.

**Flower Bouquets**

| | Bouquet | Main Flower | Color | Price | Size |
|---|---|---|---|---|---|
| ① | A | rose | red | $30 | large |
| ② | B | rose | pink | $20 | small |
| ③ | C | tulip | red | $25 | large |
| ④ | D | tulip | pink | $20 | medium |
| ⑤ | E | lavender | pink | $30 | medium |

## 11
대화를 듣고, 여자의 마지막 말에 대한 남자의 응답으로 가장 적절한 것을 고르시오.

① Sorry. I'm busy right now.
② In fact, I could do it alone.
③ Sure. Where is the trash bin?
④ Of course not. Let me help you out.
⑤ I forgot to sort the plastic and paper.

## 12
대화를 듣고, 남자의 마지막 말에 대한 여자의 응답으로 가장 적절한 것을 고르시오.

① Hurry up, or we'll be late.
② Yes. I don't like taking risks.
③ Please stop the car right now.
④ We have no choice but to fill up.
⑤ Do you know how much gas costs?

## 13
대화를 듣고, 남자의 마지막 말에 대한 여자의 응답으로 가장 적절한 것을 고르시오.

Woman: ______________________

① We can book your flight right away.
② You can find it on our website under "Mongolia".
③ It is located too far from where you are calling.
④ We've already sent you the Mongolian itinerary.
⑤ Please tell us your name, and we'll save a seat for you.

## 14
대화를 듣고, 여자의 마지막 말에 대한 남자의 응답으로 가장 적절한 것을 고르시오. [3점]

Man: ______________________

① Can I go and pick up the air conditioner?
② When can I receive the air conditioner?
③ I need to compare the price with yours.
④ How long does it take to get it repaired?
⑤ I'll sign up right away for the rental service.

## 15
다음 상황 설명을 듣고, Chen이 행정 선생님에게 할 말로 가장 적절한 것을 고르시오. [3점]

Chen: ______________________

① Sorry, but how can I get my money back?
② I don't like having lunch in the cafeteria.
③ Excuse me, but I have the right to cancel.
④ Why is my payment non-refundable?
⑤ I shouldn't have gone on a diet.

[16-17] 다음을 듣고, 물음에 답하시오.

## 16
남자가 하는 말의 주제로 가장 적절한 것은?

① how marvelous nature is
② researchers' efforts to make inventions
③ unique inventions inspired by nature
④ products made with natural materials
⑤ similarities and differences between inventions

## 17
언급된 동식물이 아닌 것은?

① burdock
② cat
③ kingfisher
④ spider
⑤ octopus

# 20 영어 듣기 모의고사

1번부터 17번까지는 듣고 답하는 문제입니다.
1번부터 15번까지는 한 번만 들려주고, 16번부터 17번까지는 두 번 들려줍니다.
방송을 잘 듣고 답을 하시기 바랍니다.

## 01

**다음을 듣고, 여자가 하는 말의 목적으로 가장 적절한 것을 고르시오.**

① 다양한 해양 스포츠 체험을 권유하려고
② 입수 전 준비운동의 필요성을 강조하려고
③ 해변에 설치된 각종 편의시설을 안내하려고
④ 해양 스포츠 활동 시 안전 수칙 준수를 요청하려고
⑤ 물놀이 중 응급상황 발생 시 대처 방법을 설명하려고

## 02

**대화를 듣고, 두 사람의 의견으로 가장 적절한 것을 고르시오.**

① 치아 관리를 위해 정기 검진을 받아야 한다.
② 보험 가입 시 약관 내용을 잘 살펴야 한다.
③ 미래를 대비해 치아 보험 가입을 미리 해 두는 게 좋다.
④ 보장이 한정적인 치아 보험은 가입할 필요가 없다.
⑤ 치과 치료는 늦을수록 비용이 많이 든다.

## 03

**대화를 듣고, 두 사람의 관계를 가장 잘 나타낸 것을 고르시오.**

① 서점 직원 — 책 구입 고객
② 가구 판매원 — 고객
③ 학생 — 철학과 교수
④ 작가 — 독서클럽 회원
⑤ 도서관 이용객 — 사서

## 04

**대화를 듣고, 그림에서 대화의 내용과 일치하지 않는 것을 고르시오.**

## 05

**대화를 듣고, 남자가 할 일로 가장 적절한 것을 고르시오.**

① 어학원 가기
② 한국 문화 체험하기
③ 커피 만들기
④ 테이블 닦기
⑤ 컵 건조하기

## 06

**대화를 듣고, 여자가 지불할 금액을 고르시오. [3점]**

① $24.50
② $27
③ $29
④ $30.50
⑤ $40

## 07

**대화를 듣고, 여자가 저녁을 먹지 않는 이유를 고르시오.**

① 감자칩을 싫어해서
② 다이어트 중이어서
③ 남자친구와 약속이 있어서
④ 운동을 하러 가야 해서
⑤ 스키니진을 입어야 해서

## 08

**대화를 듣고, 남자가 만드는 요리에 관해 언급되지 않은 것을 고르시오.**

① 주재료
② 처음 만들어진 지방
③ 조리 시간
④ 조리 순서
⑤ 곁들이는 향신료

## 09

**Pivot National Forest Park에 관한 다음 내용을 듣고, 일치하지 않는 것을 고르시오.**

① Pivot 평야 남쪽 East 저수지 근처에 위치해 있다.
② 소나무로 만든 통나무집 17동이 있다.
③ 통나무집 절반에만 바비큐 시설과 테라스가 있다.
④ 공원에서 제공하는 프로그램은 선착순 예약으로 이용 가능하다.
⑤ 수공예 수업에서 청소년들은 나무로 장난감을 만들 수 있다.

## 10
다음 표를 보면서 대화를 듣고, 두 사람이 선택할 에어컨을 고르시오.

**Best Air Conditioners for Your Home**

| | Model | Price | Inverter | Operating Cost | Purifier | Noise Level |
|---|---|---|---|---|---|---|
| ① | A | $300 | × | $30 | × | high |
| ② | B | $320 | ○ | $70 | ○ | medium |
| ③ | C | $330 | ○ | $80 | × | low |
| ④ | D | $370 | ○ | $100 | ○ | medium |
| ⑤ | E | $400 | × | $150 | ○ | low |

## 11
대화를 듣고, 여자의 마지막 말에 대한 남자의 응답으로 가장 적절한 것을 고르시오.

① Good idea. I need to practice more.
② OK. I'll drop by the art class then.
③ I love painting, but not history.
④ In fact, I'm not good at painting.
⑤ Are you interested in art, too?

## 12
대화를 듣고, 남자의 마지막 말에 대한 여자의 응답으로 가장 적절한 것을 고르시오.

① Sorry. I didn't bring anything.
② My grandparents are living here.
③ I don't know. I'm new here myself.
④ I brought some good news for you.
⑤ Our graduation ceremony was great!

## 13
대화를 듣고, 남자의 마지막 말에 대한 여자의 응답으로 가장 적절한 것을 고르시오. [3점]

Woman: ______________________

① Then I'll pick the sweet potatoes.
② How much did you pay for the farm?
③ I don't care at all even though you are busy.
④ If you don't mind, I can help with the work.
⑤ Don't be bothered. I'll do it myself.

## 14
대화를 듣고, 여자의 마지막 말에 대한 남자의 응답으로 가장 적절한 것을 고르시오.

Man: ______________________

① It should only take a few minutes.
② Where is the customer parking only area?
③ Call me at the opposite end of the building.
④ What if the hazard lights aren't working?
⑤ I'll ask the clerk what time it is.

## 15
다음 상황 설명을 듣고, Daniel이 담임 선생님께 할 말로 가장 적절한 것을 고르시오. [3점]

Daniel: ______________________

① My luggage is too heavy to move.
② I can't find my boarding pass and ID.
③ Sorry, I placed my cell phone in my backpack.
④ Sorry, I forgot to take my charger out of my luggage.
⑤ Sorry. I have one backpack and two suitcase.

[16-17] 다음을 듣고, 물음에 답하시오.

## 16
남자가 하는 말의 주제로 가장 적절한 것은?

① basic structure of drones
② various types of drones
③ forces that make drones fly
④ industries where drones are used
⑤ merits of Ready-to-Fly drones

## 17
언급된 드론의 구성 요소가 아닌 것은?

① monitor
② frame
③ flight controller
④ power distribution
⑤ motor

Supreme

# Part 3 Dictation Test

수능 영어 듣기 모의고사 20회 기본

# 01 Dictation Test

녹음을 다시 한 번 들으면서, 빈칸에 알맞은 말을 써 봅시다.

## 01

M: Good morning, students! I'm your vice principal, Mr. Stevens. As you know, we will be holding the annual Christmas Bazaar on Sunday, December 16. This bazaar ________ ________ ________ ________ ________ ________ and is one of the most popular events at our school. For its success, we need your support. Some ways you can help are as follows. Firstly, ________ ________ ________ ________. Please donate second-hand clothes, books, and toys. These will help raise money for the school. Secondly, we need volunteers to help with set up on Saturday or with clean up on Sunday. If you're interested, sign up online. Your help ________ ________ ________ ________. Thanks.

## 02

W: Lucas, long time no see. You got very tanned.

M: Hi, Jean. I often play basketball after school. That's ________ ________ ________ ________ ________.

W: Do you wear sunscreen when you play basketball?

M: No. I don't put on anything on my face. I can't be bothered.

W: Oh, no! You should wear sunscreen every day because it ________ ________ ________ ________ ________ ________ ________.

M: It sounds terrible, but we need sunlight to get vitamin D.

W: People who use sunscreen daily can still maintain their vitamin D levels. Many studies have proved this.

M: I see. Are there any other reasons why I should wear sunscreen?

W: Sure. By wearing sunscreen, you can ________ ________ ________ ________ ________ ________.

M: I didn't know that. I'll buy sunscreen on my way home.

## 03

*[Telephone rings.]*

M: Hello?

W: Hi. This is Judy Miller. ________ ________ ________ ________, and I love your soft voice!

M: Thanks. Do you have someone to thank today?

W: My friend Linda. I was involved in a car accident last June, and she took care of me in the hospital for six months.

M: Did you get hurt badly?

W: Yes, I broke my leg. But thanks to her, I've fully recovered.

M: That's good. I'll ________ ________ ________ ________ ________ ________ now.

W: Linda, I think I'm blessed to have a wonderful friend like you. I love you!

M: I hope ________ ________ ________ ________! For you and Linda, I'll play the song, "My Friend" after the break. Thank you for calling.

## 04

W: Jay, this is a Christmas card for you. I put your name next to "Merry Christmas!" at the top.
M: Wow. Did you make it yourself?
W: Yes. Do you see the ________ ________ ________ ________ ________ ________ ________ ________?
M: Sure. I think you drew them because I like penguins.
W: That's right. And I drew you in this card, too.
M: Really? I guess that's Santa Claus on the left side of the card? ________ ________ ________ ________ ________.
W: Correct! The snowman wearing the Santa hat and scarf is me. Isn't she pretty?
M: Haha, yes. I love the Christmas tree behind the penguins, too. It has ________ ________ ________ ________ ________ ________.
W: I'm very happy you like my card.

## 05

W: Kevin, you don't look good. What's the matter?
M: Mom, I think I have a cold. ________ ________ ________ ________. It's hard to move.
W: Oh my! Let me get some cold medicine.
M: Thanks, but I already took some. Can you bring me my cell phone instead?
W: Sure. Who will you call? Today is Saturday, so you ________ ________ ________ ________ ________ ________.
M: I know. I want to call Garry and tell him that I can't play badminton with him today. We're supposed to meet at 10 a.m. in the school gym.
W: OK. Why don't you go see a doctor after calling him?
M: No, I'll ________ ________ ________ ________ ________.

## 06

M: Hello. Can I help you find something?
W: Yes, I'm ________ ________ ________ ________ ________ ________. I want something mild.
M: How about this one? It has all natural ingredients and smells sweet.
W: That's good. How much is it?
M: The regular price is \$40, but you can get 25% off today. ________ ________ ________ ________ ________ ________ are 25% off.
W: Sounds good. Then I'll take this hair conditioner, too.
M: Good choice. Its discounted price is \$60.
W: Great. Can I use this 10% discount coupon as well?
M: I'm sorry, but it ________ ________ ________ ________ ________ ________.
W: OK. Here is my credit card.

## 07

*[Cell phone rings.]*
M: Hi, Jessy.
W: Hi, Chris. How was the music concert last night?
M: It was great. I had a good time with my family.
W: Good. Anyway, I called ________ ________ ________ ________ ________ ________ to Seoul Arts Center this Friday with me. The Van Gogh exhibition is running there now.
M: I love his paintings, but I can't go.
W: Oh, you said you ________ ________ ________ ________ ________ ________, didn't you?
M: Yes, but it's this Thursday. To tell you the truth, I ________ ________ ________ ________ ________ Karen.
W: What? Congratulations!
M: Is it OK to visit the exhibit next time? I'll buy you dinner.
W: Great! Have fun on your date.

## 08

M: Katie, take a look at this brochure. It's about "Cooking with Rosy," a private Thai cooking course.

W: Wow. I'm interested in cooking Thai dishes.

M: It says ________ ________ ________ ________ ________ ________ near Elinton subway station.

W: Good. The Tuesday class starts at 7 p.m. I think we can make it after work.

M: I think so, too. Did you see this? We can ________ ________ ________ ________ ________ ________ ________.

W: That's great. After cooking, we can enjoy the meal together. It'll be a lot of fun.

M: How much does it cost?

W: It says ________ ________ ________ ________. That includes all the ingredients.

M: That's reasonable. Let's take it!

W: OK.

## 09

W: Hello, students. I'm Jessica Kaplan, president of Animal Care Club. If you love animals and you're interested in caring for them, I'd like to ________ ________ ________ ________ ________ ________. We meet every Wednesday, from 1 p.m. to 2 p.m. We learn about how to care and handle many kinds of pets such as rabbits, hamsters, birds, fish, and so on. This is also a good opportunity to learn about animal rights issues, like ________ ________ ________ ________ ________. Anyone who is in the first and second grade can become a member. It is possible to take the animals home during holidays with parental permission. We'll meet this Wednesday, June 9th, at the science lab. If you're interested, come and visit us. ________ ________ ________ ________ ________.

## 10

M: Honey, are you still looking at the shopping site?

W: Yes. There are so many different kinds of frying pans here.

M: Then I'll help you choose one. Do you prefer a stainless steel or aluminum frying pan?

W: I think ________ ________ ________ ________ ________ ________, so an aluminum one is better.

M: I agree. And as you know, the type of coating is important.

W: I know Teflon coating, but what is ceramic coating?

M: They are very similar, but ceramic coating is ________ ________ ________ ________ ________ ________ ________.

W: If so, I'll choose one with ceramic coating.

M: Great. How about the size?

W: It ________ ________ ________ ________ ________. Our old 8-inch frying pan was too small.

M: You're right. Then let's order this one!

## 11

W: Ethan, you look nice with the green cap.

M: Thanks. I bought it at a new hat shop. There are many kinds of hats at the shop.

W: I'd like to go there. ________ ________ ________ ________?

M: (It's next to the Johnson Animal Clinic.)

## 12

M: Where are all the empty taxis? We've been waiting for one for fifteen minutes.

W: It's because it's rush hour.

M: Do you want to ________ ________ ________ ________? The station is near here.

W: (Yes. If we don't, we'll be late.)

## 13

W: Brian, what are you doing?

M: Mom, _______ _______ _______ _______ _______ _______.

W: Still? It's taking you forever to get dressed.

M: I can't decide what to wear to Alice's birthday party.

W: You really care about how you look today. Is Sofia coming to the party?

M: Haha, how did you know? _______ _______ _______ _______ _______. How do I look?

W: The striped shirt looks good on you, but the black jeans are too tight.

M: Then I'll wear my blue jeans instead.

W: Good. It's cool outside, so you should wear a jacket, too.

M: Hmm... Here are my jackets. Can you _______ _______ _______ _______ _______?

W: (No problem. I think the leather jacket is stylish.)

## 14

M: Emma, you look depressed. What's wrong?

W: I didn't do very well on the final test. I don't know _______ _______ _______ _______ _______.

M: Do you review what you learned that day after school?

W: Not really.

M: It's important to review daily. This habit improves your ability to retain information.

W: Is this your secret to getting good grades?

M: Just one of them. It's also important to take good notes.

W: Is it? I think I _______ _______ _______ _______ _______ _______ _______ and take good notes.

M: Good. Lastly, if you have a question on something, ask for help.

W: I'm shy, so it's difficult _______ _______ _______ _______ _______.

M: (Then get help from classmates, like me.)

## 15

M: Jake is a member of his school's dance club. The club members are _______ _______ _______ _______ _______ _______ _______. They'll showcase five dances, and Jake will perform in two of them. After school, he practices with his members. This is his first time on stage. He wants to dance well, but his body does not move as he would like. Now, _______ _______ _______ _______ _______ _______ _______ and doesn't have any confidence. The best dancer of the club, Daniel, notices how frustrated Jake is and wants to help him. He thinks _______ _______ _______ _______ _______ _______ _______ for him. In this situation, what would Daniel most likely say to Jake?

## 16-17

W: Hello, listeners. Welcome to *Ask Dr. Ellen Lewis*. Today, we'll talk about sore throats. A sore throat _______ _______ _______ _______ _______ _______ _______, flu, or allergies. Whatever the reason, they can be very annoying and painful. Various sore throat remedies can be made or found easily at home. First, drink hot water or tea mixed with honey. Honey helps soothe a sore throat. Many studies show that honey also helps ease a cough, which can _______ _______ _______ _______ _______. Second, hot chicken soup can ease the pain. It even contains ingredients that can help reduce cold symptoms. Third, eat frozen foods such as ice cream or frozen yogurt. The cold temperatures help reduce the pain of a sore throat quickly. The next time your throat feels scratchy, _______ _______ _______ _______ _______ and stay healthy.

# 02 Dictation Test

녹음을 다시 한 번 들으면서, 빈칸에 알맞은 말을 써 봅시다.

## 01

W: Hello, *Travel with Alice* listeners! This is Alice Miller. The season is changing from spring to summer, and it's the best time ________ ________ ________ ________. Today, I'll introduce Kenny's Strawberry Farm. It's located in Rainbow, California. At Kenny's, you can pick strawberries right from the field and taste them. You'll have the sweetest and the freshest strawberries in the world. And if you ________ ________ ________ ________, you can make strawberry jam yourself and bring it home. Strawberry picking is the perfect activity for families, couples, and friends. ________ ________ ________ ________ ________, call 715-343-9120 for more information.

## 02

W: Steve, you look tired today. What's the matter?

M: I ________ ________ ________ ________ ________ ________ recently. I don't know why.

W: Are you under a lot of stress from work? Or do you drink a lot of coffee every day?

M: I don't feel stressed nowadays, and I only drink two cups of coffee a day.

W: Hmm... Then I wonder if you're drinking coffee in the evening.

M: I ________ ________ ________ ________ ________. As you know, drinking coffee has some health benefits.

W: It's true, but it's been proven that having caffeine even six hours before bedtime could affect sleep.

M: Really? I didn't know that.

W: So you should ________ ________ ________ ________ ________ ________.

M: Thanks for letting me know.

## 03

W: Good morning. I have something to tell you now.

M: Megan, what is it? You don't look good today.

W: ________ ________ ________ ________, so I don't think I can practice tennis for some time.

M: What? When did you hurt it?

W: Yesterday morning. I saw a doctor and had an X-ray taken.

M: I hope it's not broken. You have a very important match this September.

W: No, it's only sprained. The doctor said it ________ ________ ________ ________ ________ ________.

M: What a relief! You're the best player on our tennis team, and if you ________ ________ ________ ________ ________ ________, you'll win the match.

W: I know. Starting next week, I'll practice very hard.

## 04

M: Mia, welcome to my house!

W: Thanks for inviting me to dinner. Wow, you ________ ________ ________ ________. Even a small pond!

M: Thanks. Do you see the apple tree on the left side of the pond?

W: Yeah. Does it have ________ ________ ________ ________ ________?

M: Yes, I planted it when my son was born. It was about 15 years ago.

W: Time flies. I think you're a good father.

M: Haha, I try. I talk with my son a lot while sitting on the bench behind the pond.

W: How sweet! Did you plant the flowers around the tree? They're beautiful.

M: No, my wife did. She ________ ________ ________ ________ ________ on either side of the bench, too.

W: Then the garden will become even more beautiful.

## 05

M: Sally, how are things going with Sandra's farewell party?

W: ________ ________ ________ ________. Here are snacks, beverages, plates, cups, and forks for the party.

M: Wow, you've already set the table. Here is a bunch of flowers for her.

W: They're so beautiful. She'll like them. Did you bring a cake, too?

M: Sure. I bought a chocolate cake at the new French bakery.

W: Good. It's her favorite. ________ ________ ________ ________ ________?

M: I think we need more chairs. Joe and Anna will also come to the party.

W: Will they? I'll prepare them. Do you know when Sandra will arrive?

M: No, ________ ________ ________ ________ ________.

## 06

M: Welcome to Denver Art Museum. How may I help you?

W: Hello. I'd like to see the Picasso exhibition. How much is it ________ ________ ________?

M: It's 30 dollars for adults and 20 dollars for children.

W: One adult and three children, please. Oh, do you ________ ________ ________ ________ ________?

M: Sure. It's 5 dollars per person.

W: OK. All four of us want the service.

M: Because you have three kids, you can ________ ________ ________ ________ ________ the total price.

W: That's great. Here is my credit card.

M: Here are your tickets. You can get the audio sets over there.

W: Thanks a lot.

## 07

M: Winter vacation has finally started! Do you have any vacation plans?

W: I'm thinking about ________ ________ ________ ________ ________ ________ ________ with my friends.

M: Are you a good skier?

W: No, this will be my first time going skiing. How about you?

M: I've never gone skiing either. When does the camp start?

W: Next Wednesday. Do you want to join us? You can also learn how to snowboard, if you want.

M: I'd like to, but I promised that I would ________ ________ ________ ________ ________ ________. They live in London.

W: Do you mean you'll go to London for vacation?

M: No, they'll come here. ________ ________ ________ ________ ________ around Vancouver.

## 08

W: Hey, Joe. Are you free this Saturday?

M: ________ ________ ________ ________ ________ ________. Why do you ask?

W: The Korean Culture Day event will be held in the school auditorium from 1 p.m. to 7 p.m.

M: Korean Culture Day? What's the event for?

W: It's to introduce Korean culture to students. You can enjoy K-pop performances, watch Korean dramas, play traditional games, and wear traditional clothes.

M: That sounds interesting. ________ ________ ________ ________ ________?

W: Korean Culture Club. I'm a member.

M: I wonder if I can taste Korean dishes there. I love them.

W: Of course. You'll have ________ ________ ________ ________ ________ ________ ________ ________ such as gimbap and japchae.

M: That's fantastic! I'll definitely go there.

## 09

M: Join the Montana University Summer Music Camp! This is a weeklong camp for high school students ________ ________ ________ ________ ________ for at least one year. This program is designed to give students a full band experience, providing them with an opportunity to perform with other talented students. They'll also learn music theory, attend master classes, and study with experienced teachers. ________ ________ ________ ________ ________ ________ ________ in the university auditorium. Campers will be placed into one of the two bands based on their audition. It'll take place on Saturday, July 10. The total camp fee is $500. ________ ________ ________ ________ for all instruments at a cost of $30 for an hour lesson. We look forward to seeing you this summer!

## 10

M: Honey, next Friday is our wedding anniversary. ________ ________ ________ ________ ________ ________.

W: Oh, really? I was thinking about buying a down coat on an Internet shopping site.

M: Then let's buy one there now.

W: Great! *[Typing sound]* This is the site. I couldn't pick one from these five coats the other day.

M: Well... I think knee-length coats are better than hip-length ones. It can get cold.

W: That's a good point! ________ ________ ________ ________ would keep me warmer, too.

M: I agree. Then you have two options left.

W: Yes. This beige coat is fashionable, but it's much more expensive than the other one.

M: Honey, ________ ________ ________ ________ ________. Order it.

W: Oh, are you sure? Just don't regret it later.

M: Haha! I won't.

## 11

W: Paul, look! I changed my sofa last week.

M: Wow, this fabric sofa goes well with the color of the wallpaper.

W: Do you think ________ ________ ________ ________ ________ ________ ________?

M: (Yes, I do. The old one was out of style.)

## 12

M: Eloise, do you know any stores that sell electric fans at a low price?

W: How about a second-hand electronics store? I know a good one.

M: ________ ________ ________ ________ anything there?

W: (Sure. I bought all my electronics there.)

## 13

M: Ellen, did you see the baseball game between Shaker and Albany High School yesterday?
W: No. I had to take care of my little brother.
M: I'm very sorry to hear that. It was amazing!
W: Do you mean we won the game?
M: Of course! The Shakers ________ ________ ________ ________!
W: That's surprising! Albany is a very strong team.
M: No doubt. Everybody in the baseball stands thought the Shakers would lose. Until the eighth inning, ________ ________ ________ ________ ________ ________.
W: Then what happened? Tell me more.
M: Brian, the team captain, hit the game-winning home run in the ninth inning.
W: He did a great job. ________ ________ ________ ________ ________.
M: (Yes. It was the best game I've ever seen.)

## 14

*[Telephone rings.]*
W: Hello?
M: Hi, it's Max. Can you go to a classical music concert tomorrow?
W: Oh, I'd love to, but I can't.
M: Why not? You like classical music. ________ ________ ________ ________ tomorrow?
W: I think I should study for the math exam next week.
M: Already? We have plenty of time to study.
W: But I'm very worried. I totally ________ ________ ________ ________ ________ ________.
M: Really? I know you studied very hard.
W: Yes, I did, but I was so nervous that I couldn't concentrate on it.
M: If you study hard and ________ ________ ________ ________ ________, you'll do well on this exam.
W: (Thanks. I just don't want the same thing to happen again.)

## 15

W: After lunch, Aiden goes to the restroom to wash his hands. He sees some of his classmates brushing their teeth. Aiden notices that they ________ ________ ________ ________ ________. A week ago, Aiden watched a documentary about the environment and learned that turning off the tap while brushing your teeth can save up to 200 gallons of water every month. He thinks that ________ ________ ________ ________ ________ ________ and save costs for the school at the same time. For these reasons, he wants his classmates ________ ________ ________ ________ ________ ________ that they are wasting water and learn how to save it. In this situation, what would Aiden most likely say to his classmates?

## 16-17

M: Hello, class. Last time, we learned what earthquakes are and why they happen. As we know, earthquakes can happen at any time, without any notice. Thus, today, I'll talk about ________ ________ ________ ________ when an earthquake hits. If you are indoors such as in your house or a building, stay inside until the shaking stops. Drop down and ________ ________ ________ ________ ________ or table. Stay away from furniture and windows that can fall on you. If you are in a stadium or theater, stay in your seat and protect your head and neck with your arms. If you are near the shore and strong shaking lasts over 20 seconds, ________ ________ ________ ________ ________ because a tsunami might be generated. Please keep these tips in mind, and you will be able to protect yourself in the event of an earthquake.

# 03 Dictation Test

녹음을 다시 한 번 들으면서, 빈칸에 알맞은 말을 써 봅시다.

## 01

W: Good morning, students. This is your principal. I have an announcement about the school uniform. According to the weather forecast, it will be very hot and humid this summer. As you know, our summer school uniform ________ ________ ________ ________ ________ ________. Many students and parents have complained that they are ________ ________ ________ ________ ________. So we're going to introduce a uniform consisting of a T-shirt and shorts starting this summer. We'll display two uniform options in front of the student council room. Choose the better-looking one, and vote online. ________ ________ ________ ________ ________ this Thursday, and students can wear the uniform from the following week. Thank you.

## 02

M: Hi, Laura. What are you doing?

W: I'm looking for a laptop for my parents.

M: A laptop? Is there anything you have in mind?

W: Yes. *[Pause]* Here it is.

M: It costs a little more than $2,000 and has many features. What do your parents usually do on the computer?

W: ________ ________ ________. They surf the Internet and watch movies. But they don't play games.

M: No games? Then I don't think they need a high-end laptop with the latest features.

W: Why not? If it has many features, ________ ________ ________ ________ ________?

M: They don't need all those features for Internet surfing and movies. Maybe ________ ________ ________ ________ ________ ________ would be more useful for them.

W: That's a good point. Thanks.

## 03

*[Telephone rings.]*

W: Hello? Jessica Jones speaking.

M: Hello. This is Luke Walters, Jenny's father.

W: Oh, Mr. Walters. How's Jenny?

M: She's now conscious. If you hadn't called the ambulance quickly... I don't even want to imagine ________ ________ ________ ________.

W: I'm relieved to hear she's all right. I think she was temporarily in a state of shock.

M: Right. The doctor recommended she stay here until next Tuesday.

W: I guess she won't be at school on Monday.

M: Yes. ________ ________ ________ ________ ________ ________ ________ on Monday.

W: Oh, please tell her not to worry. We still have some time before the competition. Her health ________ ________ ________ ________ ________ ________.

M: That's very kind of you to say.

## 04

W: Ryan, what are you looking at?

M: This is the app that allows me to _______ _______ _______ _______.

W: Wonderful. It doesn't even look like our room.

M: I know! I added some items. What do you think?

W: It looks fantastic. I like the oval-shaped rug on the floor and the floor lamp beside the bed.

M: Good. I also _______ _______ _______ _______ _______ _______ that looks peaceful.

W: I like that, too. Also, the blanket with the heart-shaped pattern looks really cute. It's perfect!

M: Then how's the plain curtain? I chose one without a pattern. Does it look boring?

W: Not at all. I always _______ _______ _______ _______ _______ _______ _______ with the star pattern.

M: OK, great! Let's change our room just like this.

## 05

W: Honey, I _______ _______ _______ _______ any more.

M: Me, neither. How about spraying insecticide all over the house?

W: We can't do that every night. What about turning on the electric mosquito repellent mat?

M: Jimmy was bitten despite it last year. How about _______ _______ _______ _______ _______?

W: That was not effective at all either. We also have a tent, but Jimmy doesn't want to sleep inside the tent any more.

M: Then what else can we do?

W: I remember there are small holes below the windows that mosquitoes can go through.

M: Hmm, _______ _______ _______ _______.

W: Yes, can you do that?

M: No problem, I'll do it before it gets dark.

## 06

M: Honey, did you _______ _______ _______ _______ _______ _______ to Hong Kong?

W: Oh, I'm sorry. I forgot to do that. Let's do it together now.

M: OK. *[Clicking sound]* Here, this is the five-day trip package I was talking about.

W: Is it only $300 per person? Wow, it's very cheap.

M: Yes. It was $600, but it's now 50% off _______ _______ _______ _______ _______ _______.

W: That's great. Hey, click this banner. It's linked to a special promotion.

M: Yes, it says we can get another 10% off if _______ _______ _______ _______ _______ _______.

W: Oh, it's too bad you're 31.

M: Don't be disappointed. It's cheap anyway.

W: You're right. Let's reserve the package now.

## 07

M: Hello, can I help you?

W: Yes. Yesterday, I put up some posters promoting Horace Vocational School on the bulletin board. But _______ _______ _______.

M: Did you put them on the board on the first floor?

W: Yes. I believe I put them in the right place.

M: Were your posters authorized by the administration office?

W: Yes, they were authorized two days before posting. _______ _______ _______ _______ _______.

M: Now I see why our staff took them down. According to the rules, you can only _______ _______ _______ _______ _______ _______.

W: I'm sorry, I didn't know that.

M: Don't worry. Our staff will post them again next week.

W: Thank you.

## 08

M: Good morning. What can I do for you?

W: _______ _______ _______ _______ and feel very tired.

M: Did you do anything unusual?

W: Nothing in particular. I surfed the Internet in my room as usual.

M: How long did you do that for?

W: From dinner until I fell asleep. About four hours?

M: I think you _______ _______ _______ _______ _______ _______ _______. The bright light from the screen can make your eyes blink less than usual and feel tired.

W: Should I use eye drops then?

M: No, you don't have to. Just try to _______ _______ _______ _______ _______ or the cell phone for today. You'll feel better.

W: Thank you.

## 09

M: Hello, audio system lovers. We'd like to invite you to the 15th annual Audio Fest. We will hold this event _______ _______ _______ _______, from February 21 to 23, at the Titan Convention Hall. More than 50 companies are going to participate. They'll display various high resolution players and cordless earphones. You can _______ _______ _______ _______ _______ at the "Feel the Music" corner. In addition, there will be soundproof rooms where you can experience high-tech speaker sounds. The entrance fee is 15 dollars, and _______ _______ _______ _______ _______ can enter for free, but they must come with their parents. Come and feel the future of sound technology! For more information, please visit our website, www.audiofest15.com.

## 10

W: Sam, what are you looking at?

M: I'm looking for a backpack online. Backpacks look good with suits and are very practical.

W: I see. What material would you like?

M: Well, what do you think about leather?

W: I think leather is _______ _______ _______ _______ _______. It looks better with suits than fabric backpacks do.

M: I agree. I sometimes wear suits, so it might be better.

W: All right. What color do you like?

M: Black is _______ _______ _______ _______ _______ _______.

W: Then navy will be better for you. Is an outside pocket needed?

M: Oh, yeah. It's really practical. I always _______ _______ _______ _______ _______.

W: Then that leaves 2 bags. Which are you going to buy?

M: The cheaper one, of course.

## 11

W: Ted, are you reading Mike Bernard's new book?

M: Yeah, you know the author?

W: Sure. I love him. _______ _______ _______ any of his other books?

M: (Yes. So far I've read three of his novels.)

## 12

M: Excuse me. I bought this jacket here two days ago, but there's a problem with it.

W: Oh, really? What is it?

M: Look at this. The zipper _______ _______ _______ _______.

W: (I'm so sorry. Would you like a refund or an exchange?)

## 13

W: Ted, did you watch any of the movies from the series *Harry Page The Wizard*?

M: Sure. I watched all of them. Why?

W: I can't decide _______ _______ _______ _______ _______ _______ them because I don't like fantasy much. Aren't they for kids?

M: Some parts are certainly for kids, but as the series progresses, the story gets complicated.

W: Oh, really? Sounds more interesting.

M: Rather. Kids might _______ _______ _______ _______ _______ the last part of the story.

W: What if I can't understand it either?

M: No way. There are novels they are based on. Reading them will help you understand the movies.

W: I guess I should _______ _______ _______ _______ _______ _______ _______.

M: (Sure. I think they will help you enjoy the movies more.)

## 14

W: Hey, Tony, do you have _______ _______ _______ _______ _______?

M: Not really. Do you?

W: I do. I'm going to a magic show. Will you come with me?

M: Magic show? I'm not interested in that kind of thing.

W: _______ _______ _______ _______ _______ _______ _______. I watched it when I visited Las Vegas, and it was impressive.

M: How so?

W: It had a storyline like a movie, and the stage in the middle of the audience made it feel like it was happening right beside me.

M: Sounds interesting. Then will you watch the show again?

W: Of course. I'm taking two more friends besides you.

M: OK, I'll go, too. I hope it's _______ _______ _______ _______ _______ _______ _______.

W: (Trust me. It was one of the best shows I've seen recently.)

## 15

W: Emma is a member of her school orchestra club. The club _______ _______ _______ _______ _______ _______ the High School Orchestra Festival. It's a great opportunity, and they will perform on a stage where only professionals can perform. So, Leo, the leader of the club, tells the members that they'll have more than 15 practice sessions. He wants to _______ _______ _______ _______ _______. However, their final exams are in a week, while _______ _______ _______ _______ _______ _______. So Emma wants to suggest that they start practicing right after the exams. In this situation, what would Emma most likely say to Leo?

## 16-17

M: Hello, students. Our annual Williams Holiday Bazaar is on November 15, from 9:30 a.m. to 1:30 p.m. Start gathering new and gently used items to donate to the Williams High School. Your donations will help raise money for _______ _______ _______ _______ _______. All items must be clean, usable, and not broken. A good guideline is to donate items to the bazaar you would give to a friend. If it's dirty, broken, stained, or has missing parts, please _______ _______ _______ _______. We gladly accept books, CDs, clothing, and jewelry. Toys and baby equipment like strollers are OK, but please make sure the item has not been recalled for safety concerns. Items we don't take are furniture and computers. Chairs and tables are too heavy, and _______ _______ _______ _______ _______ _______ _______. You can drop off donation items between November 1 and 9 at the student council room.

# 04 Dictation Test

녹음을 다시 한 번 들으면서, 빈칸에 알맞은 말을 써 봅시다.

## 01

W: Good afternoon, everyone. The winter is coming. There are only three months until you graduate. The teachers are very proud of you and _______ _______ _______. After you graduate, you will miss the days when you used to wear your school uniform, but it _______ _______ _______ _______. If you donate your old school uniform, it will be very helpful and useful to your juniors. We will sell your donation at a very low price, and the amount of money raised _______ _______ _______ _______ _______ the poor. We're looking forward to your generous support for both your juniors and the less fortunate. Thank you in advance for your support.

## 02

W: Hi, Harry. Long time no see. Did you _______ _______ _______?

M: Oh, Jane, does it look obvious? I'm worried about it.

W: Do you work out every day?

M: No, I don't. I'm a little busy because I'm preparing for mid-term exams.

W: I think you need to lose weight _______ _______ _______ _______.

M: What should I do to lose weight?

W: First of all, you need to exercise regularly.

M: OK.

W: And you need to control what you eat.

M: Do I need to skip meals?

W: No, it could be bad for your health. Just control _______ _______ _______ _______.

## 03

M: Hello, Ms. Thompson. I'm Jack Robins.

W: Hello, Mr. Robins.

M: I came to see you because I would like to hear your opinion.

W: Oh, _______ _______ _______ _______ _______?

M: Yes. I hoped that he'd also become a doctor like me, but he says he wants to be a ballet dancer now.

W: In fact, I recommended it to him. _______ _______ _______, like your wife. She's an actress, right?

M: Yes. But I'm not certain he has talent.

W: Frankly, I _______ _______ _______ _______ in my 10 years of teaching.

M: Well, if you say so, my wife and I will talk about it more seriously. Thanks for your time.

W: Don't mention it.

## 04

W: Paul, how's the classroom decoration going?

M: Hi, Jill. We finished it yesterday. _______ _______ _______ _______ _______ this photo.

W: Wow, the classroom looks clean and neat.

M: Thanks. We cleaned it all day long.

W: There are some plants on the locker. They look fresh and green.

M: We also bought a new clothes rack and a trash can.

W: I noticed them. We need the clothes rack for our jackets and coats. Did you also buy the clock _______ _______ _______ _______ _______ the wall?

M: No, our seniors donated the clock.

W: Oh, did they? Great. By the way, _______ _______ _______ _______ _______ the most?

M: Um. I like the picture above the locker. Actually, I drew that picture.

## 05

M: Cathy, are we ready for Lucy's birthday party?

W: I think so. Let's _______ _______ _______ _______ one by one.

M: Have you booked the Italian restaurant at 5 p.m.?

W: Yes, I have. I told them it would be about 20 people and reserved a room.

M: Great. Did you _______ _______ _______ _______?

W: Sure. I sent them through instant messages.

M: Is the doll ready? She asked me about it again yesterday.

W: My friend Dorothy already bought it last week. She said she couldn't be there tomorrow, so she told me to _______ _______ _______ _______ _______ _______.

M: OK. What's her address?

## 06

M: Good afternoon. Can I help you find something?

W: I'd like to buy wireless earphones.

M: How about these ones? They're very light and the battery lasts _______ _______ _______ _______.

W: How much are they?

M: They're 100 dollars.

W: Oh, they're a neckband type. I want cable-free earphones because I'll use them while exercising.

M: I see. Then _______ _______ _______ _______ for you. They are a little more expensive, 120 dollars.

W: Great. I also need a waterproof case for my phone. Do you have any?

M: Yes, we have some. These are usually twenty dollars, but if you buy earphones, we can _______ _______ _______ _______ _______.

W: That's great. Then I'll take this red one, too.

## 07

W: Ken, what are you doing?

M: Oh, Jenny. I'm collecting _______ _______ _______.

W: Wow, you're going backpacking? When do you plan to go?

M: Maybe this summer. I'm planning to go to Europe.

W: I envy you. I went to Africa last summer as a volunteer, but _______ _______ _______ _______ Europe.

M: You've done some great things. Why don't you go to Europe with me this time?

W: I'd love to, but I can't.

M: Why not?

W: My mom is going to open a drugstore this summer, so she _______ _______ _______ _______ _______ there.

M: I see. That's obviously what you have to do as her daughter.

08

W: Matt, have you heard of the Dream Ice Show?
M: No. What is it?
W: It's ________ ________ ________ ________ to help the disabled. Why don't you come with me?
M: Who'll appear in the show?
W: I heard there will be seven Olympic medalists in the show. It will be at 7 on January 10.
M: How can we buy tickets?
W: There's a site, www.frozendream2020.com. You can find ________ ________ ________ ________ ________ there.
M: I see. How much is it?
W: A standard seat costs $120.
M: It feels good to be able to enjoy a show and ________ ________ ________ at the same time.
W: It's really kind of you to think that way.

09

M: Hello, folks, thank you for coming. The weather tonight is great for listening to old rock music. I'd like to introduce our next song. The song "Claire" ________ ________ ________ Eric Frampton, the legendary guitarist. The song is about a father missing his daughter who died in an accident. This song only ________ ________ ________ on the charts at the time of its release, but as time passed, people began to love it more. Though the song is ________ ________ ________ and hard to hear on the radio, the guitar solo is so beautiful that many musicians still love to play it today. We'll ________ ________ ________ ________ of this classic song. I hope you enjoy it.

10

M: Honey, what are you looking at?
W: Look at this. There'll be Saturday ________ ________ ________ ________ ________. The good thing is that kids and moms can take them together.
M: They look quite interesting. Tim would love it.
W: I think so. He was quite involved the last time he took this kind of class.
M: I also remember how much he liked it. There are two classes for 5 year-olds.
W: I'll pick one for 6~7 year-olds. Tim would like that more.
M: I see. Which time do you prefer?
W: ________ ________, ________ ________.
M: Then will you take the cheaper class?
W: No, this is more costly because we ________ ________ ________ there. So it's actually better.
M: I see.

11

W: Mick, ________ ________ ________ ________ for this weekend?
M: I'm not sure yet. I'm thinking about going to the beach with my friend John.
W: Sounds great. ________ ________ ________ if Kelly and I join you?
M: (Sure. You are more than welcome.)

12

M: How was your literature exam today?
W: Not bad, but ________ ________ ________ ________ if I will get any points for the last question.
M: Did you ask Mr. Lee about it? He would know.
W: (Yes, but he didn't give me an exact answer.)

13

W: Hi, Jim. What are you doing?

M: I'm ________ ________ ________ ________ ________.

W: Oh, you must be very busy.

M: Yes, this is my first job interview, so I'm very nervous.

W: Relax, I'm sure you'll do fine. What company is it?

M: It's a famous publishing company. It has always been ________ ________ ________ ________ ________.

W: Good luck! What kind of work did you apply for?

M: I applied for the marketing department.

W: Isn't your major physics? I doubt ________ ________ ________ ________ ________.

M: I'm also afraid it might not, but I don't want to lose the opportunity to enter this company.

W: (Well, liking a company and working there are two different things.)

14

W: Tom, you know Nick Stark well, right?

M: Oh, Nick! He's ________ ________ ________ ________ ________. Why?

W: He and I are on the same team for the presentation project.

M: I think I heard that the last time I met him.

W: Did he tell you that he's doing nothing on the team?

M: Oh no. Is he? I heard he's quite busy with the chemistry assignment.

W: I don't think that's a ________ ________ ________ ________ ________.

M: As far as I know, he doesn't mean to be irresponsible. He just doesn't realize it.

W: Frankly, I don't know ________ ________ ________ ________ ________.

M: (I think it's best that you talk to him about this issue.)

15

W: Liz has twin daughters, Sally and Judy. Even though they're twins, they are ________ ________ ________ ________ ________. Sally is kind and easygoing while Judy is jealous and hot-tempered. Sometimes Judy's jealousy is too much, so more often than not, Sally ________ ________ ________ ________. One day Liz bought her twin daughters the same chairs, but they were different in color. Sally got a red one, and Judy got a blue one. At first, they liked their own chair, but after some time, Judy wanted Sally's red chair. This time Sally ________ ________ ________ to her sister. In this situation, what would Liz most likely say to Judy?

16-17

M: Hello, listeners! This is Joe Williams of Health & Families. Today, I want to tell you about the ________ ________ ________ ________ a lot of money. It is by keeping your teeth healthy. It's really easy, but many people ignore it. Here are some tips for a sparkling smile. First, brush at least twice a day. Choose a toothbrush with a small head for ________ ________ ________ ________ ________. It will not only keep your teeth clean but also remove the bad smell from them. Second, eat smart. ________ ________ ________ like candies and chocolate bars. If you have loose teeth, do not eat sticky candies. They can lead to tooth loss. Also, limit soft drinks and fruit juice. Those drinks soften tooth material. Last, make an appointment with your dentist every 6 months. We all know, "A stitch in time saves nine."

# 05 Dictation Test

녹음을 다시 한 번 들으면서, 빈칸에 알맞은 말을 써 봅시다.

## 01

M: Listen up, students. This is James, your P.E. teacher. The annual Sports Day is _______ _______ _______ _______, and I'm sure your team practices are going well. This is a great opportunity to have fun and develop team spirit among classmates. But according to the weather forecast, heavy fine dust from China is expected that afternoon. All schools have been advised to _______ _______ _______ _______. So we will have to cancel the soccer matches in the afternoon. I'm sorry to disappoint all the soccer players. Other activities will _______ _______ _______ _______, so don't be disappointed and have fun. Thank you for listening.

## 02

M: Kelly, _______ _______ _______ _______? Is there something wrong?

W: I feel terrible because of my English conversation class.

M: Why? Didn't you say it was really fun for you?

W: For the play *Romeo and Juliet*, I wanted the role of Juliet. But Kathy took it.

M: Then what role did you get?

W: Juliet's friend, Judy. This character doesn't even exist in the original play.

M: Cheer up! Though you're not the heroine, you can _______ _______ _______ _______ _______.

W: What do you mean? No other role can be as important as Juliet.

M: Many supporting roles are as popular as the main ones. You can _______ _______ _______ _______ _______.

W: That's true. Thanks for your encouragement, Danny.

## 03

W: Hi, Mr. Jensen. Come on in.

M: Hi. Oh, this cat tower is amazing.

W: We ordered it specially for this place. Cats and even dogs love it.

M: I want one in my house. So, how's Sally?

W: _______ _______ _______. I think she ate something bad.

M: Hmm... That evening, I think she ate some snacks that my son Tom dropped on the floor.

W: That may be the cause. Food containing sugar in particular _______ _______ _______ _______ _______.

M: I see. Can I take her home today?

W: You can take her home about 10 minutes after I _______ _______ _______ _______.

M: Thank you so much.

## 04

M: Mom, what is this? Is this your photo album?

W: Yes, Jerry. It's from about 40 years ago. This little girl with the headphones is me.

M: Then is _______ _______ _______ _______ my grandfather? I'm surprised he wasn't bald then.
W: Yes. He wasn't bald when he was younger. This woman with the necklace is your grandmother.
M: She looked so pretty then. Wait, I think I saw this necklace grandmother wore.
W: Yes, you _______ _______ _______ _______ wearing it. She gave it to me as a present.
M: Who is the boy playing the guitar?
W: It's your uncle Pat, and _______ _______ _______ _______ _______ _______ _______ _______ _______ is aunt Mary.
M: I see. They all look very young.
W: Yeah, time flies.

## 05

M: Hello, ma'am. How was your food?
W: It was _______ _______ _______ _______ _______.
M: Thank you so much. Is there anything we can improve in our restaurant?
W: Well, I think you need more high chairs for babies.
M: I see that. _______ _______ _______ _______?
W: I'd like it to be a little more spicy, but that's just my preference.
M: Thanks again for your suggestions. By the way, _______ _______ _______ _______ _______ _______?
W: What is it?
M: If you're satisfied with our food, could you _______ _______ _______ _______ _______ _______? It'll be very helpful to promote our restaurant.
W: Oh, no problem. It'll be a pleasure to do so.

## 06

M: Hi. How may I help you?
W: I'd like to buy a wireless mouse for my computer.
M: This basic one is $10, but this one _______ _______ _______ _______ costs $20.
W: Well, I'll take two of the one with extra buttons.
M: OK. Anything else?
W: I also need a bluetooth keyboard. I heard _______ _______ _______ _______.
M: Yes, it's selling very well. It costs $80.
W: Good. I'll take one. I have a 20% discount coupon here.
M: OK, let me see. *[Pause]* I'm afraid you can't get a full 20% discount, because it _______ _______ _______ _______ of $20.
W: Oh, does it? That's too bad. Anyway, here's my credit card.

## 07

W: Hello, may I help you?
M: Hi. I want to return this down jacket.
W: OK. Did you _______ _______ _______?
M: Here it is. I want to get a refund.
W: I see. *[Pause]* Sir, I'm afraid to say there's a problem.
M: Really? If it's _______ _______ _______ _______ _______, I can get a refund, right?
W: There's no problem with the purchase date. But you used a discount coupon.
M: Yes, I received a 30% discount.
W: When you use the coupon, you can't get a refund. You can only _______ _______ _______ _______. That was the condition.
M: Oh, I never knew that. OK, show me winter coats that are not down jackets.

## 08

M: Blair, what are you reading about?
W: I'm reading the article on graphene. Have you ever heard about it?
M: No. What is that?
W: _______ _______ _______ _______. It is very unique.
M: What's so unique about it?
W: Well, it's very thin but stronger than steel. In addition, it can transmit electric current better than copper.
M: So _______ _______ _______ _______ _______?
W: It can be used to make a light but strong plane or car.
M: If it's so strong, I think it will help make those rides safer.
W: Right. Also the article says it can be used to make a wearable computer or special fabric.
M: Wow, it _______ _______ _______ _______ _______.

## 09

W: Hello, students. This is your physics teacher, Jennifer Lewis. I'm here to talk about a film class that'll be held from tomorrow for two days. As some of you already know, _______ _______ _______ _______ Movie Makers club. So I invited movie director, Mr. Charlie Leonard, to teach our students how to shoot. In addition to our club members, _______ _______ _______ _______ _______ _______ this class. It'll start at 8 a.m. and end at 5 p.m. You'll learn essential filming skills before lunch and practice them after lunch. If you have a smartphone, you _______ _______ _______ _______ _______ _______. If you want to participate in this unique opportunity, visit my office. Thank you.

## 10

M: Honey, I think our dining table looks too old.
W: I agree. It's time to change it.
M: Look at this. This is a list of the best-selling tables.
W: How about buying _______ _______ _______ _______ _______ _______?
M: I think it's not only expensive but too heavy. I prefer a wood table top.
W: I see. Then what shape do you want?
M: I like square tables more. How about this one?
W: It's nice. And a white one would look better in our house.
M: OK, now we _______ _______ _______ _______. Should we get the cheaper one?
W: No, I think the other one is more costly because _______ _______ _______ _______.
M: OK, then I'll buy that one.

## 11

M: Mary, the weather's really nice for outdoor activities. How about going somewhere?
W: Sounds great. Where do you want to go?
M: Shall we go to Lake Park and _______ _______ _______ _______? I'll bring my new camera.
W: (Yeah, I'd like that. Let's go now.)

## 12

W: Hey, look! There's another new Italian restaurant over there.
M: I already went there last weekend with my parents.
W: Already? _______ _______ _______ _______ _______ Charlie's Pizza next door?
M: (I think the cream pasta there is one of the best.)

13

M: Good morning, Ms. Jones. What's the problem?

W: Hey, Bill. What happened to your biology exam? Your score was zero.

M: Really? I answered _______ _______ _______ _______.

W: What did you use when you marked the answer sheet?

M: Well, *[Pause]* this mechanical pencil, I think.

W: Oh, Bill, that was the problem. You can't use that.

M: What? Then what should I use?

W: There's a marker for computer scans. If you use anything else, the scanner _______ _______ _______ _______.

M: Oh, I'm so sorry, I didn't know that.

W: I'll report this to the principal to see if there's anything _______ _______ _______ _______ _______ _______.

M: (Thank you, Ms. Jones. I'll be more careful next time.)

14

M: Are you all right, Kate? What's wrong with your leg?

W: I _______ _______ _______ yesterday.

M: Did you go to the hospital?

W: Not yet. I'll go today for an X-ray. I think it might be broken or fractured.

M: Oh, it's very swollen. Did you _______ _______ _______ _______?

W: Yeah, but it didn't help much.

M: Wow, it looks really painful. What happened?

W: I was injured _______ _______ _______ the treadmill. It may be because I skipped my warm-up.

M: Oh, dear. You must do a warm-up before you start any exercise. I _______ _______ _______ _______.

W: (You're right. I should always keep that in mind.)

15

M: May _______ _______ _______ _______ at a bank. Her son, Peter, is eight years old. Ms. Simmons, the babysitter, takes care of him during the day, and May takes care of him after work in the evening. After May comes home, she is always so tired that she just _______ _______ _______ _______ _______ _______ _______. She wants Peter to take part in various outdoor activities, but he loves video games. Once, when she got home, he had been playing video games for three hours and didn't come out to greet her. Now she thinks _______ _______ _______ _______ _______ _______ _______. In this situation, what would May most likely say to Peter?

16-17

W: Killer whales are fascinating marine mammals. They've been found in oceans around the world. Males can grow up to 31 feet in length and 10 tons in weight. There is a white spot on each side of the head, which _______ _______ _______ _______ _______ _______. In spite of their appearance, they are called "killer whales." They feed on other marine animals including seals, squids, penguins, and even other whales or sharks bigger than themselves. What makes them so strong? First, they are _______ _______ _______ _______ _______ and can develop specialized hunting strategies. Second, they hunt in groups and are very difficult to escape. Therefore, some people refer to killer whales as the tyrannosaurus of the sea. But considering they are known to _______ _______ _______ _______ _______ _______ _______ just like humans, they are more like the homo sapiens of the sea.

# 06 Dictation Test

녹음을 다시 한 번 들으면서, 빈칸에 알맞은 말을 써 봅시다.

## 01

M: Hello, students. I'm your swimming instructor, David. I really appreciate everyone working very hard. It's important to practice continuously when you ________ ________ ________ ________ ________, and I know you've just started to learn the butterfly stroke. But ________ ________ ________ ________ ________ that we are going to renovate the pool starting next week because the lighting is a little dark. As a result, you can't use this pool for the next two weeks. I'll upload the video clip of the butterfly stroke on the homepage, so you can watch and learn how to do it ________ ________ ________ ________. See you after the break.

## 02

W: Hey, Mike! Why are you taking those books to your room? It's time to go to bed.

M: I know, Mom. But I have to ________ ________ ________ ________ in my room because it burnt out.

W: You're changing the bulb with those books? What are you talking about?

M: I think they are ________ ________ ________ ________ ________ to change the bulb.

W: Don't do that. You'll surely lose your balance and fall down.

M: But I have nothing proper to use.

W: We have a chair! Try using that instead.

M: The chair has wheels, so it keeps moving.

W: Then I'll borrow a ladder from the neighbor. Always ________ ________ ________ ________ ________.

M: I'll keep that in mind. Thanks, Mom.

## 03

W: Thank you for making time for me, sir.

M: You're welcome. Thank you for coming.

W: I have some questions for you. What do you think is your most important job?

M: I've been elected to ________ ________ ________ ________ ________ ________. That's most important.

W: I see. I've heard that you're often away from the office.

M: Whenever I have time, I ________ ________ ________ ________ ________ ________ in the city to listen to what they have to say.

W: Isn't it possible to do the same online?

M: Meeting them in person really helps me understand their honest opinions and concerns.

W: I see. You're ________ ________ ________ ________ ________. Many people will enjoy watching this interview.

## 04

W: Look at this poster! ABC Amusement Park will open at Shark's Village. It's written _______ _______ _______ _______ _______ _______.

M: It looks really fun. When will it open?

W: On the bottom right it says that it opens on November 11th.

M: We should go because I like the merry-go-round.

W: Do you mean the moving horses? Where did you find it?

M: It's _______ _______ _______ _______ _______ _______ _______. I like that ride most.

W: Aha! There it is. I want to shoot arrows. It's between the big Ferris wheel and the cute balloons. Also, I'd like to ride in the hot air balloon to the left of the castle.

M: Don't you think _______ _______ _______?

W: It'll be safe. Don't worry.

## 05

W: What did the doctor say?

M: My muscles are damaged, but fortunately _______ _______ _______ _______ _______.

W: You were really lucky! I'm relieved at the news. Now let's go home and get some rest.

M: Wait, I need to pay the medical fees.

W: I've already paid them.

M: Thanks a lot. Then I'll go to the pharmacy _______ _______ _______ _______.

W: I've already received the prescription, so I'll go there for you. How about getting physical therapy for your injured leg?

M: I almost forgot about that. The doctor said that I _______ _______ _______ _______ before going home.

W: I'll meet you there after I get your medication. See you soon.

## 06

*[Telephone rings.]*

M: Hi, sweetie! _______ _______ _______ _______ these days?

W: Daddy! I miss you all the time. Did you arrive in New York?

M: Not yet, but I'll leave here tomorrow night.

W: Then how are you making this video call?

M: This hotel has free Wi-Fi. By the way, I found the Lego set you've been wanting to buy. The same set here is 30% cheaper than in New York.

W: Really? We have to pay $100 to buy it here.

M: Plus, the hotel gave me _______ _______ _______ _______.

W: That's the best! Daddy, my close friend also wants to buy that set, so _______ _______ _______ _______ _______?

M: I sure can.

W: Thank you so much, Daddy.

## 07

M: Where are you going so early in the morning?

W: I have to go to work.

M: Go to work? But _______ _______ _______ _______ _______.

W: I just got called into the office.

M: Why do you have to work today? Do you have _______ _______ _______ _______ _______ _______?

W: Actually, I don't have anything urgent to do.

M: Is your boss forcing you to work more hours?

W: No. One of my coworkers, Ms. Danella, got into a car accident on her way to the office this morning. She was supposed to have an important meeting with a buyer, so I have to _______ _______ _______ _______ _______ _______ _______.

M: That's too bad.

## 08

W: What are you watching?

M: It's the Wife Carrying World Championship. Have you heard of it?

W: No, I haven't. What is it?

M: The rule is simple. Literally speaking, men carry their wives and _______ _______ _______ _______ _______ _______ to the finish line.

W: That's funny! Who started it?

M: People in Finland made it, and it spread to many countries, such as Australia, Germany, and America.

W: Interesting. Who won the championship?

M: It's not over yet, but the American team _______ _______ _______ _______ _______.

W: Wow! They are running so fast. By the way, can only married couples participate in the competition?

M: _______ _______ _______ _______ _______ _______, any team consisting of one man and one woman can participate.

## 09

W: Hello, listeners. This is *Amazing Science*, and I'm Amelia. Today, I'll introduce _______ _______ _______ _______ _______: the drone taxi in Dubai. With its eight propellers and four legs, the egg-shaped air taxi can _______ _______ _______ _______ _______ _______. The 142-horsepower vehicle weighs 440 pounds and can fly up to 11,500 feet. The maximum speed is nearly 100 mph, but the average speed is about 62 mph. Passengers can ride it using a smartphone application, but it can only travel to pre-programmed destinations. To check for safety, the flight is monitored remotely by a main control center. The drone taxis are still difficult to use commercially because _______ _______ _______ _______ enables them to fly for only 30 minutes.

## 10

M: Hello, may I help you?

W: I need to buy a new washing machine. _______ _______ _______ _______?

M: Is this the first time buying one?

W: No, I bought one before, but it broke down.

M: Then you may already know what you need. Do you want any special features?

W: The one I used to have didn't dry laundry, so I want _______ _______ _______ _______.

M: Those models are more expensive but really convenient. Also, I recommend one that can add laundry while washing without stopping the machine.

W: Sounds great, but it's even more expensive. I don't need that.

M: Then how about power wash? It's _______ _______ _______ _______ _______.

W: I like that! Let me take this one.

M: You chose the best one.

## 11

W: Do you want to _______ _______ _______ _______ _______?

M: Blind date? What does that mean?

W: It means a date with someone you don't know. I want to introduce one of my friends to you.

M: (Wow! Now I'm very excited.)

## 12

M: Excuse me, but I've been waiting for bus number 7 for 30 minutes. When does it come?

W: It _______ _______ _______ _______ _______. It no longer stops here.

M: Then how can I get to the science park?

W: (You'd better take a taxi.)

## 13

M: Come on! You can do it! We'll reach the top of the mountain soon.

W: It's too difficult to climb. I haven't exercised much these days.

M: It's really hot, so _______ _______ _______ _______ _______. Drink some more water.

W: The uneven ground makes it harder to walk.

M: But we are getting close to the top. *[Pause]* Look! We made it! What a wonderful view!

W: Wow, you are right. It's fantastic!

M: You know, I heard that climbing is _______ _______ _______ _______ _______ _______.

W: Really? I'm sure that I've already lost at least 2 kilograms today.

M: That's nonsense. _______ _______ _______ _______ _______ is probably just sweat.

W: Oh no. So how do I lose fat?

M: (You should climb a mountain almost every day.)

## 14

W: How about this house? I like it.

M: I think it's great. Our kids will love it, too.

W: It's _______ _______ _______ for our children to live in.

M: It has enough rooms and a wide garden.

W: Next to the house is the shopping mall. It's a very convenient place to shop.

M: Good. Moreover, it's not too expensive. _______ _______ _______ _______.

W: Everything is perfect, but I can't make up my mind about this house because of one problem.

M: What is it?

W: It will take nearly two hours to get to work. It's _______ _______ _______ _______.

M: That's true. Our kids would be disappointed if you didn't have much time to be with them.

W: (I agree. We had better find another house.)

## 15

M: Steve is driving his car and Nancy is with him. They are _______ _______ _______ _______ _______ an important person. Because one block is under construction, they might be late for the meeting. He _______ _______ _______ _______ _______. Meanwhile, they have to cross the school zone where cars must slow down to under 30 km/h. But he doesn't reduce his speed at all in order to get to the meeting on time. Nancy is worried that he might get into a car accident or _______ _______ _______ _______ _______ _______. She wants him to drive slowly. In this situation, what would Nancy most likely to say to Steve?

## 16-17

W: There will be a 30-minute blackout tonight, March 24, starting at 8:30 p.m. To celebrate Earth Hour, landmarks such as the Eiffel Tower and the Empire State Building will voluntarily _______ _______ _______ _______ for a while. Earth Hour was first conducted in Sydney on March 31, 2007. The event inspired many people of the world to join it. Five million people in 2008 and tens of millions of people from 200 countries in 2017 turned off their lights. If you join this movement, you can learn _______ _______ _______ _______ _______ or TV. You can have a wonderful dinner under a candlelight with your family or go for a walk under the stars with your beloved. Moreover, you can learn that small actions can _______ _______ _______ _______ such as slowing down climate change and global warming!

# 07 Dictation Test

녹음을 다시 한 번 들으면서, 빈칸에 알맞은 말을 써 봅시다.

## 01

W: Hello, everyone. This is Juliet, the fire officer in charge of your school. I'll let you know what to do _______ _______ _______ _______ _______. If you're in the classroom, stay there and get under a desk until the shaking stops. Because glass can break and fall on you, you must _______ _______ _______ _______ _______ _______. When exiting the school after the earthquake ends, you should never use the elevators. If you're outdoors, that could be the safest place you can find, so stay there and lie down. But the most important thing is that you must stay calm and _______ _______ _______ _______ _______.

## 02

M: Mom, I'm going to the library now. I need to _______ _______ _______ _______ _______ tomorrow.

W: Wait, when will you come back home?

M: I will study there until 10 p.m., the closing time of the library.

W: Until 10 o'clock? Then you should bring your umbrella.

M: Umbrella? It's very sunny. There isn't a cloud in the sky!

W: But the morning weather forecast said that it would rain in the evening.

M: I don't believe that! I think _______ _______ _______ _______ _______ _______ today.

W: I remember when you got completely soaked, because you did not take your umbrella last time.

M: But I have to take many heavy books with me to study.

W: Still, you should believe _______ _______ _______ _______.

## 03

*[Telephone rings.]*

W: Hello, how can I help you?

M: Um, I bought two T-shirts on your site, but I _______ _______ _______ _______.

W: What's your name, and when did you buy them?

M: My name is James Morrison, and I bought them two days ago, but they are too small for me.

W: Then how about _______ _______ _______ _______ _______ _______ rather than returning them?

M: They are the largest size available on your site.

W: Oh, that's too bad. You will have to return them. Our delivery man will pick up the shirts this afternoon. Your address is 60 Allen Street, Woodside, right?

M: Yes. Thank you for accepting my request.

W: No problem. Please _______ _______ _______ _______ _______ _______.

## 04

M: Look at this leaflet for a model house. I really like this one.

W: Which one do you mean?

M: The one for the living room. The name of the room is written _______ _______ _______ _______ _______.

W: Oh, this is it. It's really eye-catching!

M: Look at the TV above the small drawer in the middle of the room. It is hung on the wall.

W: It's very neat. And I like the round clock on the right side. It's set at 10:10, so I _______ _______ _______ _______ _______ _______.

M: Above the clock is a control panel. What is it for?

W: I think it controls the lighting of the room. Oh, I like this air conditioner.

M: Me, too. It's so slim and compact that it can _______ _______ _______ _______ _______.

## 05

*[Telephone rings.]*

W: High-Speed Internet. What can I do for you?

M: I moved into this apartment yesterday and want to use your Internet service.

W: We have two kinds of services. _______ _______ _______ _______, the faster the Internet.

M: I'd like the faster one.

W: If you use our IPTV and telephone service together, you'll get a 10% discount.

M: Good. Can I still use my old telephone?

W: No, _______ _______ _______ _______ _______. We'll give it to you for free.

M: OK. Then should I change my TV, too?

W: No, you don't need to. But you _______ _______ _______ _______ _______ _______ yourself because we don't provide it.

M: OK. I'll buy one myself.

## 06

W: Welcome to ABC Amusement Park. How can I help you, sir?

M: I'd like to _______ _______ _______ _______. How much are they?

W: $20 for adults and $10 for children. How many adults are there?

M: Two adults and two children. By the way, my eldest son is 17 years old. Can he pay the children's fee?

W: No. It only _______ _______ _______ _______ _______.

M: Then there are three adults and one child.

W: We're having a special today. For just $10 more each, you can upgrade your tickets to all-day passes.

M: Oh, _______ _______ _______ _______ _______.

W: OK. How will you pay?

M: Here is my credit card.

## 07

M: Vacation finally starts tomorrow!

W: Yes. It was the longest and toughest semester I've ever experienced.

M: And you're going to _______ _______ _______ _______ _______ in Busan next weekend, right?

W: I'm afraid I'm not going to be able to attend.

M: Why not? You've always waited for it!

W: I really wanted to go, but _______ _______ _______ _______ _______, so I have to take care of him.

M: Can't your husband do it for you?

W: He has to _______ _______ _______ _______ next week.

M: Oh, I'm sorry to hear that. I'll let you know the contents of the seminar after visiting it.

## 08

W: Mike, how about going to the event shop to buy some winter stuff together?

M: Winter stuff? But it's summer!

W: That is the exact reason why _______ _______ _______ _______ _______.

M: Oh, I understand. Where is the shop, and how do we get there?

W: The shop is located at the shopping center in the next town, East Village. It'll _______ _______ _______ _______ _______ _______ by bus.

M: Good. What do you want to buy there?

W: I want to buy some ski accessories and winter clothes.

M: How long does the sale last?

W: It started this Monday and _______ _______ _______ _______ _______.

M: Then let's go together next weekend.

## 09

M: Hello, students. Nice to meet you all. I'm Jeremy Reed, the lead researcher at Teens Invention Center. I'm here to tell you that not only adult scientists but also teens like you _______ _______ _______ _______. Because teens always have a curiosity for everything they see, they can come up with a lot of surprising ideas. I'll give you one example. A Dutch teenager named Boyan Slat invented _______ _______ _______ _______ to clean the ocean. He decided to make it after noticing that the ocean was filled with plenty of plastic trash rather than fish. The machine collects plastic in the ocean, and the collected plastic can be recycled. The best thing is that it _______ _______ _______ _______ to ocean animals.

## 10

W: Steve, can you help me buy a smartphone for my son's birthday present?

M: Sure. You can _______ _______ _______ on this site. *[Clicking sound]*

W: I don't know which one to choose.

M: The most important thing is the price. How much will you spend?

W: I have $200, but I want to spend less than $150 because I need to buy a cake and flowers as well.

M: OK. Do you want _______ _______ _______ _______?

W: Actually, I don't think it's necessary, but I want a phone that has a location tracking service to know where he is.

M: Also, I recommend _______ _______ _______ _______.

W: I agree. Then we have only one option.

M: It'll be a great present for him.

W: Thanks for helping me.

## 11

W: Donald, I'm full. I think I should loosen my belt.

M: You must be stuffed because you ate all the foods on this table.

W: I _______ _______ _______ _______ _______ because I really love your cooking.

M: (I'm glad you enjoyed it.)

## 12

M: Alice, why are you in a hurry? Do you have a problem?

W: I _______ _______ _______ _______ _______ for my favorite band's concert.

M: What time does the reservation start?

W: (I have only five minutes before tickets go on sale.)

13

M: Mom, can I _______ _______ _______ _______ _______ _______?

W: How much money do you mean?

M: $500. I have saved money for more than five years, so I have enough.

W: What do you want to buy with _______ _______ _______ _______ _______ _______?

M: I'd like to buy an electric kickboard. I saw one on TV, and it's really fascinating.

W: But you don't have a license.

M: I don't need a license to ride one.

W: I'm still against it. I think _______ _______ _______ _______ _______.

M: I'll ride it carefully, Mom. Please let me buy one.

W: What'll you do about your safety? You need to promise that you'll ride it safely.

M: (I promise to always wear a safety helmet.)

14

W: Son, I met your homeroom teacher today.

M: What did he say about me?

W: _______ _______ _______ _______ _______, especially, your attitude toward learning. Also, he told me that you are very smart.

M: It's a relief that he said good things about me.

W: But, he worries that you only read books rather than _______ _______ _______ _______ _______ during break time.

M: I like to read books.

W: Still, I think you should learn to establish relationships with your classmates.

M: But reading is so exciting, I just can't put my book down.

W: Then _______ _______ _______ _______ _______ _______.

M: What is it?

W: (How about playing with your classmates at school and reading books at home?)

15

W: Brad bought a new car and finally received it yesterday. His family _______ _______ _______ _______ to the suburb. They were all excited to go out together. Before leaving, Brad checked everything and found out that his daughter, Sharon, _______ _______ _______ _______ _______ _______. He tried to persuade her to put it on, but she wouldn't listen to him because she felt very uncomfortable. She also said that it would be OK because they were going to use a local road, not a highway. Still, he needs to _______ _______ _______ _______ _______ _______ _______. In this situation, what would Brad most likely say to Sharon?

16-17

M: We are looking for volunteer students to make up this year's student council. We want students who have leadership, a good attitude, and positive thinking. _______ _______ _______ _______ _______ the school should not hesitate to apply for student council. The members will represent all the students in this school and _______ _______ _______ _______ _______. In order for you to apply, the following things are required: First, fill out an application form and present it by next Friday. Next, you need a letter of recommendation from one of your teachers. You must not have any record of serious misbehavior. Last but not least, we have a meeting every morning, so you need to _______ _______ _______ _______ _______ _______. If any of the above instructions are not fulfilled, you cannot become a member of the student council.

# 08 Dictation Test

녹음을 다시 한 번 들으면서, 빈칸에 알맞은 말을 써 봅시다.

## 01

M: May I have your attention, please? We hope you are enjoying your time shopping at Dream Outlet. It is now ten to eight. We will be ________ ________ ________ ________. Please make your final selections and proceed to the checkout registers. Shoppers with five or less items may pay for their purchases at ________ ________ ________ ________ at the back of the outlet. The outlet is open from 10 a.m. to 8 p.m. on weekdays; 11 a.m. to 6 p.m. on Saturdays. We'd appreciate if you'd ________ ________ ________ ________ now so that we can close the shop on time. Thank you for shopping with us.

## 02

M: Gina, what do you think of this ad we are watching?

W: The ad about the hamburger?

M: Yes. When you see it, what do you think of?

W: Hmm... The hamburger looks really tasty, so I'd like to eat it.

M: That's the problem. Advertisements about junk food ________ ________ ________ ________ ________.

W: You're right, but it sounds controversial.

M: Yes, the owners of fast food companies and restaurants are ________ ________ ________.

W: I can imagine.

M: However, eating that kind of food is likely to ________ ________ ________. I'm sure it's just as serious as lung cancer from cigarettes.

W: It makes sense. In that case, fast food ads should be forbidden on TV.

M: ________ ________ ________ ________.

## 03

W: Hello. Please have a seat here.

M: Thanks. Tomorrow, I will ________ ________ ________ ________ to apply for a passport.

W: Then do you want a neater hairstyle?

M: Yes. I'd like to trim a little bit in the back and on the sides, but not on the top.

W: I see. Do you have ________ ________ ________ ________ this summer?

M: Yes. Actually, I'm planning to go to Taiwan next month.

W: I envy you. That sounds great. Hmm... How would you like your hair parted?

M: Part my hair on the right side, please.

W: OK. Would you ________ ________ ________ ________ later?

M: No, I don't want to shampoo here.

W: I see. Just relax, and I'll make you look great.

## 04

W: Alex, did you take this picture?

M: Yes. I took it myself when I went to the amusement park last weekend.

W: Well, at the entrance a woman is taking a girl by the hand, _______ _______ _______ _______.

M: Right. And between the entrance and the exit, there is a baby carriage. It's maybe theirs.

W: The staff at the entrance is wearing _______ _______ _______. He seems a little hot.

M: I'm afraid so.

W: A man leaning against the fence is taking a photo of a child riding a merry-go-round.

M: Maybe he's his dad. Outside the exit, a boy wearing a baseball cap _______ _______ _______ _______. Balloons always remind me of amusement parks.

W: Me, too. This is a great picture. I love it!

## 05

M: Rachel, can we buy one of these puppies? They're so cute.

W: I'd love to, but we can't.

M: Why not? You like them, and I love them.

W: Dan, remember that we _______ _______ _______ _______ with neighbors.

M: If we move to a house, can we have a puppy?

W: Yes, you can have a dog. You can also feed the cat if we get one. I love animals, too. But we _______ _______ _______ _______ _______.

M: Is there an animal we can take home today?

W: I suppose we could take _______ _______ _______ _______ _______.

M: OK. Let's choose some pretty ones from the small tanks over there.

W: Good choice, Dan.

## 06

W: Wow, look at these! The necklaces are cute!

M: Thank you. I made them all myself. Try this on.

W: Looks great! How much is this one?

M: _______ _______ _______ _______. It costs 20 dollars.

W: Well, it's more expensive than I thought. Could you give me _______ _______ _______?

M: 19 dollars... Hmm, if you buy one more thing, I'll give you a better discount.

W: OK. I like these earrings, too. How much are they?

M: 10 dollars. The stones are real.

W: Good. Then how much is the total?

M: I'll give you a 10% discount _______ _______ _______ _______.

W: Thank you. I'll buy them both.

## 07

*[Telephone rings.]*

M: Hello? Customer Service.

W: Hi. There was _______ _______ _______ advertised on your website for online purchases over $50 from May 1 to May 10.

M: Yes, that's right.

W: I placed an order of $51 on May 7. But when I received my order, I didn't receive the gift you promised.

M: I'm sorry, ma'am. There must have been a mistake. Can I _______ _______ _______ _______, please?

W: It's AC25352.

M: OK. *[Pause]* Am I speaking with Ms. Linda Jones?

W: Yes, that's me.

M: That's strange. According to our records here, it shows that you were eligible to _______ _______ _______ _______.

W: That's why I am calling.

## 08

W: Sam, how about ________ ________ ________ ________ ________ with me?

M: Do you mean City Half Marathon, which will be held next weekend?

W: That's the one. It'll be fun.

M: If you're going, why not? Where is the starting point?

W: We have to arrive at the gate of the National Theater before 8:40 a.m. on Saturday.

M: No problem. Oh, I want my nephew, John, ________ ________ ________. He is 13 years old and likes running.

W: Yes, it's possible for him to join. Children over 12 can join the marathon. ________ ________ ________ ________ ________ for all of us.

M: Sounds great. And I heard if we run the whole distance, we can get a certificate.

W: That's right. I can't wait!

## 09

W: Hello, everyone! We have an event all of you might like. It is AU International Baby Shower. This event is of course for international students and faculty members who are expecting a baby or have ________ ________ ________ ________. This is an event for you to share your experience about raising children and get to know the resources available on and off campus. Dinner is provided for free, and there will also be ________ ________ ________ with baby supplies! The event is open for limited hours from 5:30 p.m. to 7:30 p.m. this Friday at the Children's Learning Center. Your reply is not required but would be highly appreciated. If you or your child has certain food allergies, please ________ ________ ________ ________ ________. Come and join us!

## 10

W: Henry, what are you looking at?

M: I'm choosing a pair of sports sandals. Could you help me out?

W: Sure. ________ ________ ________ is 8.5, isn't it?

M: Yes, but I think I need to buy ones bigger than that. The sandals I bought last summer in that size were really tight.

W: I see. Which color do you prefer, white or black?

M: Hmm... This time I don't want ________ ________ ________ ________.

W: You probably want sandals with adjustable straps, right?

M: The ones without straps are more comfortable.

W: OK. Then there seems to be two options left.

M: I'll order this pair. ________ ________, ________ ________, I think. Thanks for your help.

W: My pleasure.

## 11

W: David, where are you going? The meeting begins in 30 minutes.

M: Well, I'm going to ________ ________ ________ ________ ________ before the meeting starts. Do you want something to drink?

W: No, thanks. I've already had too much caffeine.

M: (I got it. I'll just get mine as quickly as possible.)

## 12

M: I can't believe it! I just got a call saying that I got promoted!

W: Dean, ________ ________ ________ ________! I knew you would make it.

M: Thank you, Grace. I wasn't expecting much, but things worked out pretty well for me.

W: (Don't be modest. You deserve it more than anyone else.)

## 13

M: Jessica, I have a problem. Can you come here and help me out?
W: Sure. What can I do for you?
M: My email isn't working properly, and I don't know why.
W: Here, ________ ________ ________ ________ ________. What seems to be the problem?
M: Well, I've been trying to send this email to my friend Susan.
W: And then?
M: The mail I send ________ ________ ________.
W: Hmm... Did you check to see if the email address is correct?
M: Yes. I already did twice.
W: Sometimes, it's because your friend's mailbox is full. In that case, you should tell her to ________ ________ ________ ________.
M: (Oh, I see. I'll call her right now. Thank you.)

## 14

W: Ted, you look tired. Do you have a cold or something?
M: No, I feel fine.
W: Then what is the problem?
M: Last night, I ________ ________ ________ ________ ________. I've been really into them recently.
W: I'm a big fan of them, too. I like romantic comedies. What about you?
M: I like detective stories.
W: They are really fun to watch. I don't know ________ ________ ________ ________ ________ while watching them.
M: You're right. I don't know, either.
W: It's OK to watch dramas for fun, but I don't think they should interfere with our studies.
M: Yes. I'm worried I'm getting a little ________ ________ ________ these days.
W: (Be careful! We need to cut down on them.)

## 15

M: Julia and Gloria are sisters. They are of ________ ________ ________ ________. One Sunday morning, on her way out to meet a friend, Gloria notices her older sister's sneakers. Julia bought the sports shoes last month and cherishes them. Gloria knows that Julia isn't at home now. Gloria hesitates for a moment, but she puts on the sneakers and goes out, thinking she can return home early. In the afternoon, it showers suddenly, and the shoes get wet and ________ ________ ________ ________. Then she receives a text messages from Julia, asking where her sneakers are. When Gloria hurries back home, she finds Julia ________ ________ ________, and she feels sorry about what happened to her sister's shoes. In this situation, what would Gloria most likely say to Julia?

## 16~17

W: These days, ________ ________ ________ ________ is more than 70 years for the global population. This is good news because everyone wants to live longer. However, it's more important to live longer while ________ ________ ________. Here are a few things to remember. You may have heard eating nuts is healthy for you. Besides that, experts advise us to have a side salad containing vinegar. Consuming vinegar can lower your blood sugar by 42 percent. Next, exercise moderately. Not exercising at all is surely bad for your health, but too much exercise may harm your health and even induce some injuries. Also, turn off the lights while sleeping. If you don't sleep seven or eight hours every night, your risk of developing diseases ________ ________ ________ ________. Saying is one thing, doing is another. Just start today!

# 09 Dictation Test

녹음을 다시 한 번 들으면서, 빈칸에 알맞은 말을 써 봅시다.

## 01

W: Good morning, students. This is your principal. As you know, _______ _______ _______ on a new gym and library. This project will be completed by September 24th. You can use the old gym and library until the second week of September. However, afterwards, they will be closed. During this period of construction, many areas of the school _______ _______ _______ _______. For your safety, keep out of fenced areas. Also, you need to look out and listen for construction vehicles such as dump trucks. Finally, _______ _______ _______ _______ _______ near construction zones. Thank you for listening. We're sorry for any inconvenience we may cause during the construction period.

## 02

M: Hey, look at the little girl over there.

W: She is crying loudly. What's the matter?

M: Can you see those dogs over there? They ran around barking at her. She must be terrified.

W: No wonder she is crying. Where is their owner?

M: She is sitting on the bench with her friend. She isn't even watching her dogs.

W: I can't believe it! _______ _______ _______ _______ _______ controlling their dogs' behavior in public places.

M: That's right. The dogs _______ _______ _______ _______ _______ _______, something like a rope or a chain, in parks.

W: Definitely! Pet owners are free to take them to public places, but it's their job to see _______ _______ _______ _______.

M: You can say that again!

## 03

M: Kelly, will you come over here, please?

W: Sure. Did I do anything wrong?

M: Your French pronunciation is terrible today. _______ _______ _______ _______ _______ in advance?

W: I'm sorry. My mother had surgery last night, so I had to go to the hospital.

M: Oh, that's too bad. However, you should remember that you're the most important person in this film. Our success _______ _______ _______ _______.

W: I'm very sorry. I'll keep that in mind.

M: Plus, your role is a French woman, so you should be _______ _______ _______ _______ _______.

W: I got it. Would you give me some time to go over my lines?

M: OK, but I hope it won't take long.

## 04

W: Tim, is this a picture taken during your summer vacation? It looks good.

M: That's right. We _______ _______ _______ _______ at the beach.

W: Your parents are lying under a beach parasol. Your mom is wearing a cute hat with a ribbon.

M: Actually, it's my cousin's hat.

W: Is this your cousin? She and you _______ _______ _______ _______ _______.

M: Yes, we decorated it with several seashells.

W: I love it! Who is the handsome man waving his hands from the ocean?

M: He is my uncle. He swims like a fish.

W: I envy him. Here, your little brother is playing _______ _______ _______ _______.

M: He can't swim yet. Isn't he so cute?

W: Yes, he is. It looks like you had a great time there.

## 05

M: Luna, you look very busy.

W: Yes, I am. There are two client meetings today, and I have to _______ _______ _______ _______.

M: I'm sorry to hear that.

W: How about you? Didn't you say that you needed to prepare a marketing presentation?

M: I did, but the presentation date has been changed. I _______ _______ _______ _______ _______ to prepare for it.

W: Good for you. If you're not busy now, can you do me a favor?

M: Tell me. But don't ask me to meet your clients for you.

W: That's not it. Can you _______ _______ _______ _______ _______?

M: No problem. I'll do that after having a cup of coffee. Is that OK?

W: Sure.

## 06

M: Hello. I'm looking for a T-shirt.

W: Hi. We _______ _______ _______ _______ of T-shirts over here.

M: Hmm... This orange shirt looks good. How much is it?

W: It's 24 dollars. Plus, we have a sales event this week, so you can get a 50% discount _______ _______ _______ _______.

M: Wow, that's a good deal. I'll take it and... How much is this solid blue T-shirt?

W: It's $56.

M: It's too expensive. I'll take this white striped one. The price tag says it's $32.

W: Good choice. It's a popular item these days.

M: And can I _______ _______ _______ _______?

W: Sure. That'll give you an additional 10% discount on the total.

## 07

M: Julie, the Busan International Motor Show will be held next week. I'm looking forward to it.

W: Is it exciting? _______ _______ _______ _______ a motor show.

M: Oh, really? You have to visit! You can see the latest models of cars, trucks, and SUVs.

W: When are you going there?

M: Next Tuesday. Come with me.

W: Next Tuesday? I'm sorry, but I can't.

M: Why not? You can even _______ _______ _______ _______ and experience cars from the world's leading automakers.

W: I want to go, but I have to help Anna move that day. She'll move into a new apartment.

M: Oh, I see. Then I'll ask Ted _______ _______ _______ _______.

## 08

M: Honey, my friends asked me to throw a housewarming party. Is this weekend possible?

W: Sure. How many people will you invite?

M: Three families, so ________ ________ ________ ________ ________. Danny's son is on a trip, so he isn't coming.

W: All right. Get some beef when you go to the market, and I'll cook some steak.

M: Is there anything else to buy at the market?

W: Yes, we need ________ ________ ________ ________ with the steak.

M: There should be something for the kids.

W: Right. Let's get a movie file and some candies. How about wine?

M: My friends will drive, and their wives don't drink. We ________ ________ ________ ________ ________ ________.

W: OK, I see.

## 09

M: Thank you for joining our Dolphin Watching Tour. This tour will ________ ________ ________ ________ including dolphin watching and ocean snorkeling. A boat will take you just off the western coast of Guam. There, you will watch wild dolphins swimming freely in the open ocean. If you are lucky, you ________ ________ ________ ________. Next, after putting on clean snorkeling gear, you will get into the clear water and explore the underwater world. If you don't want to snorkel, you can feed the fish from a kayak. After snorkeling, some snacks and bottled water will be offered. This tour includes snorkeling gear, so you ________ ________ ________ ________ ________. Thanks for listening. Enjoy your tour.

## 10

M: Chloe, what are you doing?

W: Dad, I'd like to buy a new sports bag, so I'm searching the Internet.

M: Have you found anything you like?

W: These five look nice, but it's hard for me to choose just one.

M: If you're going to use it when you go climbing, ________ ________, ________ ________.

W: I agree. Especially, in winter, I need to carry additional thick clothes.

M: I don't like the light colored ones. ________ ________ ________ ________.

W: Good point. Gray or navy is fine. And I want to buy one with front pockets.

M: It'll be more convenient. You can put small things like your phone inside them.

W: ________ ________ ________. I'll order it right now.

## 11

M: Alice, how was the Halloween parade yesterday?

W: It was fantastic! Most of all, I liked the costumes. They were really creepy and creative at the same time.

M: Oh, really? ________ ________ ________ ________ ________?

W: (I liked the vampire most.)

## 12

W: David, did you fix your bicycle?

M: No, it was totally broken, so I couldn't. ________ ________ ________ ________ ________.

W: I'm sorry to hear that. Wait! K-mart is having a sale this week.

M: (Really? I'll go there tomorrow.)

13

M: You don't look well. What's wrong with you?

W: It's because of _______ _______ _______ _______ _______ yesterday. I'm terribly sorry.

M: I hope you haven't lost it. As you know, I got the author's autograph on the front cover.

W: I know. I accidently _______ _______ _______ _______ _______ onto your book.

M: I can't believe it! You should have been more careful.

W: You're right. Look at this...

M: Oh, no. It became a totally different book.

W: I tried my best to repair it, but it was seriously damaged.

M: The last pages and the back cover have wrinkles from the water.

W: Sorry. _______ _______ _______ _______. I'll buy you a new one.

M: (Still, it won't be the same.)

14

W: Hi, Brian. How is your new job?

M: Not so good. I'm much busier than before.

W: It takes time to _______ _______ _______ _______ _______ _______. You just started working at the company last month.

M: I know, but that's not the problem.

W: Are your coworkers unfriendly? If so, that's a big problem.

M: That's not it. My boss _______ _______ _______ _______ _______.

W: Every boss wants their employees to be hard-working.

M: Listen to me. I start work before 8 o'clock.

W: I guess you leave the office early instead.

M: No way! I've been working late for three weeks now. He keeps giving me _______ _______ _______ _______.

W: (Really? That sounds very tough.)

15

W: Ian takes the bus to school every day. One morning, _______ _______ _______ _______ _______ _______ to come. Then, he remembers that he had put his transportation card on his desk last night. He checks his wallet. The card is not in it, and he doesn't have enough money _______ _______ _______ _______ _______. He is in trouble. To make matters worse, if he doesn't get on the next bus, he'll be late for school. While he is hesitating about what to do, he sees his classmate, Luna, coming towards him. Ian _______ _______ _______ _______ _______. In this situation, what would Ian most likely say to Luna?

16-17

M: Hello, students. Last time we learned that regular exercise is important for your health and growth. Aerobic exercise is especially vital for students. Aerobic exercise is a kind of activity that requires oxygen. When you do aerobic exercise, _______ _______ _______ _______ around your whole body. It gets your heart to beat faster and causes your lungs to take in more oxygen. This improves heart and lung health. Furthermore, aerobic exercises prevent you from _______ _______ _______ or becoming obese. You can burn many calories by doing them. For example, aerobic dance is one of the fastest ways to lose weight. Lastly, when you take part in aerobic activities, such as swimming, jogging, or inline skating, you sweat a lot. This helps the body to _______ _______ _______ _______ easily.

# 10 Dictation Test

녹음을 다시 한 번 들으면서, 빈칸에 알맞은 말을 써 봅시다.

## 01

W: Hello, residents! I'm Emily from the management office. Recently, a couple of vehicles were broken into in our neighborhood. We need your help to ________ ________ ________ ________ ________. Most vehicle burglaries can be prevented by following these simple steps. Firstly, always check if ________ ________ ________ ________ and the windows are closed tightly. Secondly, do not leave valuables in your car. Remove bags or boxes of any sort from your vehicles. Even if they're empty, these could tempt burglars to break in. Lastly, park your vehicle wisely. If you are away from home, choose well-lighted parking spaces ________ ________ ________ ________. Thank you very much for listening!

## 02

M: Veronica, what do you want to study in college?

W: I'm thinking about ________ ________ ________ ________.

M: Really? You don't like teaching others at all.

W: That's true, but after I graduate, I'll have many job opportunities.

M: I think you'll regret your decision someday. You should study what you like.

W: As you know, many young people find it ________ ________ ________ ________ ________ these days. I can't simply study what I want.

M: You'll be unhappy if you keep doing what you don't like. I can't imagine you as a teacher.

W: Me, either. Maybe, you're right.

M: You've dreamed about being an illustrator. You're also very talented.

W: Thank you for saying so. I'll carefully think about ________ ________ ________ ________ ________.

## 03

M: Mrs. Owen, I hope this is ________ ________ ________ ________. This way, please.

W: OK. The living room is quite large. My children will like it.

M: Yes, they will. There are 3 bedrooms and 2 bathrooms. The bedrooms are ________ ________ ________ ________.

W: That's perfect for our family. My sons won't need to share a room anymore.

M: And this house faces south, so it's sunny and warm.

W: Great. I don't like the cold.

M: As you know, the high school is a ten-minute walk from here.

W: That's why we want a house in this area. Everything is good ________ ________ ________ ________.

M: It's a little expensive, but it'll be difficult to find another house like this one.

## 04

M: Paula, what are you doing now?

W: Hi, Garry. I'm outlining the water-saving poster. _______ _______ _______ _______ _______.

M: It looks great. I like the slogan at the top: Save Water, Save Earth.

W: Thank you. Do you think it matches well with the big water drop in the middle?

M: Sure. The little boy and girl inside the water drop are holding hands.

W: Aren't they cute? They are standing on the Earth.

M: I guess it means if we save water, we can _______ _______ _______ _______.

W: That's right. I also drew three birds in the sky.

M: Hmm... I think it would be better _______ _______ _______ _______ _______ _______ instead.

W: That's a good idea. I'll draw them right away.

## 05

*[Cell phone rings.]*

M: Honey, did you _______ _______ _______ already?

W: Yes, I did. How about you?

M: I'm still working on a report. It'll take half an hour to finish it.

W: Then we'll be a little late for Ellen's birthday party. I'll be waiting for you in front of your company.

M: OK. Honey, do you have the earrings we bought at the shopping mall?

W: Sure. I _______ _______ _______ _______ _______ _______.

M: Good job! Do you have a birthday card, too?

W: Oh, I forgot to get one. I'll buy it at a gift shop near here.

M: OK. I'll call Ellen to tell her that _______ _______ _______ _______ _______.

## 06

M: Hello, may I help you?

W: Hi, I want to _______ _______ _______ _______. How much is the calligraphy class?

M: The one-hour class costs $30 per month, and the two-hour class is $50.

W: I want the two-hour class.

M: The course requires an additional $10 per month for supplies.

W: OK. I'll _______ _______ _______ _______ _______, including my husband.

M: Oh, if two or more people sign up, you each get a 10% discount.

W: That's great!

M: And you should _______ _______ _______ _______ _______ _______ _______. This course takes two months.

W: Then I'll pay for two people with this credit card.

## 07

*[Cell phone rings.]*

M: Hey, Sue. What's up?

W: James, where are you now?

M: I'm at the school gym. I'm practicing tennis.

W: Have you seen Ben there? We were supposed to meet, but _______ _______ _______ _______.

M: Really? He was here but left about ten minutes ago. Why don't you call him?

W: I did, but he isn't answering his phone.

M: What's the matter? _______ _______ _______?

W: I have to finish my history report by tomorrow, and I need his help.

M: I see. Oh, now I remember. He said he was going to ABC Bookstore to buy a magazine.

W: Really? Then _______ _______ _______ _______ and find him right away. Thanks!

## 08

W: Honey, I finally chose a good campsite for our summer vacation.

M: Where is it? I'm excited.

W: Alice Lake. It ________ ________ ________ ________ from here, Vancouver.

M: Oh, I've heard about it. There are four lakes in the area, so we can ________ ________ ________ ________.

W: You're right. If you want, we can also hike Four Lakes Trail, which circles all the lakes.

M: Great! How much does it cost to rent a campsite?

W: It's 25 dollars per night.

M: That's reasonable. Can we bring our dogs there?

W: ________ ________ ________ ________. I think Roy will be able to take care of them while we're away.

M: Good. Then let's make a reservation.

## 09

M: Good morning, students. This is Jim Connor, your vice principal. I'm pleased to announce details about the Student Essay Contest. The topic of this year's essay is "My Heroes." Your heroes can be your teachers, parents, or friends. Whoever they are, we want to share their stories. This contest ________ ________ ________ ________ ________. Essays are due on November 10, and should be between 1,000 and 1,500 words. Keep in mind that your essays must be original and unpublished. Please send your essays ________ ________ ________ ________ to contest@gwu.edu. Submissions should include your name, grade, and phone number. Winners will be announced on December 15. ________ ________ ________ ________ to the first, second, and third place winners. We're looking forward to reading your great essays.

## 10

M: Welcome to TE Electronics Store. How may I help you?

W: Hi, I'm looking for a vacuum cleaner.

M: Step this way, please. These are the five best-selling models in our store.

W: Well, I think ________ ________ ________ ________ ________. They're compact, so I can carry them anywhere in my house.

M: That's why cordless vacuums are popular these days. As for them, ________ ________ ________ ________ ________.

W: I agree. The running time should be more than 40 minutes. I don't want to charge batteries often.

M: So, you're left with these two items. How much do you want to spend?

W: I don't want to spend more than 900 dollars.

M: Then ________ ________ ________ ________ ________.

W: Great. Thanks for your help.

M: My pleasure.

## 11

W: Do you know Roy, Harper's cousin?

M: Sure, we ________ ________ ________ ________ about a year ago. We were just beginners, then.

W: Don't be surprised. He won the Indiana State Violin Competition last week.

M: (What? He must be very talented.)

## 12

M: How many people will attend the sales meeting tomorrow?

W: I guess there'll be around fifteen people.

M: ________ ________ ________ ________ ________. Do we have enough copies of the handouts now?

W: (Yes. We don't need to copy more.)

## 13

*[Telephone rings.]*

W: Thank you for calling Manhattan Milk. How can I help you?

M: Hi. I'm ________ ________ ________ ________, but I didn't get today's milk yet.

W: Oh, I'm very sorry.

M: Because of the late delivery, my children couldn't drink milk in the morning.

W: Again, I'm really sorry. Can I have your name and cell phone number, please?

M: My name is John Peterson, and my phone number is 012-3432-5566.

W: ________ ________ ________. *[Pause]* You live on Park Avenue, don't you?

M: That's right. I guess the new delivery man made a mistake.

W: I'll call him right away and ________ ________ ________ ________ to your house as soon as possible.

M: (Please make sure this doesn't happen again.)

## 14

W: Chris, you look tired. Did something happen at school?

M: Mom, I'm just very hungry. I missed lunch.

W: Why did you skip lunch? Did you ________ ________ ________ ________?

M: No. I forgot to do my science homework, so I had to do it at lunchtime.

W: I see. I'm sorry, but it'll take some time to prepare dinner.

M: I can't wait. I'm so hungry that I can eat a horse now!

W: ________ ________ ________ ________. I think a Japanese restaurant would be nice.

M: You mean Yamamoto Restaurant on London Road?

W: Exactly. What do you think?

M: Oh, ________ ________ ________ ________. I'd like to eat sushi, but not at that restaurant!

W: (Then I'll search for another Japanese restaurant on my phone.)

## 15

W: Today is Parents' Day. Dan wants to make dinner for his mom and dad, so he goes to a grocery store. He plans to make tomato spaghetti and a ham and mushroom pizza, ________ ________ ________. He puts tomatoes, spaghetti noodles, ham, and mushrooms into the cart. He is sure that he has ________ ________ ________ ________ ________ ________. However, at the check-out counter, he realizes that it's more expensive than he'd expected and he is short of money. He checks the prices and finds out that he was overcharged. He wants to tell the clerk that ________ ________ ________ ________ ________ ________. In this situation, what would Dan most likely say to the clerk?

## 16-17

M: Hello, listeners, welcome to *Today's Issue.* This is Carl Jackson. Recently, you've heard of microplastics. Microplastics are ________ ________ ________ ________ that are smaller than 5 mm. They come from the breakdown of a variety of larger plastic items, including dust from tires, facial scrubs, and toothpastes. Unfortunately, the majority of the world's plastics end up in oceans. The bad chemicals in microplastics ________ ________ ________ ________ ________ but also soak up other bad chemicals from outside sources, like a sponge. These are eaten by species at all levels in the marine food chain, from plankton to whales. Microplastics are also found in the stomachs of birds and seals. According to scientists, shellfish lovers may be eating up to 11,000 particles of microplastics each year. How can we solve this serious problem? I'll be back tomorrow ________ ________ ________ ________!

# 11 Dictation Test

녹음을 다시 한 번 들으면서, 빈칸에 알맞은 말을 써 봅시다.

## 01

M: Good evening. This is James Brown, facility manager. I always appreciate your support. Today, I'm here to ________ ________ ________ ________. As you all know, residents are supposed to put trash out every Saturday morning. But some residents have been putting trash out on the wrong day. Others put food waste, ________ ________ ________ ________, in trash bags. As neighbors, observing the residents' regulations is as important as observing traffic rules on the road. We plan to find any violators soon. Let's ________ ________ ________ ________ and follow the rules to keep our community clean. Thank you.

## 02

M: Patty, you don't look well. Is there anything wrong?

W: Nothing, but ________ ________ ________ ________ ________ ________ because of my physics class.

M: Physics class? Isn't it your favorite?

W: You're right, but after I entered high school, it ________ ________ ________ ________ ________. I'm losing interest in it.

M: Well, do you prepare enough for your class?

W: No. To tell you the truth, I've been very busy with the school festival preparation these days.

M: If you feel that a subject is difficult, it's necessary ________ ________ ________ ________ ________.

W: Did it work for you?

M: Yes, that's how I got much better at math. The class feels easier after previewing the material.

W: I hope it will also work for me.

## 03

M: Hello, Sarah! Long time no see.

W: It's already been three years ________ ________ ________ ________.

M: Yeah, time flies. I heard you're writing about the George Manson story, right?

W: Yes. Last year the killer died in prison, and I started to collect information on the case.

M: Are you writing ________ ________ ________ ________ ________?

W: I intend to make it a thriller like *Seven*.

M: Sounds great. When do you expect to complete it?

W: By next month, I suppose.

M: Great. Can I see the script? I'm planning to ________ ________ ________ ________. I already hired Mike Scott as the director.

W: Really? I'm sure he will be a great fit.

M: I think so, too.

## 04

M: So, ________ ________ ________ ________ ________ you always talk about.

W: Right. How is it?

M: Well, I want to work here, too. That refrigerator is really big.

W: Yeah. And that is the massage chair we recently bought.

M: _______ _______ _______ _______ _______. Aren't there any books you can read?

W: There are some magazines and comic books over there.

M: Great. Oh, this is the coffee maker I wanted to buy last year.

W: I like it, too. The smell of coffee fills the whole room every morning. It's really good.

M: Why isn't there a microwave oven?

W: Oh, it's temporarily out of order, so we _______ _______ _______ _______ _______.

M: I see. You have literally "everything" in here.

05

W: Hey, Peter. Tim and I will watch the NBA Finals together tonight at Tim's house. Join us!

M: I'd love to, but I _______ _______ _______ _______ _______ for history class.

W: Don't worry. It took me only two hours to finish it.

M: Really? OK, then when should I go to Tim's house?

W: At 9:30.

M: Should I _______ _______ _______ _______ _______?

W: Tim already got some. Ah, will you bring a bluetooth speaker if you have one?

M: I have one, but for what? Is Tim's TV out of order?

W: No, it works fine, and the display is very big. But the sound _______ _______ _______ _______ _______ _______.

M: I see. See you then.

06

W: Can I help you?

M: Yes. I'm looking for a hairpin for my daughter.

W: How about buying this pin with the white rabbit on it? _______ _______ _______ _______ _______.

M: I like the character. She would love it, too. How much is it?

W: It's 10 dollars.

M: Then _______ _______ _______ _______ _______. Is there anything else with the same character?

W: There's a baseball hat with the rabbit on it.

M: Oh, I like that. I'll take that pink one. _______ _______ _______ _______ _______?

W: It is 20 dollars. If you buy all of them together, I can offer you a 10% discount from the total.

M: That's great. I'll take them all.

07

W: Hello, may I help you?

M: Yes. My name is Dan Sanders. _______ _______ _______ _______ _______ with Mr. Wade at 6.

W: *[Pause]* I'm sorry, Mr. Sanders. There seems to be a problem. You are not on the list.

M: Really? I even called to confirm yesterday. Please check again.

W: Oh, here it is, but _______ _______ _______ _______ _______. I guess Ms. Porter made a mistake.

M: Then can I receive therapy later this evening? I can wait.

W: I'm afraid _______ _______ _______ _______ _______ _______.

M: I don't understand how this kind of thing can happen.

W: I'm so sorry, but there's nothing I can do for you.

## 08

W: Chris, you're ________ ________ ________ ________.

M: Yes, I'm going to Italy to visit the Bologna Children's Book Fair.

W: I heard it's one of the largest international book fairs.

M: That's right. This year, about 1,200 exhibitors and more than 25,000 visitors are expected to attend.

W: Unbelievable! Does it ________ ________ ________ ________?

M: Yes, it started in 1963 and since then, it's been held once a year.

W: I guess you can meet lots of professionals who ________ ________ ________ ________ ________ there.

M: Of course. Also, there are many events for illustrators like me and lectures by famous authors.

W: I hope you have a good time.

M: Thanks.

## 09

W: Welcome to our Toy Flea Market. This market will be here ________ ________ ________ ________ ________. It'll be open from 10 a.m. to 7 p.m. every day during that period. You can buy and sell toys freely. The categories are divided into figures, vehicles, dolls, and others. If you want to sell broken toys, ________ ________ ________ ________ ________. You can use the repair shop at the back of the market. There is also a comic book corner where we sell old comic books and animation DVDs. Finally, next to the repair shop, ________ ________ ________ ________ ________ ________. Kids can enjoy the indoor playground while parents shop. Thank you for visiting. Enjoy your shopping.

## 10

M: Honey, what are you doing?

W: I'm looking at air purifiers online. But I'm a bit confused about which to choose among these five.

M: We've ________ ________ ________ ________ this month. So how about getting purifiers that cost less than $150?

W: Oh, okay. Is a remote control needed?

M: Not at all. We can control them with smart phone apps.

W: ________ ________ ________ ________?

M: A quiet one is absolutely better. Does this one have a HEPA filter?

W: No, but that one does.

M: Then we should buy that one because efficient filters are ________ ________ ________ ________ ________ ________.

W: Thanks, honey. You made choosing a purifier easy!

## 11

W: Jim, I heard you are moving to a new apartment.

M: Yes. You know, I've been very dissatisfied with my place. I'm so excited about going to a new house.

W: Good for you. ________ ________ ________ ________ ________ ________?

M: (It's only a ten-minute walk.)

## 12

M: Kate, how was your weekend?

W: Not so good. My sister was sick, so I had to ________ ________ ________ ________ the whole weekend.

M: Oh, really? How is she now?

W: (Fortunately, she is doing much better now.)

## 13

W: Hi, John. Where are you going?

M: I'm going to the library _______ _______ _______ _______ _______.

W: About what?

M: About thriller movies. I'm preparing a presentation on them.

W: Sounds fun.

M: It's an English assignment. _______ _______ _______ _______ _______ next Thursday.

W: Wow, you don't have much time left. I didn't know you're interested in those kinds of movies.

M: I don't like the scary parts that much, but I'm interested in the storyline.

W: I see. It's often _______ _______ _______ _______ _______ _______.

M: That's exactly it. I always wonder how the movie will end.

W: Me too, but I can't stand the shocking scenes when I watch them.

M: (But watching those scenes will help you understand the movie.)

## 14

W: Hello, can I help you?

M: Yes. I bought this beam projector here two weeks ago. It suddenly stopped connecting to my computer.

W: Oh, really? _______ _______ _______ _______. I'll try connecting it with my laptop.

M: OK.

W: *[Pause]* I think you're right. Clearly there's a problem with the connection.

M: _______ _______ _______ _______ _______? I'll have a party tomorrow, so I need one.

W: Sure. But the same black ones are all sold out.

M: I don't care about the color. A white one would be just fine.

W: All right. I'll bring one for you now.

M: Great. I _______ _______ _______ _______ before I take it home.

W: (Sure. You can check to see if it works fine here.)

## 15

M: Yesterday, Jenny was cooking some pasta for her mother. _______ _______ _______ _______ while putting noodles in the boiling water. She suffered from a lot of pain, so she went to the hospital and showed her burn to Dr. James. He applied some medicine on the burn and put a bandage on it. She made an appointment to see him again today. But now she _______ _______ _______ _______ _______ _______ because she had forgotten about her closest friend Mary's birthday party. Jenny is supposed to help Mary prepare for the party, so she _______ _______ _______ _______ _______. In this situation, what would Jenny most likely say to Dr. James?

## 16-17

W: Hello, everyone. Welcome to the Galapagos Wildlife Tour. You will see many incredible animals such as Galapagos tortoises, blue-footed boobies, and marine iguanas. However, it's incredibly important that _______ _______ _______ _______ set by the Galapagos National Park Service. First, flash photography is not allowed. It can be highly disturbing to wildlife. Next, _______ _______ _______ _______, such as pink and yellow. Such clothing can attract insects. Third, do not bring any plants or animals to the islands. Also, you cannot take home any natural objects like shells, rocks, wood, or leaves. Last but not least, don't _______ _______ _______ _______ _______ _______. You must maintain a distance of at least two meters from the animals at all times. Please enjoy your visit while helping to protect the natural beauty of the Galapagos.

# 12 Dictation Test

녹음을 다시 한 번 들으면서, 빈칸에 알맞은 말을 써 봅시다.

## 01

M: Good afternoon, students. I'm your physical education teacher this semester. The fitness training class starts next week. Because there is a lot of dangerous exercise equipment, there are ________ ________ ________ ________ ________. The most important thing is that you should warm up properly. It helps prepare your muscles for hard physical activities. Also, you must not run on the mat in the training center. You might ________ ________ ________ ________ or sporting equipment and get seriously injured. Last, you must follow my instructions. Every technique ________ ________ ________ ________ ________ ________, not by your friends. I look forward to a great semester together.

## 02

W: What are you reading about?

M: I'm reading ________ ________ ________ ________ ________ that have different meanings in different cultures.

W: Is there anything interesting?

M: Do you know what an open circle with the thumb and index finger means?

W: Well, isn't that the OK sign?

M: Yes, we use the sign to show that everything is perfect, but it means ________ ________ ________ ________ ________.

W: What does it mean?

M: It means "nothing" or "zero" in France and "money" in Japan. More surprisingly, it is also regarded as a very rude gesture in Brazil.

W: I can't believe that! The same gesture can have various meanings depending on the country.

M: I think we have to beware of ________ ________ ________ when traveling abroad.

## 03

M: Whew! ________ ________ ________ ________! *[Pause]* Who called the police?

W: It was me. I called 911 as soon as I saw the accident. It was horrible.

M: Please, try to relax, and tell me exactly what happened.

W: While I was waiting to cross the road at this intersection, a car suddenly sped up and kept going ________ ________ ________ ________.

M: At the red light?

W: Yes. It seemed that he had not seen the traffic lights. The car crashed into another car that was waiting at this crossroad.

M: I think I know what happened. Well, where are the drivers now?

W: They are on the bench over there.

M: I ________ ________ ________ ________ ________. Thanks a lot.

04

M: Mom, I finished my drawing.
W: How nice! What is it about?
M: The title is "Future City." The large spaceship on the left side _______ _______ _______ _______ _______ to the moon.
W: Cool! Many people are boarding it now. The building on the right seems to be a farm, because there is a sign on top of the building.
M: Yes, people can grow many crops there.
W: What are the cars in the middle?
M: They are floating cars. They can fly in the sky.
W: They seem to follow the traffic signals _______ _______ _______ _______ _______. What is the guy behind the cars doing?
M: He is flying with his personal helicopter. The propeller is on his helmet, so he can _______ _______ _______ _______ _______.

05

W: Tomorrow is finally our son's first birthday.
M: We've had a tough year. _______ _______ _______ _______.
W: Thank you, too. Now let's go over everything for the birthday party. Did you reserve the restaurant?
M: Of course, I did. How about invitations for our parents and relatives?
W: I called them all last week, but I'm going to _______ _______ _______.
M: OK. Then I will order a nice cake for him.
W: Oh, I already ordered one yesterday. _______ _______ _______ _______ that we'll give to the guests tomorrow.
M: No problem. Where are they?
W: They are on the table in the kitchen.

06

W: Good afternoon. How may I help you today?
M: Hi. I'd like these sweaters dry-cleaned, please.
W: No problem. How many do you have?
M: Four sweaters. _______ _______ _______ _______ _______ to dry-clean a sweater?
W: It's $5 per sweater. They'll be ready by this Friday.
M: OK. This is _______ _______ _______ _______, so I wonder if you clean sneakers, too.
W: We do. It's $2.50 per pair.
M: Good. I brought two pairs. Can I pick them up this Friday with the sweaters?
W: Sure. And this is your first visit, so we _______ _______ _______ _______.
M: That's great! Here is my credit card.

07

*[Telephone rings.]*
M: Hello, may I speak to Professor Jane?
W: This is she. Who's calling?
M: Hi, this is Mason in your English class. May I _______ _______ _______ _______ _______?
W: Mason, why do you want to delay it?
M: The air conditioner in my house broke down, and the repairman called saying that he'd come this afternoon.
W: The test is more important, isn't it?
M: But he said he _______ _______ _______ _______ _______ for another two weeks if he can't visit today. There is no one home except me.
W: Oh, all right. _______ _______ _______ _______ _______ that you should repair the air conditioner quickly. How's 3 p.m. tomorrow?
M: That's perfect. Thank you.

## 08

M: Mom, I ________ ________ ________ ________ from my homeroom teacher.

W: Did you? What is it about?

M: It's about the open class.

W: Ah, I couldn't attend last year, so I hope to see it this year. What day is it?

M: Next Friday. You need to come to my classroom before 10 a.m.

W: OK. Do other grades also ________ ________ ________ ________?

M: No, only the second graders will have one this time.

W: Maybe I can visit your brother's class on another day. How do I sign up for it?

M: You have to ________ ________ ________ ________ ________. When you complete it, I'll return it to my teacher.

W: Thank you, son.

## 09

M: Hello, students. Welcome to the American Museum of Natural History. I'm John Brandel, the museum director here. Let me introduce the titanosaur, which is now a well-known dinosaur. Believe it or not, they ________ ________ ________ ________ ________ in the forest 100 million years ago. People in Argentina found one set of the dinosaur's fossils and moved them to this museum in New York. As you can see, it is really big. It's 37 meters tall. It is so big that its neck and head ________ ________ ________ ________ ________ ________. It ate plants and weighed around 70 tons. That is like the total weight of 10 elephants! ________ ________ ________ ________ come to see this famous dinosaur's fossils every year.

## 10

M: Welcome to Clean Water Corporation.

W: Hello, I'd like to rent a water purifier. How much will that be?

M: They start at $30 per month. The price goes up ________ ________ ________ ________ ________. Do you want any extra features?

W: I want one that is able to make ice.

M: Then the price will start at $50. How about hot water?

W: I have two little children, so I think it may be dangerous for them.

M: I recommend the self-cleaning model. It's easier ________ ________ ________ ________ ________ ________.

W: Water purifiers need to be cleaned regularly, right? That feature really appeals to me.

M: Great. Then we have only two options. Which one do you like better?

W: I'll ________ ________ ________ ________.

M: Good choice! Many people like that model.

## 11

W: I have to go to work now, but ________ ________ ________ ________ ________.

M: You should wear your hat and gloves, as well as your fur boots.

W: But walking in those boots is difficult!

M: (You must keep warm so as not to catch a cold.)

## 12

M: Rachel, what do you want to major in when you enter university?

W: Um, I want to study English there.

M: Then ________ ________ ________ ________ ________ ________ after graduating?

W: (I want to teach students in middle or high school.)

## 13

M: Hello, it's nice to see you here.

W: Hi! ________ ________ ________ ________. How have you been?

M: Good. There are many people at this bank. There seem to be more than 30 people waiting in line.

W: Yeah, lots of people come ________ ________ ________ ________ ________ ________.

M: I am here during my lunch time. I'm afraid there won't be enough time.

W: I think you're right. By the way, what brings you here?

M: I need to change some money into dollars.

W: You'd better come back tomorrow ________ ________ ________ ________.

M: Actually, I have a business trip tomorrow.

W: I guess you have no choice.

M: (Right. I should just wait.)

## 14

W: Where are you going?

M: I made plans with Jim. Can I go out, Mom?

W: What are you planning to do this late?

M: I'm going to play baseball with him.

W: At this hour? It's dangerous because ________ ________ ________ ________.

M: We'll just play catch in the yard.

W: Don't you remember you were hurt while playing baseball last month? You promised me ________ ________ ________ ________ ________ ________.

M: I remember, but it's fun and helps me relieve stress.

W: You need to keep your promise. Rather than playing baseball, ________ ________ ________ ________ ________.

M: Like what? What can we do?

W: (You can do brain exercises, like solving puzzles.)

## 15

M: Olivia and Luke are members of the science club in school, and ________ ________ ________ ________ ________ since childhood. While they are studying together to prepare for their final exams, Olivia hears that Luke is worried about something. The problem is that he is ________ ________ ________ but ________ ________ ________. Unfortunately, Olivia can't help him because she is bad at math, too. So she tells him to ask the other students in the club for help. Although he is very shy and worried that ________ ________ ________ ________ ________, she wants to tell him that it'll be all right. In this situation, what would Olivia most likely say to Luke?

## 16-17

W: Hello, I'm here to tell you something that helps college students like you. Have you ever planned a trip? Traveling really helps you recharge and become more independent. If you feel depressed or discouraged, it will ________ ________ ________ ________ ________. But you must not join a package tour. You should attempt to plan your own trip. In order to plan it well, you have to prepare these things: First, decide when and where to go. Using the Internet, ________ ________ ________ ________ ________ ________ for your visit. Next, choose what to do there. Also, save enough money to make it possible. Remember that the time you spend preparing for the trip is already a part of it. ________ ________ ________ ________ ________ ________!

# 13 Dictation Test

녹음을 다시 한 번 들으면서, 빈칸에 알맞은 말을 써 봅시다.

## 01

M: Vitamins are substances that you need in order to stay healthy. People try to consume vitamins every day. However, how much time ________ ________ ________ ________ ________? With all the pressure in our fast-paced world we end up having less quality time for ourselves. I'd like to call quality time for ourselves, "vitamin T." It means that ________ ________ ________ ________ ________ ________ ________ ________ vitamins are vital for our body. Overworking at the office or having too many social obligations drains us of vitamin T. Without vitamin T, ________ ________ ________ ________ ________. It's time to take vitamin T now.

## 02

M: Hi, Sophia. Have you found a job yet?

W: Actually, I've received two job offers. One is from a big company, and the other is from a small company.

M: That's great. Which one will you choose?

W: I can't decide! Big companies ________ ________ ________. They usually offer higher salaries. You can also ________ ________ ________ ________ and ________ ________ ________ ________.

M: That's true. But small companies also have strong points.

W: Do they? Give me an example.

M: Well, you can ________ ________ ________ ________ ________ and customers very well. At big companies, it is harder to make friends.

W: You've made some good points. I need to think about this some more.

## 03

W: Russell, I heard ________ ________ ________ ________ ________ ________. How is it going?

M: Pretty well. All of the members are really practicing hard.

W: I'm glad to hear that. I'm proud that you have the leading role in the play.

M: Thank you. But I ________ ________ ________ ________ ________ ________.

W: Hmm... As far as I'm concerned, your memory is excellent. Actually, your score in my subject is at the top of the class.

M: Then what shall I do?

W: Relax, and ________ ________ ________ ________ ________ where the conversation takes place.

M: Oh, I got it. I'll try that!

W: Good, but don't forget to study for the quiz for my next class.

M: Yes, ma'am. See you in class.

## 04

W: Alex, look at this picture of our family!

M: Who took it?

W: Our youngest son, Jay.

M: Is there a problem with it? Our puppy, Henry, is enjoying his nap on the mat.

W: I'm not talking about the puppy. I'm talking about our son, Jeff. He is playing a game on his cell phone.

M: Hmm... He does ________ ________ ________ ________ ________ ________ ________.

W: You're right. But you are vacuuming the floor, and I am hanging the laundry.

M: Yes, ________ ________ ________ ________ ________ ________.

W: And our daughter, Holly, is cleaning the windows.

M: Right. She likes helping out with housework, doesn't she?

W: Nobody likes doing chores. We just do them because we have to. We ________ ________ ________ ________ to Jeff.

M: OK. I understand what you mean.

## 05

*[Telephone rings.]*

W: Hello?

M: Hi, Jessica. It's me, Blake.

W: Oh, Blake. How's your new house?

M: Everything here is almost perfect.

W: Good to hear that. Well, what's up?

M: I'm planning to ________ ________ ________ ________ next weekend.

W: Sounds great. Do you need help preparing the food?

M: No, thanks. My sister will help me. I want to invite our club members by email, but my Internet service ________ ________ ________ ________.

W: Oh, really? I know the email addresses of all the members.

M: Great. Can you ________ ________ ________ ________ ________ to all the members for me?

W: No problem at all. Give me the details.

M: Thank you, Jessica.

## 06

W: Excuse me, how much are these sneakers?

M: Welcome. The price is $90.

W: That's a little expensive. Well, I heard if I have a store membership, I can get them ________ ________ ________ ________.

M: Right. You'll get a 20% discount off the list price on sneakers and 10% off almost everything else.

W: That sounds great. ________ ________ ________, I can save $18.

M: You bet.

W: I also need a pair of trekking shoes. How much are they?

M: They are $100. We can ________ ________ ________ ________ ________ on them.

W: Not bad. I'll buy both of them. Here are my membership card and credit card.

M: OK. Just a minute.

## 07

M: Hey, Emma, you look embarrassed. What's wrong?

W: Hi, Eric. I've done ________ ________ ________ ________. I went to the shop to look for a present for my grandfather and bought a hat.

M: Were you overcharged for the hat?

W: No, that's not it.

M: So what's the problem?

W: I also bought a lipstick as my friend Julia's birthday present. I ________ ________ ________ ________ ________ their gift.

M: Then what's the matter?

W: When I got back home, I realized that I had sent the lipstick to my grandfather and the hat to Julia.

M: Oops! You ________ ________ ________ ________ ________ ________ ________.

W: I did. Eric, what shall I do?

## 08

*[Telephone rings.]*

W: This is Star Stay. May I help you?

M: Hi, ________ ________ ________ ________ next week.

W: Welcome. We are near the airport, and we have a spacious parking lot.

M: Good. Do you have a shuttle bus to the airport?

W: I'm sorry we don't have one. But there is ________ ________ ________ ________ ________.

M: Hmm... Do you have Internet service?

W: Yes. You can connect to the free Wi-Fi in your room.

M: OK, and I guess you have a swimming pool. My children like swimming.

W: Of course. Anyone can swim in the pool here.

M: All right. I'll call you again after ________ ________ ________ ________ ________.

W: Sure. Have a good day.

## 09

W: Welcome to Bandera Historical Ride! We ride along the beautiful Medina River. Our Bandera Historical Ride features over 90 minutes of historic scenery for an unforgettable experience. You can have ________ ________ ________ ________ ________ during the ride. Riders must be 10 years old and older. But they must also weigh at least 100 pounds. All riders must be able to ride their own horse. Due to high demand, ________ ________ ________ ________. Drop-ins may not have a chance to ride horses. Refreshments such as soft drinks are provided during the tour for free. All our tours are guided by friendly experts. We hope you ________ ________ ________ ________ with us!

## 10

M: Honey, I'm just looking up a golf bag. Can you help me?

W: OK. What color ________ ________ ________ ________ ________?

M: How about white? Most of my friends have white bags.

W: I'd recommend that you choose a different one. The white one is likely to get dirty easily.

M: I see. I think the maximum I want to spend is $110.

W: How about this one? The flower pattern is nice.

M: ________ ________ ________ ________. I haven't seen any men carrying that kind of bag.

W: Then you have two choices left. Oh, this one comes with gloves as a gift.

M: Mine are almost new. ________ ________ ________ ________ ________ ________.

W: OK. Go ahead and place your order.

## 11

W: Ted, you look energetic. I'm so tired these days.

M: Rachel, if you ________ ________ ________ ________ ________ ________, it'll help you to stay fit.

W: You may be right. Well, what do you do to stay healthy?

M: (I go jogging for an hour every morning.)

## 12

M: Oh, Amy. I heard you went to Twenty's fan meeting. How was it?

W: ________ ________ ________ ________ ________ ________. I didn't see my favorite singer, Eric.

M: Oh, really? Why was he absent from the meeting?

W: (He may have had other plans at that time.)

## 13

*[Telephone rings.]*

W: Rainbow Shop, how may I help you?

M: Hi. I bought your signature perfume two weeks ago.

W: Oh, thank you for ordering our product.

M: Well, the problem is that _______ _______ _______ _______ _______, but my account says I already received it.

W: Oh, really? I'm so sorry for the inconvenience. Could I have your order number, please?

M: Yes, the number is KS3456.

W: Let me see. Oops. That package _______ _______ _______ _______ _______. The mailing address was nonexistent.

M: I can't believe it!

W: I can reship the package or you can cancel your payment. Which would you like to do?

M: _______ _______ _______ _______ _______.

W: (OK. I'll cancel your credit card transaction.)

## 14

W: Scott, I want you to clean the house with me today.

M: No problem. Every spring we need to clean up. What should I do first?

W: Well, how about _______ _______ _______?

M: Sure. There is a lot of dust on the bookshelf. I haven't cleaned it for some time.

W: Needless to say, there are too many old books of yours.

M: Hmm... That is true, but sometimes I need my old books.

W: Well, _______ _______ _______ _______ _______ _______ _______ since last year.

M: No, I sometimes enjoy reading books from the bookshelf.

W: Honey, the books are _______ _______ _______ _______ _______. I want you to remove them.

M: (I don't want to. They are precious to me.)

## 15

M: Rebecca is a high school student. When she gets up this morning, she is surprised to find out _______ _______ _______ _______ _______ and it's already 7 a.m. It is 20 minutes later than usual. She knows that there is a math quiz first period and wants to study more for it before class. If she _______ _______ _______ _______ _______, there would be no time to study. Then she notices her dad having breakfast with her mom. She thinks that if he takes her to school by car, she would have _______ _______ _______ _______ _______ _______ _______. In this situation, what would Rebecca most likely say to her dad?

## 16-17

W: Hello, everyone. Do you like to throw parties to have fun and relax? Sometimes parties can be a pleasant event for you and your friends. However, parties may not only _______ _______ _______ _______ _______ _______ _______, but they may also cost us the Earth. Here are some measures you can take to make your event harmless to the environment. First, _______ _______ _______ _______ such as plastic plates and bowls. Also, wooden chopsticks and plastic spoons are often wasted at parties. If you do not have enough plates, ask guests to bring their own. Next, send out your invitations online. Everybody prefers this method, and it will save a lot of paper. Lastly, make recycling easy. _______ _______ _______ _______ so guests can separate trash easily at the party. I hope you have a wonderful party.

# 14 Dictation Test

녹음을 다시 한 번 들으면서, 빈칸에 알맞은 말을 써 봅시다.

## 01

W: May I have your attention, please? This is an announcement for all building residents. As you know, we recently ________ ________ ________ ________ ________ because our parking facility is crowded with many illegally parked cars. From May 2, the system will prevent anyone without a parking pass from coming into the building. All residents ________ ________ ________ ________ ________ ________ by May 1. In the case where you don't have a parking pass, please visit the management office when you come in. We ________ ________ ________ ________ this may cause. Thank you for your cooperation.

## 02

M: Honey, don't you think our kids ________ ________ ________ ________ ________?

W: I'm worried about that, too. I'm afraid they're wasting too much time.

M: I have an idea. Have you heard about a new game called MBS?

W: No, I haven't. What is it about?

M: It's a puzzle game in easy English. Kids can ________ ________ ________ ________.

W: Sounds interesting. So you want to let them play it?

M: Yes, I think it's much better than playing the shooting game. What do you think?

W: It may be good, but I'm still afraid they will ________ ________ ________ ________ ________.

M: So you think that no matter what they play, playing games will become a habit, right?

W: That's my point.

## 03

W: Hello, Mr. Williams. It's an honor to meet you.

M: The honor is mine. I'm ________ ________ ________ ________ ________.

W: Thank you. Anyway, I read a magazine article about your new movie.

M: Yes, the film will be released tomorrow.

W: Did you face ________ ________ ________ ________?

M: No. I was absolutely satisfied with the way director Tom Jones led the whole team. I couldn't believe it was his first time directing.

W: After the premiere last week, critics said the same thing you did.

M: I'm sure it will be the best sci-fi film of the year.

W: I ________ ________ ________ ________ ________.

M: It won't disappoint you or those who are listening to the show today.

## 04

M: Eve, _______ _______ _______ _______ _______?

W: This is the picture we'll use for the cover of our school newsletter.

M: That place looks peaceful because of the big trees and the bench.

W: Yeah, that's where students usually rest and chat.

M: Those sculptures look interesting to me. _______ _______ _______ _______ _______, and the other his student.

W: Right.

M: Why is there an owl on the man's shoulder?

W: Owls _______ _______ _______ and _______.

M: I see. By the way, what is the circle and square at the bottom?

W: They are the space for the logos of the school and our club.

M: I think this cover looks good.

## 05

W: Bill, _______ _______ _______ _______ _______ to Bali.

M: So am I. I hope the weather is nice there. By the way, is everything ready?

W: I think so. I confirmed our flight reservation last week.

M: Good. Did you check the accommodations?

W: Yes, and I asked Martha to _______ _______ _______ _______ Jerry while we're away.

M: Great. I was also worried that our cat would starve.

W: *[Pause]* Oh my god, there's a problem! _______ _______ _______ _______ _______.

M: Really? You're really lucky to have realized it before the trip.

W: You're right. I completely forgot. I will get it reissued first thing tomorrow morning.

## 06

W: Hello. How may I help you?

M: I'd like to _______ _______ _______ _______ _______.

W: OK. How many people are going?

M: Three adults and four kids.

W: Are all the kids preschoolers?

M: No, two are elementary school students. _______ _______ _______ _______ _______?

W: Yes, they get a discount of 50%. The fee for adults is $10, the fee for students is $5, and preschoolers are free.

M: Oh, it's good that preschoolers are free.

W: Are you staying at this hotel? If you are, you can get another 20% off the total.

M: Yes, we are all staying here. It looks like _______ _______ _______ _______ _______.

## 07

W: Larry, did you finish applying for universities?

M: Yes, I finished last week.

W: How many did you apply for?

M: Six. I'll be busy _______ _______ _______ _______.

W: Be careful. Last time you missed an interview because you were late.

M: These are really important. It'll be different this time.

W: If you're not too nervous or sick, _______ _______ _______ _______ _______.

M: I hope so.

W: Is everything else ready? Did you check the times and locations of the interviews?

M: Yes. Oh wait... These two interview times are exactly the same. _______ _______ _______ _______ _______.

W: Oh, dear. Try calling to see if they can do anything.

## 08

M: Lily, did you know that next Monday is Mom and Dad's 25th wedding anniversary?
W: Of course. Did you think of anything special to do?
M: How about giving them tickets to a buffet restaurant?
W: I already reserved one for them. But it's their 25th, so we _______ _______ _______ _______ _______.
M: I know. I already ordered flowers and a cake for them.
W: I'm not talking about _______ _______ _______ _______ _______ _______.
M: Then what?
W: How about giving them a handwritten letter from both of us?
M: Great idea. I'm quite sure Mom would like that.
W: Dad would love it, too. It'll be _______ _______ _______ _______ _______ _______ from their son and daughter.

## 09

M: Hello, everyone! Welcome to the opening ceremony of Rocket Swimming Center. I'm the manager, David Hughes. As you know, this center could only be built _______ _______ _______ _______ _______ _______, including former Olympic gold medalist, Mr. Mike Manning. Mr. Manning helped us raise funds and _______ _______ _______ _______ _______ during construction. Besides him, many local residents have also supported us. This center has three big pools. Two are inside the building, and both are fit for Olympic standards. The recreational pool is outside the building and _______ _______ _______ _______ _______ _______ from June to October. Admission fees will be discounted for local residents, so I hope everyone will enjoy this wonderful facility as much as possible. Thank you.

## 10

M: Honey, next Tuesday is your birthday. Do you want anything?
W: Yeah, I'd like to buy some shoes. Let's look online.
M: All right. *[Typing sound]* What kind of shoes do you want?
W: I want some sneakers _______ _______ _______ _______ _______.
M: What color do you want?
W: I prefer pink or violet. I don't want black.
M: You wear a size 5, right? Then we have _______ _______ _______ _______ _______ _______. Do you need waterproof ones?
W: I'm not sure. How much more expensive are the waterproof ones?
M: The waterproof ones cost $30 more than the regular ones.
W: They are much more expensive than I expected. Then _______ _______ _______ _______ _______.
M: OK, I'll order them. Happy birthday in advance, honey!

## 11

M: Hey, what are you doing?
W: I'm looking for a restaurant where our family will have dinner tomorrow.
M: So _______ _______ _______ _______ are you going to eat?
W: (I want pasta or pizza, but the kids want Chinese food.)

## 12

W: George, how's it going with your therapy? Does your back still hurt?
M: It's getting better and better. I think I need to exercise more.
W: Then _______ _______ _______ _______ _______ with me?
M: (I'd love to, but I'm not flexible enough to learn it.)

## 13

M: Hi, Sumi. What brings you here?

W: I want to see my English writing test results.

M: Sure. *[Typing sound]* Here. Your score is ________ ________ ________ ________.

W: Well, I did try my best. I don't know what more to do to improve my writing skills.

M: From reading your sentences, it looks like you didn't study sentence structure enough.

W: You are right. I can't tell which sentences are wrong.

M: To write good sentences, you ________ ________ ________ ________ ________, even if you don't like it.

W: I'll keep that in mind.

M: How about taking Mr. Tommy Smith's class on the Internet?

W: I heard about it, but I think it will be ________ ________ ________ ________ ________.

M: (No, you can choose the basic course.)

## 14

W: Hello, how may I help you?

M: I'm looking for a tablet PC.

W: Where do you want to use it mainly, ________ ________ ________ ________?

M: I'll use it outside. I want a small, light one.

W: OK. I'll show you some. *[Pause]* These three are most popular.

M: Hmm... I don't like this one. The design seems a little awkward to me.

W: But it is equipped with a small keypad ________ ________ ________ ________ ________.

M: Oh, that seems quite useful.

W: Though the design is a bit unusual, many people like it.

M: It's understandable, but I wonder whether I really ________ ________ ________ ________ ________.

W: (Then you can decide after trying it out here.)

## 15

W: Bill ________ ________ ________ ________ in the morning. His mother has to wake him up every morning, and if she sleeps in, he can't get up for himself. Last week, he was 40 minutes late for school and was warned by his teacher that he could fail the course. Despite the warning, he has been ________ ________ ________ ________ ________ ________. The main reason why he can't wake up early is that he plays smartphone games until late every night. He sleeps only 3-4 hours at night. Now, his mother has asked his closest friend, Janet, for help, because ________ ________ ________ ________ ________ ________.

In this situation, what would Janet most likely say to Bill?

## 16-17

M: Everyone worries. Worrying can be helpful because it ________ ________ ________ ________ and solve problems. However, if you can't concentrate on your work and feel stressed because of your worries, then I can say that you are worrying too much. In that case, you should stop worrying. I'll give you some tips. First, get up and get moving. Exercise is a natural and ________ ________ ________ ________ ________ and worries. Walk, run, or dance. Next, try deep breathing. When you worry, you become nervous and breathe faster. By practicing deep breathing exercises, you can calm your mind and get rid of negative thoughts. Lastly, meditation is another good way to control your thoughts. You don't need to sit cross-legged or light candles. Simply find a quiet, comfortable place. Then choose a smartphone app that can ________ ________ ________ ________ ________ ________. Good luck!

# 15 Dictation Test

녹음을 다시 한 번 들으면서, 빈칸에 알맞은 말을 써 봅시다.

## 01

M: Attention, please. Someone has turned in an Android smartphone ________ ________ ________ ________ ________. Our janitor just found it in the women's restroom on the second floor. She said that it was left on the toilet paper dispenser in the second stall. If you are ________ ________ ________ ________ ________, please come to the information desk located between Platform 7 and the ticket office on the first floor. The terminal is very crowded these days with the summer holiday season in full swing, so ________ ________ ________ ________ ________ ________ ________. Thank you for using our express bus terminal.

## 02

W: Jackson, you ________ ________ ________ ________ ________. Did you buy them at the department store?

M: No, I didn't. I ordered them online yesterday morning, and they were just delivered.

W: Oh really? They fit you well.

M: Yes, but the color is different from ________ ________ ________ ________ ________ ________.

W: Blue is your favorite color, isn't it?

M: Yes, but it should be darker. The other problem is the texture. It's too rough.

W: That's why I don't buy clothes online or on TV.

M: You bought the mug set on TV the other day.

W: Right, but it wasn't clothing. I only buy clothes ________ ________ ________ ________.

M: I think that's what I should do from now on.

## 03

M: Anika, take the buttered popcorn and coke.

W: Is this why you're late?

M: It took me a long time to ________ ________ ________ ________ ________ ________ ________. It was nearly full.

W: Well, unfortunately, I think your effort was wasted.

M: What do you mean?

W: I ________ ________ ________ ________ ________ ________ to show that I am 15.

M: Do you mean that we can't watch the movie tonight?

W: Yes, that's right.

M: But... wait! I heard that if ________ ________ ________ you, it's possible.

W: Really? That makes me relieved!

M: Me, too. Now, let's go into the theater.

W: OK. Let's go.

## 04

W: Steve, look at this. It's ________ ________ ________ ________ ________ ________ ________.

M: Oh, you're so cute. Are the things on the table for the *doljabi* event?

W: Yes. I'm wearing a *jobawi*, a traditional Korean hat.

M: The party host is holding a bill. Is that the bill you grabbed?

W: Yes, it is. He's ________ ________ ________ ________ ________. That means I'm going to be rich in the future.

M: Oh really? That is why your dad is crying, "Hurray" while holding you.

W: Right. I must have been happy about it too. But look at my mom _______ _______ _______ _______ _______ _______. She doesn't look happy at all.
M: She must have wanted you to grab the pencil.
W: Yeah, she wanted me to become a professor.

## 05

*[Cell phone rings.]*
M: Hello? This is Logan.
W: Hi, this is Claire. I looked at the house at Buckingham Way.
M: We have two houses there. Which one do you mean?
W: The _______ _______ _______ _______ _______ _______.
M: Oh, are you the lady who saw the house yesterday?
W: Yes. Is it still for rent?
M: Yes. They are still _______ _______ _______ _______ _______. Are you interested?
W: I am, but my son wants to see the house before I rent it.
M: You can look at it anytime. When shall we meet then?
W: I'm going to ask him and _______ _______ _______ _______ _______.
M: All right. I'll wait for your call.

## 06

M: Hi. Have you tried yoga before?
W: No. I wanted to, but had no chance. My colleague recommended this place.
M: All right. Our yoga center is _______ _______ _______ _______.
W: Yeah, I know. And the three-month membership costs $500, right?
M: Yes, that's correct. If you can come only three days a week, it'll be $450.
W: Only $50 less...
M: Yes. So will you come every day or three days a week?
W: _______ _______ _______ _______ _______ every day.
M: OK. What do you think of the six-month or one-year membership? You'll get a 10% discount.
W: I'll _______ _______ _______ _______. Sign me up, please.

## 07

*[Cell phone rings.]*
W: Hi, Dad.
M: Hi. Are you going home or still in the neighborhood?
W: I'm at _______ _______ _______ _______ _______ _______ with Rebecca. We're still chatting.
M: Shall I pick you up on my way home?
W: That would be great, but what about Mason? Is his piano lesson over now?
M: Yes, it just finished _______ _______ _______ _______. How long will you stay there?
W: I can leave anytime. When will you come here?
M: Not right away. We'll take passport photos at the subway station photo booth.
W: Oh, right. You _______ _______ _______ _______ _______. OK, I can wait.
M: Good. I'll call you soon.

## 08

W: Dylan, shall we go to the Summer Swag?

M: Oh, the Psy concert! I'd love to, but isn't it expensive?

W: Yes, but his concert is worth going to ________ ________ ________ ________ ________ ________.

M: How much are tickets?

W: ________ ________ ________ ________ ________, and they cost 130,000 won.

M: Wow. It'll be held at Jamsil Outdoor Stadium on August 3 and 4, right?

W: Right. The concert begins at 6:42 p.m.

M: At 6:42? That's funny.

W: It's Psy, four two in Korean, you know.

M: Haha. OK, ________ ________ ________ ________ ________ ________.

W: We should arrive two hours earlier to get a good spot.

## 09

W: Good evening, listeners! What are you doing this weekend? Don't have any plans except for watching TV at home? Then how about going out and ________ ________ ________ ________? Namsangol Night Market is being held in Namsangol Hanok Village every Saturday. The night market is a replica of a marketplace from the Joseon Dynasty. It was first opened last year and gained great popularity with its unique concept, so ________ ________ ________ ________. This year, however, it has a lot more exciting activities and events. Come with your friends or family. You will have a really great experience. It opened on May 5 and will close on October 27. But remember, it ________ ________ ________ ________ ________ ________ ________ of July.

## 10

M: Gabbie, I need to buy sunglasses. Can you come and help?

W: Sure. Oh, Audrey sunglasses! ________ ________ ________ ________ ________!

M: Yes. What do you think suits me best?

W: Let's see. How about round sunglasses? You'll look stylish in them.

M: Well, I like ________ ________ ________ ________ ________ ________ ________, like oval or square ones.

W: Then oval ones will suit you better than square ones. They're too ordinary.

M: All right. What about color? They have two colors, black and blue.

W: Which do you like better? If I were you, ________ ________ ________ ________ ________ ________.

M: I trust your opinion. And I'll take the plastic lenses even though they're more expensive.

W: I think you should. They're lighter and safer.

## 11

M: You look tired, sweetheart. Was it a tough day?

W: Couldn't have been worse, Dad. The good news is that tomorrow is off duty.

M: Then why don't we ________ ________ ________ ________ ________ tomorrow night? What about a movie?

W: (Sorry, Dad. I have an appointment.)

## 12

W: Oh, William. It's already 7:30. You're going to be late.

M: Don't worry, Mom. I still have 30 minutes.

W: You're not ________ ________ ________ ________ ________ ________ today? You said so the other day.

M: (Oh no. Can you give me a ride?)

## 13

W: It's Taylor's birthday soon.

M: Yeah, it's on Saturday. There are _______ _______ _______ _______.

W: It'll be her final birthday before she graduates. Let's do something special.

M: I was thinking the same. How about buying her a necklace? She likes accessories.

W: Or we could go to a movie and _______ _______ _______ _______ _______ _______.

M: Let's go to an Italian restaurant.

W: That means you like my idea better than yours?

M: Well, let's do both. By the way, you keep yawning. Did you sleep late?

W: I _______ _______ _______ _______. I went to bed at 3 a.m.

M: Three o'clock? You must be tired. But why?

W: (I had a paper to write. It was due today.)

## 14

M: Anita, _______ _______ _______ _______?

W: I went to the post office.

M: Is it open on a national holiday?

W: No. I realized that only when I got there and found it closed.

M: Oh no. What were you going to send?

W: Some documents. As you know, I have _______ _______ _______ _______.

M: Yes, so an agency is helping you now.

W: Right. They asked me to send the documents this week.

M: Aren't you supposed to go on a business trip a little later for a few days?

W: Right. I'll be back on Saturday. So _______ _______ _______ _______ _______ _______?

M: (Sure, I can. Just put them on my desk.)

## 15

M: Lucas and Melanie have a dog named Cooper. He is one of the puppies from Melanie's sister's dog. Now the couple is _______ _______ _______ _______ _______ _______ _______. For a second, they consider leaving Cooper home alone. Then they remember that once Melanie's sister did so and her _______ _______ _______ _______ _______ all day long. So they change their minds immediately. Instead, Lucas checks the Internet to see _______ _______ _______ _______ _______ _______ _______. They are allowed, but he needs to call their airline because airlines have different pet policies. In this situation, what would Lucas most likely say to Melanie?

## 16-17

W: Hello, residents. With many families away on holidays, there _______ _______ _______ _______ _______ _______. To avoid becoming a victim of a home burglary, here are some tips for you. Most importantly, lock all doors. Many people forget to lock their windows and back doors. Next, _______ _______ _______ _______ _______ _______ while you're away. Suspend your mail or have a friend pick up your newspapers. Third, keep valuables out of sight. Put cash in the bank or in safer places located separately in your home. Also, keep lights or the TV on in your home. Your smartphone might be able to keep turning on or off the lights or TV. Finally, don't post your vacation schedule or pictures on Facebook. _______ _______ _______ _______. Follow these tips, and you'll find your house untouched.

# 16 Dictation Test

녹음을 다시 한 번 들으면서, 빈칸에 알맞은 말을 써 봅시다.

## 01

W: Hello, everyone. I am the senior manager of this store, Sandra Jennings. I'd like to first thank you for your constant cooperation. _______ _______ _______ _______ _______ tomorrow, which is in effort to follow the government's recent decision of _______ _______ _______ _______ _______ _______ disposable cups. I know that the kitchen area is already crowded, so I'm really sorry to make this announcement. The installation is scheduled for 10 a.m. tomorrow, and it will take about an hour. And just for your reference, a 10 percent discount will be offered to _______ _______ _______ _______ _______ _______.

## 02

W: Marco, what are you thinking about?

M: I was wondering why people _______ _______ _______ _______ _______.

W: What do you mean? Who?

M: I just saw a little boy throwing his empty snack bag on the crosswalk.

W: On the crosswalk?

M: Yes. He didn't seem to _______ _______ _______ _______ _______ at all.

W: Well, I'm not surprised. There aren't enough waste bins on the streets.

M: I know, but that doesn't justify his behavior.

W: What if there had been a garbage can near him? He might not have thrown away the snack bag like that.

M: I don't know. But more than anything else, _______ _______ _______ _______ _______ _______ about public etiquette.

## 03

M: Hi. Nice to meet you. I _______ _______ _______ _______ _______.

W: Hi. Yeah, I know. You remodeled the house, right?

M: Yes, for three weeks. I'm sorry about _______ _______ _______ _______ _______.

W: No, it was OK. So do you like the new house?

M: Yes, I like it, but there's one problem. That is why I'm visiting you now. Starting yesterday, _______ _______ _______ _______ _______ from the ceiling near the bathroom door.

W: Oh no. Do you need to check my place to see if it is causing the problem?

M: Yes. Can I send in someone to take a look tonight?

W: Of course.

M: Thanks for your understanding.

## 04

W: Nick, we're moving soon, so I drew this. _______ _______ _______ _______ _______?

M: Oh, it's the furniture arrangement for my room.

W: Yes. First, I put your bed on the right.

M: Not bad. And the desk is at the top near the window. I like it.

W: Good. I put the lamp _______ _______ _______ _______ _______ _______.

M: How about moving it to the left of the desk?

W: No problem. The clothes rack is at the bottom. Is that OK?

M: It should be there because I want the computer to be near the desk.

W: Yeah, that's why I put the computer _______ _______ _______, _______ _______ _______.

M: You did a good job. On the whole, I like it.

## 05

*[Cell phone rings.]*

W: Yes, Daniel?

M: Cindy, where are you?

W: I'm washing Max. He's just been to the park for a walk. Why?

M: Don't you remember? He's supposed to _______ _______ _______ _______ at 6:30 tonight.

W: Oh, right. I completely forgot. What time is it?

M: It's six o'clock, so we have only thirty minutes left.

W: When are you arriving?

M: I think it'll take a little more than twenty minutes to get home.

W: All right, then _______ _______ _______ _______ _______ _______ _______ at 6:20. I'll be there after washing him.

M: Can you finish _______ _______ _______ _______ _______?

W: I'll try. See you soon.

## 06

M: What are you looking for, ma'am?

W: My daughter asked me to buy her _______ _______ _______ _______ _______.

M: There are two kinds: one is in the refrigerator and the other is not.

W: She wants them from the refrigerator.

M: They are one dollar more than _______ _______ _______ _______ _______.

W: How much are the ones that are not in the refrigerator?

M: They are $8 per box.

W: Do I need to buy a plastic cooler bag for the ones in the refrigerator?

M: Yes, you do. It costs $1. You can _______ _______ _______ _______ _______ _______ _______ _______.

W: All right, I'll buy these five boxes then.

## 07

*[Cell phone rings.]*

W: Hello, Brian.

M: Hi, Rachel.

W: How come you're not coming? _______ _______ _______ _______ _______?

M: No, not today. I got up early.

W: Then did you miss the bus?

M: No, I didn't even take the bus.

W: What are you talking about? It'll be busy today, so get to work now.

M: I'm sorry, but I can't. I've lost one of my front teeth.

W: You mean, _______ _______ _______ _______ _______? What happened?

M: I tripped over something on my way home last night.

W: Are you OK? Did you go see the dentist?

M: I'm at the dentist's now. I'll _______ _______ _______ _______ _______ _______ _______.

## 08

W: Kurt, how about entering Mister International?

M: You're kidding. Miss International is for women only.

W: No. I mean Mister International. _______ _______ _______ _______ _______.

M: Oh my. So is it held every year like other national beauty pageants?

W: Yes. _______ _______ _______ _______ _______, Mister World, it is one of the two largest male beauty pageants in the world.

M: Does it _______ _______ _______ _______?

W: Kind of. It was founded in 2006 in Singapore. And you know what? A Korean named Seung-hwan Lee was crowned this year in Yangon, Myanmar.

M: Where will it take place next year?

W: If you're interested, go to the website www.misterinternational.net.

M: Thanks for the tip, Shirley.

## 09

M: Hello, parents. Have you already made plans for vacation? If you've not decided yet, how about joining the Healthy Family Retreat? With this program, you can ________ ________ ________ ________ related to promoting your health with your children. Your family ________ ________ ________ ________ ________ ________ ________. You have three places to choose from, all of which have their own scenic beauty. This program is open to all families ________ ________ ________ ________, but only four families from one school can join this program. So hurry because it is on a first-come first-served basis. For more information, visit the school website. If you apply, the results will be informed to you via text message.

## 10

W: Mason, look at these handheld mini fans.

M: Oh, ________ ________ ________ ________ ________.

W: How about a bladeless fan?

M: It looks cool, but I don't want to spend much money on a mini fan.

W: Then buy the one with three blades. It's only $10.

M: Yeah, but it has only one speed. I want one with adjustable speeds.

W: Then how about buying the one with ________ ________ ________ ________ ________?

M: That's not bad, but the one with an LED light would be better for me.

W: It will definitely be useful on hot summer nights, but it's expensive.

M: I know, ________ ________ ________ ________ ________. And two speeds are enough.

W: Then this is the one. It has five blades.

## 11

W: Jack, where have you been? I thought you'd gone to bed.

M: I tried to go to sleep, but I couldn't. So I jumped rope outside for about five minutes.

W: So that you get tired and ________ ________ ________ ________?

M: (Yes, that's exactly what I want.)

## 12

M: How many more stops are left to get to school, Ellie?

W: We should go two more stops, but ________ ________ ________ ________.

M: Why not? Is there something wrong with the bus?

W: (No. Look at the accident over there.)

## 13

*[Cell phone rings.]*

W: Rodney, where are you now?

M: I'm not at home now, Mom.

W: I know, because I'm at home. Do you know ________ ________ ________ ________ ________?

M: Isn't it where it should be, in the bowl on the shoe shelf?

W: No, it isn't there. And I need to use the car now.

M: Don't we have a spare key?

W: Yes, but your dad has it now, and ________ ________ ________ ________ ________.

M: Wait a minute. It's here in my backpack.

W: Oh, Rodney. Well, that's OK. Can you bring it to me?

M: I'm sorry, Mom. _______ _______ _______ _______? I'm with Vincent at the cafe on the corner.

W: (All right. I'll be there in five minutes.)

## 14

M: You don't look good. What's the matter, Jennifer?

W: My mom's birthday was three days ago, and _______ _______ _______ _______ _______.

M: Oh no. How come you forgot about it?

W: I don't know. Now I know why she's been upset for the past few days.

M: If I were her, I would tell you in advance that it would be my birthday.

W: That is _______ _______ _______ _______ _______ _______.

M: Anyway, celebrate her birthday even though it is late.

W: I will. _______ _______ _______ _______ _______, as the saying goes.

M: Do you have a gift in mind?

W: I'll buy her a new hair dryer. Her current one is very old.

M: (Good. That'll make her less angry.)

## 15

W: Both Maria and Fred work, and they have a twelve-year-old son, named Ryan. He goes to elementary school. It's his birthday today, so _______ _______ _______ _______ _______ tonight. The couple is supposed to meet him at the school gate when his after-school class ends. Fred arrives earlier than Maria and _______ _______ _______ _______ _______ _______. A little later, Maria arrives and finds Fred parking the car there. She remembers that her son brought home a letter from school the other day. It said that parents should park their cars _______ _______ _______ _______ for the children's safety. In this situation, what would Maria most likely say to Fred?

## 16-17

M: Hello, students. The summer holidays are _______ _______ _______ _______. What are your plans for the holidays? If you go swimming in the sea, here are some tips for you. First, check the weather. If not, you might find yourself in trouble. Next, avoid large meals. This doesn't mean you need to swim hungry. A light snack like a banana should do. If you have a big meal, you might get an upset stomach. Third, you should bring water to avoid dehydration. Also, _______ _______ _______ _______ _______ _______ before going into the water. Plunging into the water without warming up can give you a heart attack. Finally, enjoy the water within the designated area. The water beyond will be deep and _______ _______ _______ _______ _______. Keep these tips in mind. They will make your time in the sea both fun and safe.

# 17 Dictation Test

녹음을 다시 한 번 들으면서, 빈칸에 알맞은 말을 써 봅시다.

## 01

M: Hello, parents. You must be wondering about ________ ________ ________ ________ ________ ________ next to our elementary school. Your children will mostly go to this middle school. The apartment complex surrounding the schools is under reconstruction. You may be wondering what will happen to the school and ________ ________ ________ ________ ________ ________ ________. I received an official note today from the school district. The school will be closed for three years starting from March 2020. They'll ________ ________ ________ ________ ________, but all students will be transferred to nearby schools later. We wish all our students the best of luck!

## 02

W: What's happening there, Fred?

M: Oh, Angela. The police are ________ ________ ________ ________ ________ ________.

W: Poor street vendors.

M: Yeah. I liked that we didn't have to go far to buy things thanks to them.

W: Yes. And the things that they sold were ________ ________ ________ ________ ________ ________.

M: Right, but if we want our neighborhood to be clean and better, we can't have everything.

W: What do you mean? Are you saying that the police are doing the right thing?

M: Perhaps. In fact, the street vendors are ________ ________ ________ ________.

W: That's true. Many tables and large carts are here and there.

M: Having both the street vendors and a clean neighborhood doesn't seem possible.

## 03

M: Hi, Drew. Come on in. You're ________ ________ ________ ________ ________.

W: I left school right after the last class. How are you?

M: I'm OK. So, did you bring the books that I asked for?

W: Here they are. How long do you have to stay here?

M: Didn't Mom or Dad say anything to you?

W: No. They just said you will ________ ________ ________ ________ ________ ________.

M: Well, I don't know, either. The doctor said that he needs to observe my progress after the operation.

W: Do you ________ ________ ________ ________ ________? I'll bring it to you.

M: Thanks, but not now.

W: Well, take care. I'm leaving. I have plans to meet with Fiona.

## 04

W: Hi, Dylan. Do you like this picture?

M: Oh, hi Ashley. Yes. It _______ _______ _______ _______ _______.

W: I painted the picture while thinking about my family's picnic to a valley.

M: Look at the big tree on the left. It is providing _______ _______ _______ _______ _______ _______ _______.

W: Under the tree, a couple is sitting and watching their children play in the water.

M: The wife is cutting a watermelon. It looks delicious.

W: Yes, and the husband is _______ _______ _______ _______ _______ _______ with his arms crossed.

M: Look at the girls. They are splashing their brother together.

W: Yeah. He is fighting back but can't beat the two girls.

M: Yes. They look very happy.

## 05

*[Cell phone rings.]*

M: Hi, Emily. _______ _______ _______ _______ _______ _______?

W: Yes. Where are you now?

M: I'm home. Work finished early today, so I came straight home.

W: Oh, good. Is Trevor home?

M: Yes. He's doing his homework. I'm going to allow him to watch TV after his homework.

W: Great. I'll _______ _______ _______ _______ _______ to return the rental phone that I borrowed for the trip to Japan.

M: OK. Is there anything I should do?

W: I think I'm going to make curry for dinner tonight. _______ _______ _______ _______ _______ _______ _______ for it?

M: Sure. We have potatoes, onions, carrots, and zucchinis.

W: That's right. Thank you, honey. See you soon.

## 06

M: Oh, Belle, this food court is operating self-ordering kiosks.

W: Oh no. Isn't there _______ _______ _______ _______?

M: I don't see anyone. Let's go somewhere else.

W: No, let's just eat here. What are you going to have?

M: I'll have the chicken set for $12. _______ _______ _______ _______ _______.

W: OK. Where's the Korean food menu?

M: Push the green "Korean" bar.

W: Oh, here it is. Hmm... I'll have the *naengmyeon* set for $10.

M: What about *naengmyeon* for James too? It's two dollars less.

W: No, he's not hungry. The set menu includes two dumplings, _______ _______ _______ _______ _______.

M: OK, then touch the "Pay" box and insert your credit card.

## 07

W: Nate, _______ _______ _______ _______ _______?

M: Why? Today will be very busy, Hilary.

W: My son is in the hospital, and he'll need me in the afternoon.

M: What's wrong with your son?

W: Last year, he fractured his leg and had metal pins put in.

M: Oh, I'm sorry to hear that.

W: He got an operation _______ _______ _______ _______ _______ this morning. He's now with his dad.

M: Can't your husband stay with him longer?

W: He said he would, but _______ _______ _______ _______ _______ at the office, and he has to leave early.

M: Oh, then you may go now. Good luck to your son.

W: Thank you, Nate.

## 08

W: Jake, how about encouraging Mike to join this summer sports camp?

M: What can he do there?

W: He can play soccer, badminton, volleyball, basketball, or track and field. He can even have shooting practice, too.

M: Is the camp _______ _______ _______ _______ _______ _______?

W: Yes, but the exact dates are all different. And the camps are open at six different schools in our neighborhood.

M: When is _______ _______ _______ _______ _______?

W: It is midnight on July 15.

M: Should he hand in the application to the school in person?

W: No. _______ _______ _______ _______ _______.

M: Good. Let's talk about the camp with Mike.

## 09

W: Do you like animals? Then _______ _______ _______ _______ _______ _______? The pet sitter broker application service, Pet Land, is seeking would-be pet sitters. If you're interested, then apply online. They visit your home when your application has passed the screening. At your home, they interview you and check to see if _______ _______ _______ _______ _______ _______ _______. After the second screening, they provide pet sitting classes and practice. Also, they give you tips about pet sitting and teach you how to use the Pet Land application. Pet Land offers day care service for $20 and night care service for $40. Due to _______ _______ _______ _______ _______, the demand for pet sitters has been growing.

## 10

M: Paula, take a look at this. It's a list of used cars Jeremy wrote for you.

W: Oh, good. Let's see. These are _______ _______ _______ _______ _______ _______.

M: I heard that you asked him to choose cars that aren't over $20,000.

W: Right, but the cheaper the better. How about this SUV?

M: If I were you, I would take it. But you don't like diesel cars, do you?

W: Nope, _______ _______ _______ _______. And I don't like large cars.

M: Then how about this gasoline-powered compact sedan? It's $12,000.

W: That's not bad, but I like hatchbacks better than sedans.

M: Then there is only one left. Is _______ _______ _______ _______ _______?

W: It's OK. Most importantly, it's eco-friendly.

## 11

W: I'm sorry, David, but let's put off our plans until tomorrow afternoon.

M: No problem. But can I know the reason?

W: I need to practice cello more. As you know, I _______ _______ _______ _______ _______ _______ on Sundays.

M: (All right. Practice makes perfect.)

## 12

M: Did you go see the movie *Incredibles 2* last night?

W: Yes, I did. I went there with my friends right after work.

M: _______ _______ _______ _______? My brother said the middle of the movie was boring.

W: (No, it was funny. I'd watch it again.)

## 13

M: Mom, I have something to tell you.

W: I was about to go grocery shopping, so make it short please.

M: Can you _______ _______ _______ _______ to 50,000 won?

W: Isn't 30,000 won enough?

M: Not at all. I'm trying to use it sparingly, but it is never enough.

W: But as you already know, _______ _______ _______ _______ _______.

M: What do you think of me getting a part-time job?

W: But it may interfere with your studies.

M: I promise _______ _______ _______ _______ _______, and I'll only work on the weekends.

W: Well, I say yes, but your dad might have a different opinion about it.

M: (I know. I'll talk to him when he gets home.)

## 14

W: Matthew, how's the report going? You promised to finish it by this morning.

M: I'm sorry, I'm still writing it. But don't worry, I'll finish it _______ _______ _______ _______ _______.

W: And what happened with the conference room? Did you book it?

M: I'm sorry, not yet. I'll do it for sure today.

W: Matthew, _______ _______ _______ _______ _______ these days. What's wrong?

M: I can't sleep well at night, so I'm a little tired.

W: Why? Do you have noisy neighbors?

M: No, my neighborhood is quiet. It's my tooth.

W: Wait. Look at me. Your face looks swollen.

M: _______ _______ _______ _______ _______ _______. It really hurts.

W: (Then don't wait any longer. Have it pulled out right away.)

## 15

M: Paula lives with her dad and brother. All three of them work, but they still live in a small house. They _______ _______ _______ _______: her brother Mason and her dad share one bedroom while Paula uses the other. She always feels sorry about this and _______ _______ _______ _______ _______ _______ _______. Her brother Mason knows about her wish. To make her wish come true sooner, Paula started to work two jobs three weeks ago. From then on, she worked day and night until _______ _______ _______ _______ _______ yesterday. In this situation, what would Mason most likely say to Paula?

## 16-17

W: Hello, parents. This year's Dream Children's Choir Concert is _______ _______ _______ _______. As you know, tomorrow will be the last practice and the first rehearsal. For a smooth practice, here are a few things you should note. First, the practice will be at Sun Creek School from 10 a.m. to 12 p.m. as usual, so _______ _______ _______ _______ _______ _______. If your child will be late or absent, notify the conductor in advance. Also, notify me too because it will be helpful for preparing the snacks. Next, our children will wear uniforms, so _______ _______ _______ _______ _______ _______ _______ to the practice. Third, have students bring their own water bottles because they will get thirsty during the practice. Thank you for your cooperation. See you tomorrow.

# 18 Dictation Test

녹음을 다시 한 번 들으면서, 빈칸에 알맞은 말을 써 봅시다.

## 01

W: Good morning, everyone! This is Sara Kim, head teacher of the Extra-curricular Activities Department. Last week some clubs, including dance and photography clubs, left the school for an activity _______ _______ _______ _______. The principal was upset when she found out that some students behaved irresponsibly. The form must be submitted if a club _______ _______ _______ _______ _______ _______. The forms can be found in the middle of our department table. You can't miss them. I'd like to remind all of you to hand in the forms before you go out for club activities. It is _______ _______ _______ _______. Thank you.

## 02

M: Hi, Judy! Did you hear that Cathy was absent from school?

W: No. What happened to her?

M: It's because of the fine dust problem. _______ _______ _______ _______ _______.

W: Oh, that's why my brother's elementary school is closed today.

M: I guess middle and high school students should also take the day off _______ _______ _______ _______ _______.

W: I'm with you!

M: Teenagers' health should be protected just the same as young kids. We are no different!

W: You can say that again. It's dangerous _______ _______ _______ _______ _______ _______ to school.

M: We breathe in too much dust on the way to school. They'd better officially allow a day off of school.

W: Yes. Let's talk about it with the school council to take measures.

## 03

W: Hello. May I help you?

M: Yes, I'm looking for sneakers with white stripes in size 275.

W: How about these ones?

M: Cool! They are exactly the same design that _______ _______ _______ _______.

W: Please try them on. They're the largest size we have.

M: *[Pause]* They _______ _______ _______ _______ _______.

W: Then there are two options. You may get them adjusted at the shoe repair shop, or you can order the shoes in your size.

M: Hmm... How long will it take if I order them?

W: Usually 3 days. But you can adjust them at no additional cost at the repair shop.

M: Then _______ _______ _______ _______ _______ than delivered.

## 04

M: Are you ready to hang the school festival poster in the auditorium?

W: Almost. Please hold the top end.

M: OK. They drew _______ _______ _______ _______ _______ on the left side. They look like sunflowers.

W: Brilliant! Did you notice the phrase 'Let the sun shine on our school festival!' on the top right?

M: Yes, and in the middle, I see our school representatives holding a candle _______ _______ _______ _______ _______ _______.

W: Yeah. And both are wearing dotted caps.

M: I wish they had drawn them without hats. That would have been much cooler.

W: I think so, too. On their right, there is a piano _______ _______ _______ _______ _______ _______.

M: Oh, I don't want to miss the orchestra session this time.

## 05

W: Dad, I can't find my student transportation card. Did you see it?

M: Oh, honey. I told you to always _______ _______ _______ _______ _______ _______.

W: Sorry. I remember I used the card when I got off the subway an hour ago.

M: Did you put it back into your pocket?

W: _______ _______ _______ _______ _______ at the vending machine... Oh no!

M: And where did you put it?

W: In my pocket. It must have slipped out of my pocket. _______ _______ _______ _______ _______ to find it.

M: Do you want me to come with you?

W: Yes. It will save time with your help.

## 06

M: Hello. How can I help you?

W: I'm looking for ear buds.

M: Do you want wired headphones or wireless ear buds?

W: It depends. I want to _______ _______ _______ _______.

M: The best selling wired model is $25. It comes with a handy Bluetooth speaker. Just add an extra $5.

W: Not bad.

M: These wireless ear buds are $40 on sale.

W: Unless there's a big difference in quality, _______ _______ _______ _______ _______. Which do you recommend?

M: The wireless is better if you're very active. I can take 10% off of that model.

W: _______ _______ _______ _______ _______ with the Bluetooth speaker. I have a $2 gift voucher, too.

## 07

M: Hey, Julie! _______ _______ _______ _______?

W: I'm heading to the library. What's up?

M: I just happened to be passing by the library, and there was a large crowd outside.

W: Really? I'd better hurry. There's _______ _______ _______ _______ with the famous writer James Cook.

M: Sounds great! He's a best-selling author.

W: It's a once-in-a-lifetime opportunity!

M: So that's why you are carrying his books with you.

W: How about coming with me? _______ _______ _______ _______ _______, too!

M: I wish I could, but I need to go see my friend.

## 08

M: What brochure are you looking at?

W: It's about ________ ________ ________ ________ ________ in our district. They've got the largest swimming pool for kids. Plus they provide a free pass for students.

M: For how long?

W: ________ ________ ________ ________ ________ ________. Two months in total.

M: Cool! Do we have to register as a member to use the facility?

W: Yes. The membership fee is $10, and you ________ ________ ________ ________ ________ of our district.

M: That's reasonable! What else are they teaching?

W: They have badminton, squash, and GX. Working out at the gym is also included in the membership.

M: Let's go together sometime.

W: OK, let's meet up soon.

## 09

M: Hello! The Housing Fair will be held from May 14 to 21 in the Expo Exhibition Hall. This is ________ ________ ________ ________ in our country. Various companies related to construction and interior design will participate. ________ ________ ________ ________ ________ ________, B2B consulting services will be available to start-up businesses as well as those who are self-employed. An all-time high of 236 business booths will be set up, and a quarter of them are involved in the building industry. Anyone who signed up in advance can enter for free, but ________ ________ ________ ________ ________ must pay $10. Please don't miss this great opportunity to get informed about the latest housing trends!

## 10

W: Jim! How about buying Anne a watch for her birthday?

M: I'm with you. Do you have a type in mind? What price range?

W: As it's getting hot, ________ ________ ________ ________ ________ ________. I don't want to spend over $80.

M: That's a good price. Would she prefer analog to digital?

W: Analog watches are classier, so ________ ________ ________ ________ ________.

M: There are two choices left. Which one do you like?

W: I prefer metal straps to leather straps as they look cooler.

M: OK. These last two both have a waterproof function.

W: I don't think she needs one that can go more than 30 meters deep.

M: Me neither. We ________ ________ ________ ________ ________ ________.

W: Then I guess we have a winner.

## 11

W: John, I made a phone call to you, but a stranger answered it.

M: I switched phones, so my number has changed.

W: Oh, ________ ________ ________ ________ ________ ________ then.

M: (Give me your number, and I'll call you back.)

## 12

M: Sandy, aren't you feeling hungry?

W: Yeah, kind of. I'm actually craving fried chicken for dinner.

M: Then how about ________ ________ ________ ________ like a salad and ordering fried chicken for a late-night snack?

W: (Good idea! Let's order it at 10 p.m.)

## 13

W: Tom, what's today's lunch?

M: The main dish is fried rice with shrimp and kimchi, served with soybean tofu stew.

W: I _______ _______ _______ _______ _______ _______. I've got a stomachache.

M: Why?

W: I overate last night. My dad got me some spicy chicken.

M: Why don't you see the school nurse?

W: I'm afraid I can't move. _______ _______ _______ _______ _______.

M: Do you want me to buy you something soft like soup or porridge? _______ _______ _______ _______.

W: Thanks. You need to get a permission slip to leave school from our homeroom teacher.

M: OK. Why don't you go see the nurse and get some digestion pills?

W: (Sorry, but can you get the pills for me please?)

## 14

M: Honey, did you pick up the laundry from the dry cleaners?

W: Not yet. The shirts are fine, but the blankets are _______ _______ _______ _______ _______ _______.

M: Sorry, I forgot we had the bulky winter blankets. I'd better drive then.

W: I'd appreciate that. I'm busy right now cooking.

M: By the way, wasn't there a home delivery service?

W: I don't know. I've only had them _______ _______ _______ _______ _______.

M: I'll call to see if home delivery service is available.

W: Also ask them if they deal with stained carpets.

M: OK. How much is the total?

W: Don't worry, I've already paid. Please _______ _______ _______ _______ _______.

M: (If they don't deliver, I'll leave right away.)

## 15

W: Claire and Judy are _______ _______ _______ _______ _______ _______ BOS. They succeeded in reserving concert tickets for the biggest world fan tour at the last minute. They are very excited because they got tickets even though they were hard to get. _______ _______ _______ _______ _______, they meet at Claire's house to make banners, together. Claire is supposed to bring the banners and Judy will bring light-up hairbands the next morning. On the concert day, however, Claire breaks her leg _______ _______ _______ _______ _______ at home. She even can hardly walk. In this situation, what would Claire most likely say to Judy?

## 16-17

M: Hello! This is the Head Gardener Thomson, and I'll tell you briefly _______ _______ _______ _______ _______ today. Planting a garden can be a wonderful hobby. It's a great way to get away from our busy lives and take some time to relax. However, planting a flower garden can be a challenging and overwhelming task if you've never gardened before and do not have the essential tools. _______ _______ _______ _______ are a planting shovel, sprinkler and garden hose, rubber gloves, thermometer, and gardening scissors. Make sure the soil is rich and warm. You have to prepare the soil _______ _______ _______ _______ _______ _______ _______. The soil should be dug six to ten inches deep. Layering the soil with some organic material will help strengthen it. It is recommended to plant on a cloudy day or under a slight drizzle.

# 19 Dictation Test

녹음을 다시 한 번 들으면서, 빈칸에 알맞은 말을 써 봅시다.

## 01

W: Can I have the attention of our customers shopping in the underground level? Water ________ ________ ________ the ceiling in some of our stores. We apologize for any inconvenience you have encountered. The water came from a sprinkler which malfunctioned ________ ________ the abnormally hot weather. We have sent a maintenance crew to take proper measures and ________ ________ ________ ________ ________ ________ ________ ________. Customer safety is our top priority, and we ensure you that everything is fine. Please have a pleasant time at the mall.

## 02

M: Ms. Wilson, ________ ________ ________ ________ ________?

W: Pretty well. Students in general are very enthusiastic.

M: I'm jealous because my debate class isn't going very well.

W: Why not?

M: For me I prefer competitive discussions, and only those who are active participate in the discussions. I'm not sure how to get all students to ________ ________ ________ ________ ________ ________.

W: I recommend that you introduce some background knowledge before a discussion. And also give some brainstorming time in advance.

M: I sometimes use those activities.

W: Also make them ask questions and answers regarding the issue. By doing so, they ________ ________ ________ ________ ________ ________ ________ and stay focused during discussions.

M: Thanks for your tips!

W: My pleasure.

## 03

M: How can I help you?

W: Hello. My wipers ________ ________ ________ ________ ________.

M: What model is your car, and when did you purchase it?

W: Three years ago. I even got a warranty card for it. Here it is.

M: Let me see. *[Typing sound]* Sorry, but ________ ________ ________ ________ ________.

W: What? Your company should've notified me of the expiration date. Then what should I do?

M: We sent a notification to your email account because you didn't allow your phone number to be collected. I recommend you go down to the authorized car service center.

W: Where is it?

M: Down this road to your left. Tell them you ________ ________ ________ ________ ________.

## 04

M: Mom, look over here. I received a photo from the school trip.

W: Oh Steve, everyone looks great, and I love ________ ________ ________ ________ ________!

M: Can you find me? I'm next to Peter who is wearing a cap with the letter M on it.

W: Of course. ________ ________ ________ ________ ________ to the sky.

M: Behind Peter, there's my best friend John making a v-sign and winking.

W: Right. Your teacher next to John has her hand on his back.

M: Yes. She is standing on his right with her checkered shirt and rabbit hairband.

W: She looks so young and cute. What's the name of the fountain at the back?

M: It's a Three-tier Fountain. You can see the fish-shaped mouth on top ________ ________ ________ ________ ________.

## 05

W: I can't believe we're finally at the camping site!

M: It's a long way down to this national forest. First off, let's ________ ________ ________ ________ ________ ________.

W: OK. And let me check the location of restrooms and sink facilities.

M: Cool. I'm going to put up the tent after looking for the perfect spot.

W: All right. *[Pause]* I'm done. How about you?

M: Almost. ________ ________ ________ ________ ________. Hold these poles, and I'll tie the screens around the poles.

W: Sure. Now we're finished!

M: I'm getting hungry. Will you prepare supper while I ________ ________ ________ ________ ________ and unpack?

W: OK, that's much easier. I'll do it right away.

## 06

M: Hello. How can I help you?

W: I need tickets for the zip line and the waterslide.

M: ________ ________ ________ ________ in your group?

W: Two adults and two children.

M: Tickets for the waterslide are $4 for ________ ________ ________ ________ ________ ________ and $3 for kids eight and under. Tickets for the zip line are $2 more.

W: Well, one of my kids is 6 years old, and the other is 9. And how much for adults?

M: Five dollars for the waterslide and $2 more for the zip line. I wouldn't recommend the zip line to kids because ________ ________ ________ ________ ________.

W: Thanks for your advice. I'll take four tickets for the waterslide but not the zip line.

## 07

M: Have you heard about the Women Go rally down at Fulham Square?

W: Yes. I've been down there several times already.

M: Oh really? ________ ________ ________ ________ the movement?

W: No, but I think it's great that women are demanding equality in society. Many women still suffer from discrimination and harassment these days.

M: Yes. We need to ________ ________ ________ ________ of women in the workplace.

W: I agree. But the real reason I've been going to the rally is to ________ ________.

M: Now I get it. You go there to get interviews for the student newspaper.

## 08

W: Hello. This is Star satellite broadcasting service.
M: Hi. I'm considering signing up for service.
W: Which channel are you interested in?
M: I want to watch _______ _______ _______ _______.
W: Then I'd recommend M2, which is $12 if paid automatically on a monthly basis. You get access to all major movie channels, and it also _______ _______ _______ _______ _______.
M: Cool. How do I use the bookmark?
W: You can mark where you stopped watching and pick up where you left off.
M: Brilliant! Any other deals?
W: If you get the membership, you can watch world sports all year round.
M: How much is the membership?
W: _______ _______ _______ _______ _______ _______, membership is free.

## 09

W: My name is Aileen, and I'm here to guide you through the Student Career Fair. _______ _______ _______ _______ _______ the Seoul Metropolitan Office of Education and will be held for three days, from July 11 to July 13. As we have distributed the wrist straps, you need to show your wrist strap every booth you visit. With the exception of the booths in the South section, _______ _______ _______ _______ _______ _______ participation. More than 100 educational businesses and online universities are participating. Recruiting crews from renowned universities can provide you with consulting and counselling services _______ _______ _______ _______ a one-on-one mentor in undergraduate programs.

## 10

W: Mason, did you know that tomorrow is Mom's birthday? What should we buy for her birthday present?
M: How about a bouquet of flowers? She loves flowers the most.
W: Fantastic! Her favorite flowers are roses and tulips.
M: What color should we get? There are so many colors to choose from.
W: _______ _______ _______ _______ _______ _______. But Dad got her red flowers last year. It must have been 100 roses with baby's breath.
M: Then _______ _______ _______ _______ _______ _______!
W: How much do we have?
M: Our budget is 20 dollars.
W: If the price is the same, _______ _______ _______.
M: Then I guess we found the perfect flowers for her!
W: Excellent.

## 11

W: You didn't sort the trash again! I told you to separate the trash in each recycling bin!
M: I'm sorry. _______ _______ _______ _______.
W: I can't do it alone. Would you mind taking out the trash?
M: (Of course not. Let me help you out.)

## 12

M: Oh, the fuel light just came on. We're running out of gas.
W: That means we have about 30 kilometers left _______ _______ _______ _______.
M: We've got nearly 40 kilometers to go.
W: (We have no choice but to fill up.)

## 13

*[Telephone rings.]*

W: Hello, Blue Travel Agency.

M: Hi. I'd like to _______ _______ _______ _______ _______ crossing the Mongolian desert.

W: What do you want to know?

M: _______ _______ _______ _______ _______ _______ _______, and how long is the trip?

W: We have two options. The first trip leaves on August 1 for 6 days and 5 nights. The other departure date is August 7. It's for one week.

M: How much is each trip?

W: The first one is $700, while the latter is $800. It includes round-trip airfare with travel insurance.

M: What does travel insurance cover?

W: Baggage loss and injuries.

M: The second one sounds better. _______ _______ _______ _______ _______ _______?

W: (You can find it on our website under "Mongolia".)

## 14

M: Amy, did you install the air conditioner?

W: I ordered it, and the engineers are supposed to come in a couple of days. Why?

M: Mine broke down yesterday. Customer service says it will _______ _______ _______ _______ _______ _______ _______!

W: A week? How are you going to endure this hot weather?

M: No idea. Maybe I need to move to the library or somewhere cooler.

W: Did you try calling a rental service?

M: No. What's that?

W: You _______ _______ _______ _______ _______ _______ an air conditioner, like you borrow a car.

M: Isn't it expensive?

W: They have a promotion now, and _______ _______ _______ _______.

M: (I'll sign up right away for the rental service.)

## 15

W: Chen is at the administration office to see why _______ _______ _______ _______ _______ _______ he never ate. He canceled his meal plan one week after the start of this month _______ _______ _______ _______ _______ _______. He explains that he canceled the lunch through the nutrition teacher, but the money is still being withdrawn from his parents' account. After listening, the teacher says the nutrition teacher may have forgotten to tell them, and Chen _______ _______ _______ _______ _______ _______. Chen wants a refund because he didn't eat the lunches. In this situation, what would Chen most likely say to the teacher?

## 16-17

M: Companies seeking breakthrough products tend to ignore the greatest invention machine in the universe. But _______ _______ _______ _______ _______ _______ that many inventions are not original or unique. By watching birds, sharks, and other creatures of the wild, researchers and engineers have invented several new products. _______ _______ _______ _______ _______ _______ _______ and their physical attributes. For example, it is well-known that Velcro was invented after burdock hooks were found attached to a man's pant leg and his dog's fur after a hunting trip. The Japanese Shinkansen bullet train took inspiration from the beak of kingfishers. Also, scientists built and laid a similar structure on LED that takes after the firefly lightbulb. A special web-like glass _______ _______ _______ _______ _______ _______. Suction cups used to tightly grip flat surfaces may have been inspired by the octopus.

# 20 Dictation Test

녹음을 다시 한 번 들으면서, 빈칸에 알맞은 말을 써 봅시다.

## 01

W: Welcome to Seaside Beach. As our beach is renowned for surfer's paradise, swimmers as well as surfers sometimes collide with boat and yacht riders. So I'd like to request that you ________ ________ ________ ________ ________ ________ marked with floating red flags. Surfers themselves should be cautious — never stand up before crossing the borderline, and watch out for swimmers. ________ ________ ________ ________ ________ like yachting or sailing should get on board beyond the yellow line. Although our coast guard ________ ________ ________ ________ ________, accidents can always happen. As a small collision can lead to a drowning accident, please be aware of the basic regulations.

## 02

M: Ellie, who were you talking to?

W: I was answering a call from a dental insurance company.

M: Wasn't it ________ ________ ________ ________ ________ ________ ________ to increase their sales?

W: Right. Usually I hang up the phone right away with these calls, but it was informative because I've been considering getting dental insurance myself.

M: Last year, when my mother got her implants, I regretted not getting her dental insurance.

W: ________ ________ ________ ________, so my teeth are sometimes shaky. I may need to be prepared in advance.

M: Then I'm sure you would benefit from getting that insurance.

W: You're right. ________ ________ ________ ________.

M: Exactly. I recommend you to get it unless it is overly expensive.

W: Thank you for your advice.

## 03

M: Hello. ________ ________ ________ ________ ________, but I can't remember the exact title. It's something similar to 'A Right Not to Be Hurt.'

W: Do you know its genre or the author's name?

M: I'm not sure of its genre, but it was introduced ________ ________ ________ ________ ________ in a magazine.

W: Let me check. *[Typing sound]* There you go. The author is Richard O'Neil, and it's in the philosophy section.

M: Thank you! Where is the philosophy section?

W: It's on the third floor on your right. It's the ________ ________ ________ ________ ________ ________.

M: Can you write down the class number?

W: Here it is. The next time you're looking for a book, you can either ask me or search for it on the computer.

M: Thank you.

## 04

M: Mom, what's this eco bag? Looks so fancy and unique.

W: My colleague Susanne gave it to me. ________ ________ ________ ________.

M: Wow, I see a big sunflower in the middle looking up at the sky.

W: Yes. She loves nature. I think it's pretty.

M: A dragonfly with a long, curved tail ________ ________ ________ ________ ________ ________ ________. On the right, a butterfly with dotted wings is fluttering.

W: At the bottom, there are two children. The boy is wearing jeans, and the girl is wearing a skirt.

M: The boy is pointing to the dragonfly, and ________ ________ ________ ________ ________ ________. They're trying to catch the insects.

W: Yes. The sun is in the upper right corner.

M: It looks so bright.

## 05

W: Hi, Jack. I heard you came to Korea ________ ________ ________ ________ ________.

M: Yes.

W: How do you find working at this cafe so far?

M: I find it really rewarding and enjoyable because I can talk to lots of Koreans.

W: Your Korean seems to ________ ________ ________ ________.

M: Right. It's helpful to pick up informal, casual language and learn about young peoples' culture.

W: Observing and practicing is the best way to master foreign languages.

M: You can say that again. Oh, I need to go wipe that table.

W: OK, but have you dried the cups in the sink?

M: Yes. ________ ________ ________ ________.

## 06

W: Hello. I'm interested in renting some bikes.

M: Well, we've got ________ ________ ________ ________ ________.

W: Yes. There seems to be lots of options. How much are they?

M: It's $19 for a four-wheeled family bike, $10 for the couple's bike, and $5.50 for a single bike.

W: I see. We have five people in our family.

M: If all of you ride, ________ ________ ________ ________ ________ ________.

W: OK. My husband and I will take a family bike with our youngest daughter, and my two boys will ride the single ones separately.

M: Then I'll give you 10 percent off of the total price.

W: Cool! ________ ________ ________ ________ ________.

M: Of course.

## 07

M: Erin, I made dinner for you today!

W: Dad! French fries are ________ ________ ________ ________ ________ ________ ________ ________.

M: Come on. You told me you like fish and chips best.

W: Sorry. I'm on a fruit-only diet these days, so I should skip dinner. And I'm supposed to go out with my boyfriend.

M: Why on earth are you constantly dieting? ________ ________ ________ ________ ________.

W: It's because I want to wear shorts and sleeveless tops this summer.

M: In my opinion, you should exercise regularly. ________ ________ ________ ________ and go on diets.

W: I'll be starting a fitness class tomorrow to be more fit.

M: Good idea! Being slim is OK but not too skinny.

## 08

W: Something smells delicious. What are you making?

M: I'm creating a new type of risotto with basil and squid.

W: Really? _______ _______ _______ _______?

M: Kind of. It's sweet basil and the squid is our province's specialty.

W: How long does it take to make it?

M: About _______ _______ _______ _______ _______ _______ _______. Before I cook it, I need to soak the brown rice in water for an hour. Meanwhile, I boil the squid and slice it.

W: Cool. When do you add the basil?

M: After I mix the cooked rice and squid in olive oil, I put the basil all over the top.

W: What about pepper?

M: If you like, _______ _______ _______ _______ _______ _______.

## 09

M: Good morning, everyone. I'm happy to introduce you to Pivot National Forest Park. We are located in the southern part of Pivot field close to East Reservoir. Firstly, we have 17 log cabins made of pine trees. _______ _______ _______ _______ are two-story buildings with terraces, but all of them have barbecue equipment. We also have regular programs such as Strolling in the woods, Meditation in the Forest, and Eat Well Live Well. _______ _______ _______ _______ _______ _______, on a first-come first-served basis. This month we are launching new art and handicraft classes for parents and teenagers. Those who want to make wood products like cooking tools, toys, and decorations, please _______ _______ _______ _______ _______ _______ _______!

## 10

W: Yuck! It is sizzling hot this summer. We need to buy an air conditioner.

M: I saw a flyer promoting brand-new models. A local store _______ _______ _______ _______ _______, plus electronics manufacturers are competing against one another to show off their cutting-edge technology.

W: Let's see. _______ _______ _______ _______ _______ $380. And I want it to be an inverter.

M: I agree. And we can't ignore energy efficiency.

W: How do we know the efficiency?

M: By operating costs. I guess $100 per month is a bit expensive.

W: Then there are two models left.

M: Do you think we need the purifier?

W: Not really. It's difficult to clean the filters.

M: Right. How about the noise level?

W: _______ _______ _______ _______ _______ _______. I think we've found the best model.

## 11

W: Jack, how is your painting class going?

M: Actually, I dropped it last week. I couldn't _______ _______ _______ _______ _______.

W: I'm sorry to hear that. How about taking art history instead?

M: (I love painting, but not history.)

## 12

M: Look who's here! You are Amy Smith, right?

W: Oh my! Hi, James! It's been 10 years since we graduated from Saint Mary Elementary School.

M: Yeah. What a small world! _______ _______ _______ _______?

W: (My grandparents are living here.)

## 13

W: Hello. Thank you for the sweet potatoes you gave us.

M: It's my pleasure. We grew the sweet potatoes on our farm.

W: Really? I didn't know ________ ________ ________ ________.

M: We purchased a small piece of land in the countryside this past spring.

W: That must be wonderful. Actually, my husband and I are considering buying a small farm just like yours.

M: It keeps us healthy to have a small farm and ________ ________ ________ ________ ________.

W: I agree with you. What else do you grow?

M: We grow onions and tomatoes.

W: Lovely. Can I look around your farm sometime later?

M: Sure. But these days ________ ________ ________ ________ ________ ________.

W: (If you don't mind, I can help with the work.)

## 14

M: Mom, can we drop by the convenience store?

W: I'm worried my car is not allowed to park in front of there. Plus, the parking zone is already full.

M: Then ________ ________ ________ ________ ________?

W: Can you be quick if I pull over at the side road?

M: I won't be longer than a minute.

W: I know, ________ ________ ________ ________.

M: How about turning on the hazard lights?

W: OK, I will. Please quickly pick what you want to buy.

M: Sure. *[Pause]* Mom, the clerk says you can ________ ________ ________ ________ ________ in the customer parking only area.

W: Excellent. Take your time.

M: (It should only take a few minutes.)

## 15

W: Daniel is excited ________ ________ ________ ________ ________ ________ ________ to Jeju Island. They had an orientation session yesterday about ________ ________ ________ ________ ________ ________ in their checked luggage. Because they are taking a flight to Jeju Island, there were many directions to follow. Among them, they were told to bring their student ID card and arrive at the airline counter ________ ________ ________ ________ ________. They were not supposed to pack battery chargers in their luggage, but Daniel forgot and packed one. In this situation, what would Daniel most likely say to his homeroom teacher?

## 16-17

M: Hello. I'm going to teach you about the basics of ________ ________ ________ ________ ________. Let me remind you that building a drone is something that takes practice, especially if you're a beginner. If you're looking to "get in the air" quickly, then perhaps it's best to purchase a Ready-to-Fly model. "Drone" is synonymous with the term quadcopter, or UAV, ________ ________ ________ ________ ________ ________. It is composed of a frame, board, arms, electronic speed controller, flight controller, power distribution, motor, and prop adaptor. Now I'll tell you about the type and material of frames. Quadcopter is the most common type of frame. It has four arms, and each is connected to a single motor. I highly recommend that ________ ________ ________ ________ ________ ________ carbon fiber because it is tough and lightweight. Then you can fly it in permitted areas.

# Memo

Supreme

수능·내신 프리미엄 고등 영어 시리즈

# Supreme
수프림

## 정답 및 해설

# 수능 영어 듣기 모의고사 20회 기본

동아출판

# 영어 듣기 모의고사 20회 정답

## 01
» pp. 22~23

01 ④ 02 ③ 03 ④ 04 ④ 05 ③ 06 ⑤ 07 ④ 08 ⑤ 09 ④
10 ④ 11 ⑤ 12 ② 13 ⑤ 14 ③ 15 ④ 16 ② 17 ①

## 02
» pp. 24~25

01 ③ 02 ④ 03 ③ 04 ⑤ 05 ④ 06 ③ 07 ⑤ 08 ③ 09 ⑤
10 ⑤ 11 ② 12 ⑤ 13 ② 14 ⑤ 15 ③ 16 ② 17 ③

## 03
» pp. 26~27

01 ⑤ 02 ① 03 ② 04 ⑤ 05 ④ 06 ⑤ 07 ⑤ 08 ④ 09 ⑤
10 ④ 11 ⑤ 12 ⑤ 13 ⑤ 14 ⑤ 15 ② 16 ④ 17 ③

## 04
» pp. 28~29

01 ② 02 ② 03 ④ 04 ② 05 ⑤ 06 ③ 07 ④ 08 ③ 09 ③
10 ④ 11 ④ 12 ③ 13 ④ 14 ⑤ 15 ⑤ 16 ② 17 ③

## 05
» pp. 30~31

01 ③ 02 ② 03 ② 04 ⑤ 05 ⑤ 06 ④ 07 ⑤ 08 ③ 09 ⑤
10 ④ 11 ② 12 ④ 13 ② 14 ① 15 ③ 16 ③ 17 ④

## 06
» pp. 32~33

01 ④ 02 ② 03 ③ 04 ⑤ 05 ⑤ 06 ⑤ 07 ⑤ 08 ④ 09 ③
10 ④ 11 ④ 12 ③ 13 ③ 14 ③ 15 ① 16 ② 17 ④

## 07
» pp. 34~35

01 ④ 02 ② 03 ④ 04 ④ 05 ② 06 ⑤ 07 ③ 08 ④ 09 ⑤
10 ③ 11 ② 12 ⑤ 13 ③ 14 ⑤ 15 ③ 16 ④ 17 ③

## 08
» pp. 36~37

01 ⑤ 02 ③ 03 ③ 04 ⑤ 05 ④ 06 ③ 07 ② 08 ⑤ 09 ④
10 ② 11 ② 12 ③ 13 ② 14 ③ 15 ⑤ 16 ① 17 ④

## 09
» pp. 38~39

01 ④ 02 ⑤ 03 ③ 04 ③ 05 ④ 06 ② 07 ③ 08 ⑤ 09 ⑤
10 ③ 11 ③ 12 ② 13 ⑤ 14 ② 15 ④ 16 ② 17 ④

## 10
» pp. 40~41

01 ② 02 ① 03 ④ 04 ⑤ 05 ④ 06 ③ 07 ② 08 ④ 09 ④
10 ⑤ 11 ② 12 ③ 13 ② 14 ⑤ 15 ③ 16 ③ 17 ④

## 11
» pp. 42~43

01 ③ 02 ① 03 ⑤ 04 ⑤ 05 ④ 06 ③ 07 ⑤ 08 ⑤ 09 ④
10 ④ 11 ① 12 ⑤ 13 ② 14 ① 15 ⑤ 16 ② 17 ①

## 12
» pp. 44~45

01 ④ 02 ③ 03 ① 04 ④ 05 ④ 06 ③ 07 ② 08 ④ 09 ③
10 ③ 11 ② 12 ⑤ 13 ④ 14 ⑤ 15 ③ 16 ③ 17 ⑤

## 13
» pp. 46~47

01 ④ 02 ③ 03 ① 04 ⑤ 05 ④ 06 ② 07 ③ 08 ② 09 ③
10 ③ 11 ① 12 ④ 13 ④ 14 ② 15 ③ 16 ⑤ 17 ②

## 14
» pp. 48~49

01 ① 02 ⑤ 03 ② 04 ③ 05 ⑤ 06 ③ 07 ⑤ 08 ③ 09 ④
10 ③ 11 ⑤ 12 ④ 13 ① 14 ② 15 ④ 16 ② 17 ③

## 15
» pp. 50~51

01 ③ 02 ③ 03 ① 04 ⑤ 05 ⑤ 06 ③ 07 ④ 08 ⑤ 09 ③
10 ④ 11 ④ 12 ② 13 ④ 14 ② 15 ④ 16 ③ 17 ⑤

## 16
» pp. 52~53

01 ⑤ 02 ⑤ 03 ① 04 ③ 05 ④ 06 ⑤ 07 ③ 08 ④ 09 ⑤
10 ③ 11 ③ 12 ⑤ 13 ③ 14 ④ 15 ④ 16 ② 17 ③

## 17
» pp. 54~55

01 ⑤ 02 ③ 03 ③ 04 ③ 05 ④ 06 ③ 07 ③ 08 ② 09 ②
10 ⑤ 11 ② 12 ③ 13 ⑤ 14 ④ 15 ② 16 ③ 17 ②

## 18
» pp. 56~57

01 ④ 02 ② 03 ① 04 ④ 05 ⑤ 06 ③ 07 ④ 08 ④ 09 ⑤
10 ⑤ 11 ② 12 ② 13 ⑤ 14 ③ 15 ③ 16 ② 17 ⑤

## 19
» pp. 58~59

01 ② 02 ⑤ 03 ⑤ 04 ③ 05 ④ 06 ① 07 ② 08 ⑤ 09 ③
10 ④ 11 ④ 12 ④ 13 ② 14 ⑤ 15 ① 16 ③ 17 ②

## 20
» pp. 60~61

01 ④ 02 ③ 03 ⑤ 04 ③ 05 ④ 06 ② 07 ② 08 ② 09 ③
10 ③ 11 ③ 12 ② 13 ④ 14 ① 15 ④ 16 ① 17 ①

# 01 영어 듣기 모의고사

정답 및 해설

» pp. 22~23

| | | | | | |
|---|---|---|---|---|---|
| 01 ④ | 02 ③ | 03 ④ | 04 ④ | 05 ③ | 06 ⑤ |
| 07 ④ | 08 ⑤ | 09 ④ | 10 ④ | 11 ⑤ | 12 ② |
| 13 ⑤ | 14 ③ | 15 ④ | 16 ② | 17 ① | |

## 01 ④

남: 안녕하세요, 학생 여러분! 저는 교감인 Stevens입니다. 아시다시피, 12월 16일, 일요일에 연례 크리스마스 바자회를 개최할 예정입니다. 이 바자회는 20년 간 열려왔고, 우리 학교에서 가장 인기 있는 행사 중 하나입니다. 성공적인 개최를 위해 여러분의 지원이 필요합니다. 여러분이 도울 수 있는 방법은 다음과 같습니다. 첫 번째로, 우리는 기부 물품을 기대하고 있습니다. 중고 의류, 책, 그리고 장난감을 기부해 주십시오. 이것들이 학교를 위한 기금을 마련하는 데 도움이 될 것입니다. 두 번째로, 토요일에 (바자회를) 준비하거나 일요일에 정리를 돕는 자원봉사자가 필요합니다. 관심이 있으면, 온라인상에서 신청해 주세요. 도와주시면 대단히 고맙겠습니다. 감사합니다.

**문제 해결**

남자는 연례 크리스마스 바자회의 성공적인 개최를 위해 기부 물품 지원과 바자회 준비·정리를 돕는 자원봉사자가 필요하다며 행사 진행을 위한 도움을 요청하고 있다.

**어휘·표현**

bazaar 바자회 success 성공 support 지지, 지원 donation 기부, 기증품 donate 기부하다 second-hand 중고의 raise 모으다 volunteer 자원봉사자 set up 세우다, 마련하다 sign up 신청하다, 가입하다

## 02 ③

여: Lucas, 오랜만이야. 너 많이 탔다.
남: 안녕, Jean. 난 방과 후에 농구를 자주 해. 그래서 얼굴이 탔어.
여: 농구를 할 때 선크림을 바르니?
남: 아니. 난 얼굴에 아무것도 안 발라. 귀찮거든.
여: 아, 안돼! 선크림이 너를 화상과 피부암으로부터 지켜주기 때문에 넌 그걸 매일 발라야 해.
남: 끔찍하긴 한데 비타민 D를 얻기 위해서 햇빛이 필요하잖아.
여: 선크림을 매일 바르는 사람도 여전히 비타민 D 수치를 유지할 수 있어. 많은 연구들이 이걸 증명했고.
남: 알겠어. 내가 선크림을 발라야 하는 또 다른 이유가 있니?
여: 물론이지. 선크림을 바르면 주름이 느는 것을 지연시킬 수 있어.
남: 그건 몰랐네. 집에 가는 길에 선크림을 사야겠다.

**문제 해결**

여자는 화상, 피부암, 그리고 주름 방지 등 피부 보호를 위해 항상 선크림을 발라야 한다고 말하고 있다.

**어휘·표현**

Long time no see. 오랜만이야. tanned 햇볕에 탄 sunscreen 자외선 차단제, 선크림 sunburn 화상 maintain 유지하다 prove 증명하다 development 발달, 성장 wrinkle 주름

## 03 ④

*[전화벨이 울린다.]*
남: 여보세요?
여: 안녕하세요. 저는 Judy Miller예요. 저는 열렬한 팬이고, 당신의 감미로운 목소리를 사랑한답니다!
남: 감사합니다. 오늘 감사를 전할 분이 있으신가요?
여: 제 친구 Linda요. 지난 6월에 교통 사고를 당했는데, 그녀가 병원에서 6개월간 저를 돌봐주었어요.
남: 심하게 다쳤나요?
여: 다리가 부러졌어요! 그녀 덕분에 완쾌되었지요.
남: 잘됐네요. 지금 그녀에게 감사를 전할 시간을 드릴게요.
여: Linda, 너 같은 좋은 친구를 두다니 난 축복받은 거 같아. 사랑해!
남: 우정이 변치 않기를 바랍니다! 당신과 Linda를 위해서 광고 후에 '내 친구'라는 노래를 틀어드릴게요. 전화 주셔서 감사합니다.

**문제 해결**

전화를 건 여자에게 감사할 사람이 있는지 묻고 친구에게 감사를 표할 시간을 준 후, 광고 뒤에 노래를 틀어 준다고 하는 것으로 보아 두 사람은 방송 중인 라디오 DJ와 청취자의 관계이다.

**어휘·표현**

be involved in ~에 개입[연루]되다 recover 회복하다 blessed 축복받은 break 광고

## 04 ④

여: Jay, 이거 널 위한 크리스마스 카드야. 맨 위의 'Merry Christmas!' 옆에 네 이름을 넣었어.
남: 와. 네가 직접 만든 거야?
여: 응. 너 커다란 선물 상자 위에 서 있는 펭귄들이 보이니?
남: 그럼. 내가 펭귄을 좋아해서 그것들을 그린 것 같은데.
여: 맞아. 이 카드에 너도 그렸어.
남: 정말? 카드 왼쪽에 있는 산타클로스인 것 같은데? 나처럼 안경을 쓰고 있잖아.
여: 맞아! 산타 모자와 목도리를 두르고 있는 눈사람이 나야. 예쁘지 않니?
남: 하하, 그래. 펭귄들 뒤에 있는 크리스마스 트리도 마음에 들어. 꼭대기에 큰 별이 있네.
여: 네가 내 카드를 좋아해서 아주 기뻐.

**문제 해결**

눈사람이 산타 모자와 목도리를 두르고 있다고 했으므로, ④ 사슴 뿔 모양의 머리띠를 한 눈사람이 대화의 내용과 일치하지 않는다.

**어휘·표현**

guess 추측하다 correct 맞는, 정확한

## 05 ③

여: Kevin, 안 좋아 보여. 무슨 일이니?
남: 엄마, 온 몸이 아픈 걸 보니 감기에 걸린 것 같아요. 움직이기가 어려워요.
여: 오 이런! 내가 감기약을 가져올게.
남: 감사하지만, 이미 먹었어요. 대신, 제 휴대폰 좀 갖다 주시겠어요?
여: 그래. 누구에게 전화하려고? 오늘은 토요일이라 선생님께 전화드릴 필요가 없단다.
남: 알아요. Garry에게 전화해서 그 애에게 오늘 함께 배드민턴을 칠 수 없다고 말하려고요. 학교 체육관에서 오전 10시에 만나기로 했거든요.
여: 알았다. 그 애에게 전화를 하고 나서 병원에 가지 그러니?
남: 아니에요, 조금 쉬면 나아질 거예요.

**문제 해결**

남자는 친구에게 전화를 걸어 배드민턴을 같이 치기로 한 약속을 취소하려고 한다.

**어휘·표현**

have a cold 감기에 걸리다 ache 아프다 medicine 약
be supposed to ~하기로 되어 있다 rest 휴식

## 06 ⑤

남: 안녕하세요. 찾으시는 게 있나요?
여: 네, 제 딸이 쓸 샴푸를 찾고 있어요. 순한 거면 좋겠어요.
남: 이건 어떠세요? 모두 자연 성분이고 달콤한 냄새가 납니다.
여: 좋네요. 얼마인가요?
남: 정가는 40달러지만, 오늘 25% 할인을 받을 수 있으세요. 이 선반의 모든 제품이 25% 할인됩니다.
여: 좋아요. 그러면 이 헤어 컨디셔너도 살게요.
남: 잘 고르셨어요. 할인된 가격이 60달러입니다.
여: 아주 좋아요. 이 10% 할인 쿠폰도 사용할 수 있나요?
남: 죄송하지만, 할인 품목에는 쓰실 수 없습니다.
여: 네. 여기 제 신용카드요.

**문제 해결**

여자는 정가가 40달러이지만, 25% 할인이 되는 샴푸($40-$10=$30)와 할인된 가격이 60달러인 헤어 컨디셔너를 구입할 것이므로, 총 90달러를 지불할 것이다.

**어휘·표현**

mild 순한 ingredient 재료, 성분 regular price 정가 item 품목, 물품 discounted 할인된

## 07 ④

*[휴대전화벨이 울린다.]*
남: 안녕, Jessy.
여: 안녕, Chris. 어젯밤 음악회는 어땠어?
남: 굉장했어. 가족들과 좋은 시간을 보냈어.
여: 잘됐네. 그런데, 이번 금요일에 나와 예술의 전당에 갈 수 있는지 알아보려고 전화했어. 반 고흐 전시회가 지금 거기서 열리고 있거든.
남: 그의 그림을 정말 좋아하지만 갈 수가 없어.
여: 아, 네가 이번 주에 취업 면접이 있다고 말했었지, 그렇지 않니?
남: 응, 근데 그건 이번 주 목요일이야. 사실은, Karen과 첫 데이트가 있어.
여: 뭐라고? 축하해!
남: 다음에 전시회에 가도 될까? 너에게 저녁을 살게.
여: 좋아! 데이트 즐겁게 해.

**문제 해결**

남자는 데이트가 있어서 금요일에 전시회에 갈 수 없다고 했다.

**어휘·표현**

anyway 어쨌든, 그런데 exhibition 전시회

## 08 ⑤

남: Katie, 이 안내 책자 좀 봐. 개인 태국 요리 강습인 'Rosy와 함께 요리하기'에 대한 거야.
여: 와. 나 태국 음식 요리하는 데 관심 있어.
남: 수업은 Elinton 지하철역 근처 그녀의 집에서 이루어진다고 해.
여: 좋네. 화요일 수업이 오후 7시에 시작해. 우리 퇴근 후에 시간 맞춰 갈 수 있을 것 같아.
남: 나도 그렇게 생각해. 이거 봤니? 우리가 요리하길 원하는 메뉴를 선택할 수도 있어.
여: 정말 좋다. 요리를 하고 나서 함께 식사도 즐길 수 있어. 정말 재미있을 거야.
남: 비용이 얼마야?
여: 한 번의 강습에 30달러라고 되어 있어. 거기에 재료가 모두 포함돼.
남: 적당하네. 강습을 듣자!
여: 그래.

**문제 해결**

만드는 요리(태국 음식), 강습 장소(Elinton 지하철역 근처 Rosy의 집), 강습 시간(화요일 오후 7시), 1회 강습료(30달러)에 대해서는 언급했지만, ⑤ 준비물에 대해서는 언급하지 않았다.

**어휘·표현**

take a look at ~을 한번 보다 brochure (안내·광고용) 책자
private (교습이) 개인적인 dish 요리 make it 시간에 맞춰 가다
reasonable (가격이) 적당한

## 09 ④

여: 안녕하세요, 학생 여러분. 저는 동물 돌봄 동아리의 회장인 Jessica Kaplan입니다. 여러분이 동물을 사랑하고, 동물을 돌보는 데 관심이 있으시다면 저희 동아리에 가입하길 권해 드립니다. 저희는 매주 수요일 오후 1시에서 2시에 만납니다. 토끼, 햄스터, 새, 물고기 등등의 다양한 애완동물을 돌보고 다루는 방법에 대해 배웁니다. 이것은 또한 동물 학대를 방지하는 법과 같은 동물 권리 문제에 대해 배울 수 있는 좋은 기회입니다. 1학년과 2학

년 누구나 회원이 될 수 있습니다. 부모님이 허락하시면 방학 동안 동물들을 집으로 데려갈 수 있습니다. 저희는 과학 실험실에서 이번 주 수요일인 6월 9일에 모입니다. 관심이 있으시면 오셔서 동아리를 방문하세요. 새로운 회원을 언제든 환영합니다.

**문제 해결**

방학 때 부모님의 허락 하에 동물들을 집에 데려갈 수 있다고 했으므로, 회장의 허락이 있으면 동물을 집에 데려갈 수 있다고 한 ④는 내용과 일치하지 않는다.

**어휘·표현**

handle 다루다 opportunity 기회 right 권리
animal cruelty 동물 학대 parental 부모의 permission 허락

---

## 10 ④

남: 여보, 당신 아직도 쇼핑 사이트를 보고 있어요?
여: 네. 여기에 프라이팬 종류가 너무 많아서요.
남: 그럼 하나 고르는 걸 도와줄게요. 당신은 스테인리스 프라이팬을 선호하나요, 아니면 알루미늄 프라이팬을 선호하나요?
여: 프라이팬은 가벼워야 한다고 생각하니 알루미늄 프라이팬이 더 나아요.
남: 나도 동의해요. 그리고 알다시피, 코팅의 종류가 중요해요.
여: 테플론 코팅은 아는데, 세라믹 코팅은 뭐죠?
남: 그것들은 매우 유사한데, 세라믹 코팅이 더 환경친화적인 방법으로 만들어져요.
여: 그렇다면, 세라믹 코팅으로 된 걸 고를래요.
남: 좋아요. 사이즈는요?
여: 11인치 이상이 되어야 해요. 예전 8인치 프라이팬은 너무 작았어요.
남: 맞아요. 그럼 이것으로 주문해요!

**문제 해결**

두 사람은 알루미늄 재질의, 세라믹 코팅이 된, 11인치 이상의 프라이팬을 사려고 하므로, 두 사람이 주문할 프라이팬은 ④이다.

**어휘·표현**

coating 칠, 도금 ceramic 도기의, 세라믹의
environmentally friendly 환경친화적인

---

## 11 ⑤

여: Ethan, 너 그 녹색 모자가 잘 어울려.
남: 고마워. 새로 생긴 모자 가게에서 샀어. 그 가게에 모자 종류가 많아.
여: 나도 거기 가고 싶어. 어디에 위치해 있니?
남: Johnson 동물 병원 옆이야.

**문제 해결**

여자가 모자 가게의 위치를 물었으므로, Johnson 동물 병원 옆이라고 알려주는 ⑤가 남자의 응답으로 가장 적절하다.

① 응. 써볼 수 있어.
② 네 왼편에 있는 선반에 있어.
③ 이 모자가 조금 끼는 것 같아.
④ 그 가게는 3년 전에 문을 열었어.

**어휘·표현**

be located ~에 위치해 있다 try on 입어[신어] 보다 tight 꽉 끼는

---

## 12 ②

남: 빈 택시는 다 어디 있는 거야? 우리 택시를 15분 동안 기다리고 있잖아.
여: 러시아워라 그래.
남: 대신 지하철을 타고 싶니? 역이 여기서 가까워.
여: 응. 그렇게 하지 않으면, 우린 늦을 거야.

**문제 해결**

남자가 지하철을 타고 싶은지 물었으므로, 그렇게 하자면서 안 그러면 늦을 거라고 말하는 ②가 여자의 응답으로 가장 적절하다.

① 응, 택시를 타는 게 나아.
③ 아니, 나는 거기에 버스를 타고 가고 싶지 않아.
④ 그 지하철은 이 역에 서지 않아.
⑤ 아니. 하루 중 이 시간에 택시가 많아.

**어휘·표현**

empty 텅 빈 rush hour (출퇴근) 혼잡 시간대, 러시아워

---

## 13 ⑤

여: Brain, 너 뭐하니?
남: 엄마, 외출 준비를 하고 있어요.
여: 아직도? 옷 입는 데 너무 오래 걸리네.
남: Alice의 생일 파티에 가는데 뭘 입을지 결정을 못하겠어요.
여: 오늘 외모에 정말 신경을 쓰는구나. Sofia가 파티에 오니?
남: 하하, 어떻게 아셨어요? 멋져 보이고 싶어요. 저 어때 보여요?
여: 줄무늬 셔츠가 네게 잘 어울리는데, 블랙 진이 너무 꽉 끼네.
남: 그럼 대신 청바지를 입을게요.
여: 좋아. 밖이 선선해서 재킷도 입어야 한단다.
남: 음… 여기 제 재킷들이에요. 절 위해 하나를 골라 주실래요?
여: 그럴게. 그 가죽 재킷이 멋진 것 같아.

**문제 해결**

남자가 여자에게 재킷을 골라달라고 했으므로, 알았다면서 가죽 재킷이 멋지다고 하는 ⑤가 가장 적절하다.

① 그래. 이 파란색 셔츠는 어떠니?
② 어서 해. 네가 좋아하는 걸 골라.
③ 그래. 넌 새 재킷을 사야 해.
④ 미안하지만, 너에게 정말 안 어울려.

**어휘·표현**

care about ~에 마음을 쓰다 striped 줄무늬의 tight 꽉 끼는
pick out 고르다 leather 가죽

---

## 14 ③

남: Emma, 너 우울해 보여. 무슨 일이야?
여: 기말고사를 별로 잘 치지 못했어. 좋은 성적을 어떻게 받는지 모르겠어.
남: 너는 방과 후에 그날 배운 걸 복습하니?
여: 잘 그러지 않아.
남: 매일 복습하는 게 중요해. 이 습관이 정보를 저장하는 네 능력을 향상시켜.
여: 이게 우수한 성적을 받는 네 비법이야?
남: 그것들 중 하나일 뿐이야. 필기를 잘하는 것도 중요해.
여: 그래? 수업에 더 집중해서 필기를 잘해야 할 것 같네.
남: 좋아. 마지막으로, 뭔가에 의문이 나면, 도움을 청해.
여: 난 수줍어서 선생님들께 질문하는 게 어려워.
남: 그러면 나 같은 학급 친구들에게 도움을 받아.

**문제 해결**

남자가 뭔가에 의문이 있을 때 다른 사람의 도움을 청하라고 하자, 여자가 수줍어서 선생님들께 질문을 하는 게 어렵다고 했다. 따라서, 선생님 대신 자신과 같은 학급 친구들에게 도움을 받으라고 말하는 ③이 가장 적절하다.

① 내게 편하게 네 성적을 말해봐.
② 우리 수학 선생님이 최고라고 생각해.
④ 걱정 마. 내 공책을 빌려줄게.
⑤ 나도 수업 참여가 어려웠어.

**어휘·표현**

depressed 우울한 do well on ~을 잘하다 review 복습하다 ability 능력 retain 보유하다 information 정보 take notes 필기하다 focus on ~에 집중하다 participation 참여

---

## 15 ④

남: Jake는 학교 댄스 동아리의 일원이다. 그 동아리 회원들은 이주 후에 공연을 올릴 예정이다. 5개의 댄스 (무대)를 선보이는데, Jake는 그 중 두 개의 댄스 (무대)에서 공연할 것이다. 방과 후에 그는 회원들과 함께 연습을 한다. 이번이 그가 처음으로 무대에 서는 것이다. 그는 춤을 잘 추고 싶지만 그의 몸이 마음대로 움직이지 않는다. 지금, 그는 스트레스를 많이 받고 있고 자신감이 전혀 없다. 동아리에서 가장 춤을 잘 추는 Daniel이 Jake가 좌절감을 많이 느끼고 있다는 것을 눈치채고 그를 돕길 원한다. 그는 일대일 레슨이 그에게 도움이 많이 될 거라고 생각한다. 이 상황에서, Daniel이 Jake에게 뭐라고 말하겠는가?

**문제 해결**

Daniel이 춤이 잘 춰지지 않아서 힘들어 하는 Jake에게 일대일 레슨이 도움이 될 거라고 생각하는 상황이므로, ④ '내가 네 춤 실력을 향상시키는 걸 도와줄 수 있을것 같다.'가 Jake에게 할 말로 가장 적절하다.

① 너는 춤에 재능이 있는 것 같지 않아.
② 너는 모든 춤 동작을 기억해야 해.
③ 난 공연을 준비하는 데 문제가 있어.
⑤ 실망하지 마. 넌 다음에 더 잘할 거야.

**어휘·표현**

put on 상연하다 performance 공연 confidence 자신감 notice 눈치채다 frustrated 좌절한 have trouble v-ing ~하는 데 문제가 있다 disappointed 실망한

---

## 16-17

여: 안녕하세요, 청취자 여러분. 'Ellen Lewis 박사에게 물어보세요'에 오신 걸 환영합니다. 오늘, 저희는 인후염에 대해서 이야기할 겁니다. 인후염은 감기, 독감, 또는 알레르기의 징후일 수 있습니다. 이유가 무엇이든, 매우 짜증스럽고 고통스러울 수 있습니다. 다양한 인후염 치료약을 집에서 만들거나 쉽게 찾을 수 있습니다. 첫 번째로, 꿀을 혼합한 뜨거운 물이나 차를 마시세요. 꿀은 인후염을 진정시키는 데 도움이 됩니다. 많은 연구들에서 꿀이 또한 인후염의 원인이 되는 기침을 완화시킨다는 것을 밝혀냈습니다. 두 번째로, 뜨거운 치킨 수프가 고통을 경감시킬 수 있습니다. 거기에는 심지어 감기 증상의 감소를 도울 수 있는 성분이 함유되어 있습니다. 세 번째로, 아이스크림이나 얼린 요구르트와 같은 냉동식품을 드세요. 차가운 온도가 인후염의 고통을 빨리 더는 데 도움이 됩니다. 다음에 여러분의 목이 따끔거릴 때, 이 조언들을 명심하시고 건강하십시오.

**어휘·표현**

sore throat 인후염 flu 독감 annoying 짜증스러운 painful 고통스러운 remedy 치료(약) soothe 진정시키다 contain 함유하다 ingredient 성분 symptom 증상 reduce 줄이다 scratchy 따끔따끔한 keep ~ in mind ~을 명심하다

---

## 16 ②

**문제 해결**

여자는 인후염을 집에서 쉽게 치료하는 방법으로 꿀을 혼합한 음료 마시기, 뜨거운 치킨 수프와 냉동 식품 먹기에 대해 이야기하고 있다.

① 꿀의 건강상의 이점
② 인후염을 치료하는 방법
③ 추운 계절을 위한 최고의 요리법
④ 인후염의 흔한 원인
⑤ 기침을 위한 다양한 민간요법

---

## 17 ①

**문제 해결**

인후염에 도움을 주는 음식으로 꿀, 치킨 수프, 얼린 요구르트, 아이스크림에 대해 언급했지만, ① 생강에 대해서는 언급하지 않았다.

① 생강 ② 꿀 ③ 치킨 수프
④ 얼린 요구르트 ⑤ 아이스크림

# 02 영어 듣기 모의고사

정답 및 해설

» pp. 24~25

| | | | | | |
|---|---|---|---|---|---|
| 01 ③ | 02 ④ | 03 ③ | 04 ⑤ | 05 ④ | 06 ③ |
| 07 ⑤ | 08 ③ | 09 ⑤ | 10 ⑤ | 11 ② | 12 ⑤ |
| 13 ② | 14 ⑤ | 15 ③ | 16 ② | 17 ③ | |

## 01 ③

여: 안녕하세요, 'Alice와 함께하는 여행' 청취자 여러분! 저는 Alice Miller입니다. 계절이 봄에서 여름으로 바뀌고 있는데, 지금이 딸기 수확을 하러 갈 최적기입니다. 오늘, 저는 Kenny's Strawberry Farm을 소개해드리겠습니다. 그곳은 캘리포니아 주, 레인보우에 위치해 있습니다. Kenny's Strawberry Farm에서, 여러분은 밭에서 바로 딸기를 따서 맛보실 수 있습니다. 세상에서 가장 달고, 가장 신선한 딸기를 드실 겁니다. 또한 딸기 만들기 옵션을 선택하시면, 직접 딸기잼을 만들어서 그것을 집에 가져갈 수 있습니다. 딸기 수확은 가족, 커플, 그리고 친구들을 위해 완벽한 활동입니다. 방문하는 데 관심이 있으시면, 715-343-9120으로 전화하셔서 더 많은 정보를 얻으십시오.

**문제 해결**

여자는 Kenny's Strawberry Farm의 위치, 체험 활동 내용, 전화 번호 등을 알려주면서 딸기 농장 체험을 소개하고 있다.

**어휘·표현**

option 선택 사항 activity 활동 information 정보

## 02 ④

여: Steve, 너 오늘 피곤해 보여. 무슨 일 있어?

남: 최근에 잠을 잘 못 자. 왜 그런지 모르겠어.

여: 너 직장에서 스트레스를 많이 받니? 아니면 매일 커피를 많이 마시니?

남: 난 요즘 스트레스를 받지 않는 데다, 하루에 커피를 두 잔만 마셔.

여: 음… 그러면 저녁에 커피를 마시는지 궁금해.

남: 저녁 식사 후에 커피 마시는 걸 즐겨. 알다시피, 커피를 마시면 건강상 좋은 점들이 있잖아.

여: 맞지만, 취침 6시간 전에 섭취하는 카페인도 수면에 영향을 준다는 것이 증명되었어.

남: 정말? 그건 몰랐네.

여: 그래서 저녁에 커피 마시는 것을 피해야 해.

남: 알려줘서 고마워.

**문제 해결**

여자는 저녁에 섭취하는 카페인이 수면을 방해한다며, 저녁에 커피를 마시지 말라고 남자에게 말하고 있다.

**어휘·표현**

recently 최근에 stressed 스트레스를 받는 nowadays 요즘

benefit 이점 prove 증명하다 affect 영향을 미치다 avoid 피하다

## 03 ③

여: 안녕하세요. 지금 말씀드릴 게 있어요.

남: Megan, 뭔데? 오늘 얼굴이 안 좋아 보이네.

여: 제 오른쪽 발목이 아파서 당분간 테니스 연습을 못할 것 같아요.

남: 뭐라고? 언제 다쳤니?

여: 어제 아침에요. 병원에 가서 엑스레이를 찍었어요.

남: 부러진 게 아니면 좋겠구나. 이번 9월에 중요한 경기가 있잖아.

여: 아니에요, 그냥 발목을 삐었어요. 의사가 일주일 후에는 좋아질 거라고 했어요.

남: 정말 안심이다! 넌 우리 테니스 팀 최고의 선수이고, 서브만 조금 더 연습하면 그 시합에서 우승할 거야.

여: 알아요. 다음 주부터 아주 열심히 연습할게요.

**문제 해결**

여자가 발목 부상으로 테니스 연습을 당분간 할 수 없다고 남자에게 말하고, 남자가 9월에 있을 여자의 경기에 대해 이야기하는 것으로 보아 두 사람은 코치와 운동선수의 관계이다.

**어휘·표현**

ankle 발목 for some time 당분간 sprain 삐다, 접지르다

## 04 ⑤

남: Mia, 우리 집에 온 걸 환영해요!

여: 저녁 식사에 초대해 주셔서 감사합니다. 와, 아름다운 정원을 가지고 계시네요. 작은 연못까지!

남: 고마워요. 연못 왼쪽에 있는 사과 나무가 보이나요?

여: 네. 그게 선생님에게 특별한 의미가 있는 건가요?

남: 네, 우리 아들이 태어났을 때 그걸 심었어요. 약 15년 전이네요.

여: 시간이 빨리 가죠. 좋은 아빠신 거 같아요.

남: 하하, 노력하고 있어요. 연못 뒤에 있는 벤치에 앉아서 아들과 이야기를 많이 한답니다.

여: 정말 자상하세요! 선생님께서 나무 주변의 꽃들을 심으신 건가요? 아름답네요.

남: 아뇨, 집사람이 했어요. 그녀는 벤치의 양 옆에도 장미를 심으려고 계획 중이랍니다.

여: 그러면 정원이 훨씬 더 아름다워지겠네요.

**문제 해결**

남자의 아내가 벤치의 양 옆에 장미를 심으려고 계획 중이라고 했으므로, 그림에 있는 장미가 대화의 내용과 일치하지 않는다.

**어휘·표현**

invite 초대하다 pond 연못 plant 심다

## 05 ④

남: Sally, Sandra 송별회 준비는 어떻게 되어가니?

여: 잘 되고 있어. 여기에 파티를 위한 과자, 음료, 접시, 컵, 그리고 포크가 있어.

남: 와, 벌써 테이블 세팅을 했네. 그녀를 위한 꽃다발은 여기 있어.
여: 정말 아름다워. 그녀가 좋아할 거야. 케이크도 가져 왔니?
남: 물론이지. 새로운 프랑스 제과점에서 초콜릿 케이크를 샀어.
여: 잘했어. 그녀가 제일 좋아하는 거잖아. 우리가 또 무엇을 준비해야 하지?
남: 의자가 더 필요한 거 같아. Joe와 Anna도 파티에 올 거야.
여: 그래? 내가 의자를 준비할게. Sandra가 언제 도착할지 아니?
남: 아니, 내가 지금 그녀에게 전화해 볼게.

문제 해결

여자가 의자를 준비하고, 남자는 Sandra에게 전화를 하겠다고 했다.

어휘·표현

farewell party 송별회 beverage 음료 plate 접시 set the table 상을 차리다 prepare 준비하다

## 06 ③

남: Denver 미술관에 오신 걸 환영합니다. 무엇을 도와드릴까요?
여: 안녕하세요. 피카소 전시를 보고 싶어요. 입장권이 얼마인가요?
남: 어른은 30달러이고 어린이는 20달러입니다.
여: 어른 한 명, 어린이 3명이요. 아, 음성 가이드 서비스가 제공되나요?
남: 네. 인당 5달러입니다.
여: 네. 우리 네 명 모두 그 서비스를 이용하고 싶어요.
남: 아이가 3명이셔서, 전체 가격에서 10% 할인을 받으실 수 있어요.
여: 아주 좋네요. 신용카드 여기 있습니다.
남: 여기 표 받으세요. 저쪽에서 오디오 세트를 받으실 수 있습니다.
여: 정말 감사합니다.

문제 해결

여자는 30달러인 어른 표 한 장과 20달러인 어린이 표 세 장에, 5달러인 음성 가이드 서비스를 네 사람 모두 받으려고 하는데($30x1+$20x3+$5x4=$110), 총액에서 10% 할인을 받을 수 있으므로($110-$11), 여자가 지불할 금액은 99달러이나.

어휘·표현

admission ticket 입장권 audio guide 음성 가이드

## 07 ⑤

남: 겨울 방학이 드디어 시작되었어! 너 방학 계획이 있니?
여: 친구들과 겨울 스키 캠프에 참가하려고 생각 중이야.
남: 너 스키 잘 타니?
여: 아니, 이번이 내가 처음 스키 타러 가는 거야. 너는 어때?
남: 나도 스키 타러 가본 적이 없어. 캠프가 언제 시작해?
여: 다음 주 수요일. 너도 우리와 같이 갈래? 원하면, 스노보드 타는 법도 배울 수 있어.
남: 가고 싶은데, 내 사촌들과 방학을 함께 보내기로 약속했어. 그들은 런던에 살거든.
여: 방학에 런던에 간다는 말이니?
남: 아니, 그들이 여기 올 거야. 밴쿠버 구경을 시켜주기로 했어.

문제 해결

남자는 런던에 사는 사촌들이 오기로 해서 스키 캠프에 참여할 수 없다.

어휘·표현

take part in ~에 참여하다 be supposed to ~하기로 되어 있다

## 08 ③

여: 저기, Joe. 너 이번 토요일에 시간 있니?
남: 아직 아무 계획이 없어. 왜 묻는데?
여: 학교 강당에서 오후 1시부터 7시까지 한국 문화의 날 행사가 열릴 거야.
남: 한국 문화의 날? 무슨 행사인데?
여: 한국 문화를 학생들에게 소개하기 위한 거야. K-pop 공연을 즐기고, 한국 드라마를 보고, 전통 놀이를 즐기고, 전통 의상을 입어볼 수 있어.
남: 재미있겠다. 누가 행사를 주최하는 거야?
여: 한국 문화 동아리. 나도 회원이야.
남: 거기서 한국 음식도 먹어볼 수 있는지 궁금해. 그것들을 너무 좋아하거든.
여: 물론이지. 김밥과 잡채 같은 한국 음식을 만들고 먹을 수 있는 기회가 있어.
남: 굉장해! 난 꼭 거기에 갈 거야.

문제 해결

행사 장소(학교 강당), 행사 시간(오후 1시에서 7시), 주최 단체(한국 문화 동아리), 행사 내용(K-pop 공연, 한국 드라마 감상, 전통 놀이 및 전통 의상 체험, 한국 음식 시식)에 대해서는 언급했으나, 참가비에 대해서는 언급하지 않았다.

어휘·표현

culture 문화 school auditorium 학교 강당 traditional 전통적인 host (행사를) 주최하다 opportunity 기회 definitely 분명히

## 09 ⑤

남: 몬태나 대학의 여름 음악 캠프에 참여하세요! 이것은 최소 1년 동안 악기 공부를 한 고등학생들을 위해 1주일간 열리는 캠프입니다. 이 프로그램은 학생들에게 완전한 밴드 경험을 하게 하고, 다른 재능 있는 학생들과 연주할 기회를 주기 위해 고안되었습니다. 그들은 또한 음악 이론을 배우고, 상급 수업을 들으며, 경험 많은 선생님들과 공부를 할 겁니다. 캠프는 대학 강당에서 웅장한 콘서트를 열면서 끝을 맺습니다. 캠프 참가자들은 오디션에 따라 두 개의 밴드 중 하나에 배치될 것입니다. 오디션은 7월 10일, 토요일에 개최됩니다. 총 캠프 비용은 500달러입니다. 한 시간 수업 당 30달러의 금액으로 모든 악기의 개인 레슨이 가능합니다. 저희는 이번 여름에 여러분을 만나기를 고대합니다!

문제 해결

한 시간 수업 당 30달러를 추가로 지불하면 개인 레슨이 가능하다고 했으므로, ⑤가 음악 캠프에 관한 내용과 일치하지 않는다.

어휘·표현

weeklong 한 주에 걸친 instrument 악기 at least 최소한 theory 이론 attend 참석하다 place 배치하다 based on ~에 근거하여 available 이용할 수 있는

## 10 ⑤

남: 여보, 다음 주 금요일이 우리 결혼기념일이에요. 당신에게 뭔가 사주고 싶네요.
여: 오, 정말이요? 인터넷 쇼핑 사이트에서 다운코트를 사려고 생각하고 있었어요.
남: 그럼 지금 거기서 한 벌 사죠.
여: 좋아요! *[타자 소리]* 이게 그 사이트예요. 지난번에 이 다섯 개의 코트 중에 한 개를 고를 수가 없었어요.
남: 음… 무릎 길이의 코트가 엉덩이 길이의 코트보다 나을 거 같아요. 추울 수 있어서요.
여: 좋은 지적이에요! 또 모자가 달린 것이 더 따뜻할 거예요.
남: 맞아요. 그러면 당신에게 두 개의 선택이 남네요.
여: 네, 이 베이지색 코트가 스타일이 좋은데, 다른 것보다 훨씬 비싸네요.
남: 여보, 가격 걱정은 말아요. 그걸 주문해요.
여: 오, 정말이요? 나중에 후회하지나 말아요.
남: 하하! 후회 안 해요.

문제 해결

여자는 무릎 길이에, 후드가 달린, 가격이 더 비싼 코트를 사려고 한다.

어휘·표현

wedding anniversary 결혼기념일 knee-length 무릎 길이의 hood 모자 option 선택 사항 regret 후회하다

## 11 ②

여: Paul, 봐봐! 나 지난주에 소파를 바꿨어.
남: 와, 이 천 소파는 벽지 색과 잘 어울려.
여: 예전 것보다 이게 더 낫다고 생각하니?
남: 응, 그래. 예전 건 촌스러웠어.

문제 해결

여자가 예전 소파보다 새로 산 소파가 나은지 물었으므로, 그렇다면서 예전 소파는 촌스러웠다고 말하는 ②가 응답으로 가장 적절하다.

① 미안하지만, 나는 저 베이지색 소파가 마음에 들어.
③ 무엇보다, 소파는 편안해야 해.
④ 나는 그게 예전 벽지보다 낫다고 생각해.
⑤ 아니, 너는 가죽 소파를 오랫동안 사용할 수 있어.

어휘·표현

fabric 천, 직물 wallpaper 벽지 out of style 구식인, 유행이 지난 above all 무엇보다 leather 가죽

## 12 ⑤

남: Eloise, 저렴한 가격으로 선풍기를 파는 가게를 아니?
여: 중고 전자제품 매장은 어때? 좋은 데를 아는데.
남: 거기서 구입해본 적이 있어?
여: 물론이지. 내 전자제품 모두 거기서 샀어.

문제 해결

여자가 남자에게 중고 전자제품 매장을 추천해주자, 남자가 거기에서 물건을 구입한 적이 있냐고 물었으므로, ⑤가 여자의 응답으로 가장 적절하다.

① 그건 공립 도서관 옆에 있어.
② 응, 선풍기 두 개를 구입하고 싶어.
③ 물론이지. 싸게 샀다고 생각해.
④ 아니, 하지만 거기에서 최신 모델을 판다고 들었어.

어휘·표현

electronic fan 선풍기 second-hand 중고의 purchase 구입하다

## 13 ②

남: Ellen, 너 어제 Shaker 고등학교와 Albany 고등학교의 야구 경기를 봤니?
여: 아니. 남동생을 돌봐야 했거든.
남: 그 말을 들으니 정말 유감이다. 굉장했거든!
여: 우리가 경기에서 이겼다는 말이니?
남: 당연하지! Shaker 고등학교가 10대 8로 이겼어!
여: 놀라워! Albany 고등학교는 아주 강한 팀이잖아.
남: 당연하지. 야구 관중석에 있는 모든 사람이 Shaker 고등학교가 질 거라고 생각했어. 8회까지 우리가 2점 차로 뒤져 있었거든.
여: 그럼, 어떻게 된 거야? 더 말해줘.
남: 팀의 주장인 Brian이 9회에 경기를 승리로 이끈 홈런을 쳤어.
여: 그 애가 정말 잘 했네. 경기를 봤어야 했는데.
남: 맞아. 그건 내가 지금까지 본 것 중 최고의 경기였어.

문제 해결

여자가 자신의 팀이 역전승을 한 야구 경기를 봤어야 했다고 후회하고 있으므로, ②가 남자의 응답으로 가장 적절하다.

① 네가 그걸 왜 안 봤는지 궁금해.
③ 나는 네가 그 팀에서 가장 좋은 선수라고 생각해.
④ 실망하지 마. 우리는 다음 번에 이길 거야.
⑤ 넌 그랬어야 했어. 우리 팀이 처음부터 경기에서 앞섰어.

어휘·표현

No doubt. 당연하지. stand (경기장의) 관중석 game-winning 경기를 승리로 이끈, 결정적인

## 14 ⑤

*[전화벨이 울린다.]*
여: 여보세요?
남: 안녕, 나 Max야. 내일 클래식 음악회에 갈 수 있니?
여: 아, 가고 싶은데 못 가.
남: 왜 못 가? 너 클래식 음악 좋아하잖아. 내일 계획이 있어?
여: 다음 주에 있을 수학 시험 공부를 해야 할 것 같아.
남: 벌써? 우리 공부할 시간이 많아.
여: 그런데 난 너무 걱정되어서 말이야. 지난 수학 시험을 완전히 망쳤

거든.
남: 정말? 네가 열심히 공부한 거 아는데.
여: 응, 그랬는데 너무 긴장해서 시험에 집중할 수가 없었어.
남: 네가 공부를 열심히 하고 결과에 대해 긍정적으로 생각하면, 이번 시험에서 잘 할 거야.
여: 고마워. 난 그저 다시 같은 일이 반복되지 않았으면 해.

**문제 해결**

지난 수학 시험을 망친 여자에게 남자가 격려와 조언을 해주었으므로, ⑤가 여자의 응답으로 가장 적절하다.
① 그게 내가 시험에서 좋은 성적을 받은 방법이야.
② 내가 충분히 공부를 하지 않아서 낙제했어.
③ 콘서트에 가느니 너와 함께 공부를 하겠어.
④ 알겠어. 수학 문제를 더 빨리 풀도록 노력해 볼게.

**어휘·표현**

plenty of 많은 totally 완전히 mess up 망치다 nervous 긴장한
concentrate on ~에 집중하다 positively 긍정적으로
fail 낙제하다 would rather A than B B하기보다는 차라리 A하겠다
solve 풀다

## 15 ③

여: 점심 식사를 하고 나서, Aiden은 손을 씻기 위해 화장실에 간다. 그는 몇몇 학급 친구들이 양치질을 하고 있는 것을 본다. Aiden은 그들이 물을 틀어 놓은 것을 알아챈다. 일주일 전에, Aiden은 환경에 관한 다큐멘터리를 보고, 양치질을 하는 동안 수도꼭지를 잠그는 것이 매달 200갤론까지의 물을 절약할 수 있다는 것을 알게 되었다. 그는 물을 절약하는 것이 환경을 보호하고 동시에 학교에서 지불할 비용을 절약할 것이라고 생각한다. 이런 이유로, 그는 학급 친구들이 물을 낭비하고 있다는 사실을 알고 그것을 절약하는 방법을 배우길 원한다. 이 상황에서, Aiden은 학급 친구들에게 뭐라고 말하겠는가?

**문제 해결**

Aiden은 물을 틀어 놓고 양치질을 하여 물을 낭비하고 있는 학급 친구들에게 물 절약하는 방법을 알려주고 싶어 하므로, ③ '양치질을 하는 동안 물을 틀어놓지 마.'가 가장 적절하다.
① 그 다큐멘터리에 대해 내게 더 이야기해줘.
② 너희 수질 오염이 큰 문제인 걸 알았니?
④ 물을 절약하기 위해 샤워를 짧게 하는 게 어때?
⑤ 너희는 적어도 2분 이상 양치질을 해야 해.

**어휘·표현**

notice 알아채다 tap 수도꼭지 protect 보호하다 cost 비용
be aware of ~을 알다 water pollution 수질 오염

## 16-17

남: 안녕하세요, 학생 여러분. 우리는 지난 시간에 지진이 무엇이고 왜 발생하는지 배웠습니다. 알다시피, 지진은 예고 없이, 언제나 일어날 수 있습니다. 그래서, 오늘 저는 지진이 발생할 때 어떻게 행동해야 하는지에 대해 이야기하겠습니다. 여러분이 집이나 건물 안 같은 실내에 있다면 진동이 멈출 때까지 안에 있어야 합니다. 납작 엎드리고 책상이나 식탁 아래에 숨으십시오. 가구나 여러분에게 떨어질 수 있는 창문에서 떨어지십시오. 여러분이 경기장이나 극장에 있다면 좌석에서 팔로 머리와 목을 보호하십시오. 여러분이 해변 근처에 있고 강한 진동이 20초 이상 지속된다면 쓰나미가 발생할 수 있으니 즉시 고지대로 가십시오. 이 조언들을 명심하면 지진이 발생하는 경우에 자신을 보호할 수 있을 것입니다.

**어휘·표현**

earthquake 지진 react 행동하다 shaking 진동
take cover 숨다 immediately 즉시 tsunami 쓰나미
generate 발생하다 in the event of ~의 경우에

## 16 ②

**문제 해결**

지진 발생 시 장소에 따른 지진 대처 요령에 대해 말하고 있다.
① 쓰나미의 주요 원인
② 지진에서 살아남는 방법
③ 여러 종류의 지진
④ 재난관리의 필요성
⑤ 비상 상황에서의 신속한 대처

## 17 ③

**문제 해결**

집, 경기장, 극장, 해변 근처는 언급되었지만 엘리베이터에 대한 언급은 없다.

# 03 영어 듣기 모의고사

정답 및 해설

» pp. 26~27

| | | | | | |
|---|---|---|---|---|---|
| 01 ⑤ | 02 ① | 03 ② | 04 ⑤ | 05 ④ | 06 ⑤ |
| 07 ⑤ | 08 ④ | 09 ⑤ | 10 ④ | 11 ⑤ | 12 ⑤ |
| 13 ⑤ | 14 ⑤ | 15 ② | 16 ④ | 17 ③ | |

## 01 ⑤

여: 학생 여러분, 안녕하세요. 저는 교장입니다. 학교 교복에 대한 안내 사항이 있습니다. 일기 예보에 따르면, 올해 여름은 매우 무덥고 습할 거라고 합니다. 알다시피, 우리 학교의 여름 교복은 셔츠와 바지로 되어 있죠. 많은 학생들과 부모님들은 그 옷들이 여름에 입기엔 너무 덥다고 불만을 표현하곤 하셨고요. 그래서 우리는 이번 여름부터 티셔츠와 반바지로 이루어진 교복을 도입하려고 합니다. 학생회실 앞에 2가지 교복을 전시해둘 겁니다. 더 좋아 보이는 것을 골라서 온라인으로 투표해 주세요. 투표 결과는 이번

주 목요일에 발표될 것이고, 학생들은 다음 주부터 그 교복을 입을 수 있을 것입니다. 감사합니다.

문제 해결

여자는 이번 여름부터 새로운 여름 교복을 도입한다는 것과 더 좋아 보이는 교복 디자인에 투표해달라는 안내를 하고 있다.

어휘·표현

announcement 안내 사항 humid 습한 consist of ~로 구성되다 display 전시하다, 진열하다

## 02 ①

남: 안녕, Laura. 뭐하고 있니?
여: 부모님을 위한 노트북 컴퓨터를 찾고 있어.
남: 노트북 컴퓨터? 마음에 두고 있는 거라도 있니?
여: 응. *[잠시 후]* 여기 있어.
남: 2천 달러가 조금 넘고 기능이 많구나. 부모님이 대개 컴퓨터로 무엇을 하시니?
여: 아주 기본적인 것들이야. 인터넷 서핑을 하시고 영화를 보셔. 하지만 게임을 하시지 않아.
남: 게임을 안 하신다고? 그렇다면 최신 기능이 탑재된 고급 사양의 노트북 컴퓨터가 필요하시진 않을 것 같은데.
여: 왜 아니야? 기능이 많으면 더 편리하지 않겠어?
남: 인터넷 서핑과 영화를 위해서 그런 모든 기능들이 필요하시진 않아. 화면이 더 큰 것을 구입하는 것이 그분들께 더 유용할 거야.
여: 좋은 지적이네. 고마워.

문제 해결

주로 컴퓨터로 인터넷 서핑과 영화를 보는 정도의 기본적인 것들을 하시는 부모님을 위한 컴퓨터로 굳이 최신 기능이 탑재된 고급 사양의 비싼 컴퓨터를 살 필요가 없다고 말하고 있다.

어휘·표현

feature 특색, 특징 high-end 고급의 convenient 편리한

## 03 ②

*[전화벨이 울린다.]*
여: 여보세요? Jessica Jones입니다.
남: 여보세요. 저는 Jenny의 아빠인 Luke Walters입니다.
여: 아, Walters 씨. Jenny는 좀 어떤가요?
남: 이제 정신이 들었어요. 선생님께서 재빨리 구급차를 불러주시지 않았다면… 무슨 일이 있어났을지 상상조차 하기 싫네요.
여: Jenny가 괜찮다니 마음이 놓이네요. 제 생각엔 그 애가 일시적으로 충격을 받았던 것 같아요.
남: 맞아요. 의사 선생님께서 여기에 다음 주 화요일까지 있으라고 권하셨어요.
여: 월요일에는 그 애가 학교에 올 수 없겠군요.
남: 네. 그 애는 월요일에 있는 댄스 연습에 빠지는 것을 걱정하고 있어요.
여: 아, 그 애에게 걱정하지 말라고 얘기해 주세요. 우리는 경연 대회가 있기 전에 아직 시간이 좀 있으니까요. 건강이 제일 우선이죠.
남: 그렇게 말씀해 주시다니 정말 친절하시네요.

문제 해결

남자는 Jenny의 아빠라고 밝혔고, 여자는 월요일에 Jenny가 학교에 못 오는 것에 대해 이야기하고 있으므로, 여자가 교사이고 남자가 학부모임을 알 수 있다.

어휘·표현

conscious 의식이 있는 relieved 마음이 놓인, 안도한 temporarily 일시적으로 recommend 추천하다, 권하다 competition 경쟁, 대회, 시합 priority 우선 사항

## 04 ⑤

여: Ryan, 뭘 보고 있어요?
남: 이건 우리 방을 가상으로 새로 꾸밀 수 있게 해주는 앱이에요.
여: 멋져요. 전혀 우리 방 같지가 않아요.
남: 그렇다니까요! 내가 몇 가지 물건을 추가했어요. 어떻게 생각해요?
여: 아주 멋져 보여요. 난 바닥에 있는 타원형 깔개와 침대 옆의 플로어 스탠드가 마음에 들어요.
남: 좋아요. 또 침대 위로 평화로워 보이는 그림을 걸었어요.
여: 나도 그게 마음에 들어요. 게다가, 하트 모양 패턴이 있는 담요가 정말 귀여워 보여요. 완벽해요!
남: 그럼 무늬가 없는 커튼은 어때요? 난 패턴이 없는 걸 골랐어요. 따분해 보이나요?
여: 전혀 그렇지 않아요. 난 늘 별 모양이 있는 우리 커튼을 없애고 싶었거든요.
남: 그래요, 아주 좋아요! 딱 이렇게 우리 방을 바꿉시다.

문제 해결

현재 집에는 별 모양 커튼이 있지만 두 사람은 앱 화면에 있는 것처럼 그걸 없애고 무늬가 없는 커튼을 달기로 했다.

어휘·표현

redecorate 새로 꾸미다 virtually 가상으로 oval-shaped 타원형의 rug 깔개 floor lamp 플로어 스탠드(바닥에 세워놓는 키 큰 스탠드) plain 무늬가 없는, 단순한 get rid of 없애다, 제거하다

## 05 ④

여: 여보, 난 이 모기들을 더 이상 참을 수가 없어요.
남: 나도 그래요. 집안 전체에 모기약을 뿌리면 어떨까요?
여: 매일 밤 그렇게 할 수는 없어요. 전자 모기향을 켜는 건 어떨까요?
남: 그걸 했는데도 작년에 Jimmy가 물렸잖아요. 잠자리에 들기 전에 샤워를 하는 건 어떨까요?
여: 그것도 전혀 효과가 없었어요. 모기장도 있지만 Jimmy가 더 이상 모기장 안에서 자려고 하지 않아요.
남: 그럼 우리가 또 뭘 할 수 있을까요?
여: 창문 밑에 모기들이 들어올 수 있는 작은 구멍들이 있는 게 기억나요.
남: 그럼 내가 그 구멍들을 막기를 바라는 거예요?
여: 맞아, 당신이 할 수 있나요?
남: 문제없어요. 어두워지기 전에 할게요.

문제 해결

남자가 구멍을 막기 원하냐고 묻고 여자가 그렇다고 답했다. 이에 남자는 어두워지기 전에 하겠다고 했으므로, ④가 적절하다.

어휘·표현

stand 참다, 견디다 spray 분무액을 뿌리다 insecticide 살충제 electric 전기의 repellent 방충제 bite 물다

---

## 06 ⑤

남: 여보, 홍콩 여행을 위한 방을 예약했나요?
여: 아, 미안해요. 그걸 해야 하는 걸 잊고 있었어요. 지금 같이 합시다.
남: 좋아요. *[클릭 소리]* 여기, 내가 얘기했었던 5일짜리 여행 패키지가 있어요.
여: 일인당 겨우 300달러네요? 와, 정말 싸네요.
남: 그래요. 600달러였었는데, 내가 갖고 있는 멤버십 때문에 이제 50퍼센트 할인이에요.
여: 멋지네요. 이봐요, 이 배너를 클릭해 보세요. 특별 판촉 행사로 연결되네요.
남: 네, 우리가 둘 다 30세 이하라면 10퍼센트 추가 할인을 받을 수 있다고 되어 있네요.
여: 오, 당신이 31살이라서 너무 아쉽네요.
남: 실망하지 말아요. 어쨌든 싼 거니까요.
여: 맞아요. 지금 이 패키지를 예약합시다.

문제 해결

남자가 갖고 있는 멤버십으로 50% 할인된 가격이 300달러이며, 나이 조건이 맞지 않아 추가 할인은 받을 수 없다.

어휘·표현

reserve 예약하다 link 연결하다 promotion 홍보, 판촉 disappointed 실망한

---

## 07 ⑤

남: 안녕하세요, 도와드릴까요?
여: 네. 제가 어제 게시판에 Horace 직업 학교를 홍보하는 포스터들을 붙였거든요. 그런데 그것들이 모두 없어졌어요.
남: 1층에 있는 게시판에 붙이셨나요?
여: 네. 전 제가 올바른 장소에 붙였다고 생각해요.
남: 당신의 포스터들은 관리사무실에서 승인을 받았나요?
여: 네, 게시하기 이틀 전에 승인을 받았어요. 모두 도장을 받았어요.
남: 이제 우리 직원이 왜 그것들을 떼었는지 알겠네요. 규정에 따르면, 승인을 받은 후 일주일 뒤에야 그것들을 게시할 수 있답니다.
여: 죄송해요, 제가 그걸 몰랐네요.
남: 걱정하지 마세요. 저희 직원이 다음 주에 그것들을 다시 게시할 겁니다.
여: 감사합니다.

문제 해결

여자는 이틀 전에 승인을 받았는데, 규정에 따르면 승인 후 일주일 뒤에야 게시할 수 있다.

어휘·표현

promote 홍보하다 bulletin board 게시판 authorize 인가하다 administration 관리, 행정 staff 직원, 스태프

---

## 08 ④

남: 안녕하세요. 뭘 도와드릴까요?
여: 눈이 충혈되고 굉장히 피곤해요.
남: 뭔가 특이한 걸 하셨나요?
여: 특별한 건 없었는데요. 보통 때처럼 방에서 인터넷 서핑을 했어요.
남: 얼마나 오래 하셨나요?
여: 저녁 먹고 잠들 때까지요. 한 4시간 정도요?
남: 제 생각엔 너무 많은 시간을 인터넷 서핑하는 데 보내신 것 같네요. 화면에서 나오는 밝은 빛이 보통 때보다 눈을 덜 깜빡이게 하고 피곤함을 느끼게 하죠.
여: 그럼 안약을 써야 할까요?
남: 아니오, 그럴 필요는 없으세요. 그냥 오늘은 컴퓨터나 휴대폰에서 떨어져 계세요. 좋아지실 거예요.
여: 감사합니다.

문제 해결

발병 부위(눈), 증상(충혈되고 피곤함), 발병 원인(과도한 인터넷 서핑), 치료 방법(컴퓨터나 휴대폰 사용 안 하기)에 대해서는 이야기했지만, ④ '치료 장소'에 대해서는 언급된 바가 없다.

어휘·표현

unusual 드문, 특이한 fall asleep 잠들다 blink (눈을) 깜빡이다 eye drops 안약

---

## 09 ⑤

남: 안녕하세요, 오디오 시스템 애호가 여러분. 우리는 여러분을 제15회 연례 Audio Fest에 초대하고 싶습니다. 이 소중한 행사는 2월 21일부터 23일까지 단 3일간 타이탄 컨벤션 홀에서 열립니다. 50개가 넘는 기업들이 참여할 예정입니다. 그들은 다양한 고해상도의 플레이어들과 무선 이어폰들을 전시할 겁니다. 여러분은 '음악을 느껴보세요' 코너에서 여러분이 직접 그것들을 청음해 보실 수 있습니다. 게다가, 여러분이 하이테크 스피커 소리를 체험할 수 있는 방음실도 있답니다. 입장료는 15달러이며, 13세 이하의 어린이들은 무료로 입장할 수 있으나, 반드시 부모와 함께 와야 합니다. 오셔서 사운드 공학의 미래를 느껴 보세요! 더 많은 정보가 필요하시면, 저희 웹사이트 www.audiofest15.com에 방문해 보세요.

문제 해결

13세 이하의 어린이들은 무료로 입장할 수 있다고 했으므로, 일치하지 않는 것은 ⑤이다.

어휘·표현

annual 연례의, 일년에 한 번 있는 hold 개최하다 precious 소중한, 귀중한 resolution 해상도 soundproof 방음장치가 된

---

## 10 ④

여: Sam, 뭘 보고 있니?
남: 온라인으로 백팩을 알아보고 있어. 백팩은 정장과도 어울리고 아주 실용적이거든.
여: 그렇구나. 어떤 소재를 좋아하니?
남: 글쎄, 가죽은 어떻게 생각해?
여: 가죽은 멋지면서도 내구성이 좋은 것 같아. 천 소재 백팩보다 정장과 더 잘 어울려 보여.
남: 나도 동의해. 나는 종종 정장을 입으니까, 그게 좀 더 나을 거야.
여: 맞아. 어떤 색을 좋아하니?
남: 검정색은 따분하고 내게 너무 격식을 차리는 거 같아.
여: 그러면 너에겐 감색이 나을 거야. 바깥쪽 주머니는 필요하니?
남: 아, 그럼. 정말 실용적이야. 난 항상 자주 쓰는 물건들을 거기에 넣어둬.
여: 그럼 2가지 가방이 남네. 어떤 걸 살 거니?
남: 물론, 더 저렴한 거지.

**문제 해결**

가죽으로 되어 있는 감색 가방 중에서 바깥 주머니가 있으며 더 저렴한 가방을 살 것이다.

**어휘·표현**

suit ~에 어울리다; 정장 practical 실용적인 durable 내구성이 있는, 오래 가는 stylish 유행에 따르는, 멋진 formal 격식을 차린

## 11 ⑤

여: Ted, Mike Bernard의 새로운 책을 읽고 있는 중이니?
남: 응, 그 작가를 아니?
여: 물론이야. 난 그 작가를 정말 좋아해. 너 그 작가의 다른 책들도 읽어 보았니?
남: 응, 지금까지 그의 소설 중 3권을 읽어 보았어.

**문제 해결**

여자가 그 작가의 다른 책을 읽어 보았는지 물었으므로, 지금까지 3권을 읽어 보았다는 응답이 가장 적절하다.

① 응, 하지만 난 그분의 엄청난 팬이야.
② 아니, 하지만 난 Mike를 그리 잘 알지는 못해.
③ 아니, 이게 내가 읽은 그의 두 번째 책이야.
④ 물론이야, 하지만 난 그걸 전혀 읽을 필요가 없었어.

**어휘·표현**

author 작가, 저자 so far 지금까지

## 12 ⑤

남: 실례합니다. 저는 이 재킷을 여기서 이틀 전에 구입했는데요, 거기에 문제가 있어서요.
여: 아, 그래요? 어떤 것이지요?
남: 이걸 보세요. 지퍼가 전혀 움직이지 않아요.
여: 정말 죄송합니다. 환불받으시겠어요, 아니면 교환하시겠어요?

**문제 해결**

남자가 구입한 재킷에 어떤 문제가 있는지 여자가 물어보자, 남자가 지퍼가 움직이지 않는다고 말했다. 따라서, 그에 대한 사과의 말과 교환이나 환불 처리에 대한 응답이 나오는 것이 가장 적절하다.

① 저한테 그걸 줘 보세요. 제가 한번 입어 볼게요.
② 이 재킷이 당신에게 아주 잘 어울린다고 생각해요.
③ 고맙습니다. 고객님이 그걸 좋아하시기 바랍니다.
④ 재킷이 구식인 것 같네요.

**어휘·표현**

try on 입어 보다 suit 어울리다 out of date 구식인, 쓸모없는

## 13 ⑤

여: Ted, 너 'Harry Page The Wizard' 시리즈 영화 중에 본 게 있니?
남: 물론이지. 난 그것들 모두 다 봤어. 왜?
여: 난 판타지 영화를 그리 좋아하지 않아서 그 영화들을 보기 시작해야 할지 말지 결정하지 못하겠어. 그 영화들은 애들용 아니니?
남: 어떤 부분들은 분명 아이들을 위한 것이지만, 시리즈가 진행됨에 따라 내용이 점점 복잡해져.
여: 아 정말? 좀 더 흥미로워지네.
남: 맞아. 이야기의 맨 마지막 부분은 아이들은 이해하기 어려울 수도 있어.
여: 나도 이해 못하면 어쩌지?
남: 그럴 리 없어. 영화가 토대로 하는 소설들이 있어. 그것들을 읽어 보면 네가 영화를 이해하는 데 도움이 될 거야.
여: 영화를 보기 전에 소설들을 먼저 읽어야 할 것 같아.
남: 그래. 그것들이 네가 영화를 더 즐길 수 있게 도울 거라고 생각해.

**문제 해결**

소설을 먼저 읽겠다는 여자에게 동의하거나 반대하는 내용이 이어지는 것이 자연스럽다.

① 판타지 영화 팬들이 왜 그렇게 행동하는지 난 이해할 수 없어.
② 그게 그 영화가 이해하기 어려운 이유야.
③ 난 그것들이 서로 다르다고 생각하지 않아.
④ 서평들이 네가 그 책들을 더 잘 이해하도록 도와줄 거야.

**어휘·표현**

progress 진행되다 complicated 복잡한
be based on ~에 기초하다

## 14 ⑤

여: 안녕, Tony, 이번 주말에 무슨 계획 있니?
남: 없는데. 너는 있니?
여: 있어. 나는 마술쇼를 보러 갈 거야. 나와 같이 갈래?
남: 마술쇼? 난 그런 일에는 그다지 흥미가 없어.
여: 그건 네가 생각하는 것과 같지 않을 거야. 난 라스베가스에 갔을 때 봤었는데, 인상적이었어.
남: 어떻게 그랬는데?
여: 그건 영화처럼 줄거리가 있어. 그리고 관객석 중앙에 있는 무대는 그게 바로 내 옆에서 일어나고 있는 일처럼 느껴지게 만들었어.

남: 흥미롭게 들리네. 그럼 넌 그 쇼를 다시 보는 거니?
여: 물론이야. 너 말고도 두 명의 친구들을 더 데려갈 거야.
남: 좋아, 나도 갈게. 네가 얘기한 것처럼 멋졌으면 좋겠어.
여: 날 믿어봐. 그건 내가 최근에 본 가장 멋진 쇼 중의 하나였어.

문제 해결

남자의 마지막 말이 여자가 얘기하는 것처럼 마술쇼가 멋졌으면 좋겠다는 것이므로, 이에 대해 정말 멋진 쇼였다는 응답이 가장 적절하다.
① 글쎄, 난 너에게 그렇게 많은 걸 기대하지는 않아.
② 나는 이번 주말에 여행을 갈지도 몰라.
③ 알겠어. 나도 정말 다시 라스베가스에 방문하고 싶어.
④ 미안해, 하지만 나는 지금 외출하고 싶지 않아.

어휘·표현

impressive 인상적인 storyline 줄거리 audience 관객
besides ~ 외에 be eager to 매우 ~하고 싶어하다

## 15 ②

여: Emma는 학교 오케스트라 클럽의 회원이다. 그 클럽은 고등학교 오케스트라 축제에 참가하기로 되어 있다. 그건 아주 멋진 기회이고, 그들은 전문 연주자들만이 공연할 수 있는 무대에서 공연을 할 것이다. 그래서 클럽의 리더인 Leo는 15번 이상 연습을 할 거라고 회원들에게 이야기한다. 그는 지금 당장 연습을 시작하고 싶어 한다. 하지만, 그 축제가 2달 뒤인 반면, 기말고사는 1주일 후에 있다. 그래서 Emma는 시험 직후에 연습을 시작하자고 제안하고 싶어 한다. 이러한 상황에서 Emma는 Leo에게 뭐라고 말하겠는가?

문제 해결

마지막에 Emma가 기말고사 직후에 연습을 시작하자고 제안하고 싶어 한다고 했으므로 ②가 가장 적절하다.
① 나는 우리가 지금 연습을 시작해야 한다고 생각해.
② 기말고사가 끝날 때까지 연습을 미루도록 하자.
③ 나는 우리가 축제에 충분히 준비가 되어 있다고 생각하지 않아.
④ 우리는 시험을 정기적으로 준비할 필요가 있어.
⑤ 그룹 연습에 참여하는 게 필요해.

어휘·표현

be supposed to ~하기로 되어 있다 perform 연주하다, 공연하다
session 기간, 시간 right away 즉시, 당장

## 16-17

남: 안녕하세요, 학생 여러분. 우리의 연례 'Williams 명절 바자회'가 11월 15일 오전 9시 30분부터 오후 1시 30분까지 열립니다. Williams 고등학교에 기증할 새 물품들과 조금 사용했던 물품들을 모으기 시작하세요. 여러분의 기증품은 홀로 사는 노인들을 위한 기금을 마련하도록 도와줄 것입니다. 모든 물품은 깨끗하고, 사용 가능해야 하며, 망가져 있지 않아야 합니다. 좋은 가이드라인은 여러분이 친구에게 줄만한 물품을 바자회에 기증하라는 것입니다. 만약 물품이 더럽고, 망가지고, 오염되어 있거나, 부속이 빠져 있으면, 여러분이 그냥 그 물품을 처리해 주시기 바랍니다. 우리는 책과 CD, 의류, 보석류를 기쁘게 받습니다. 장난감과 유모차 같은 유아 용품도 좋습니다만, 그 물품이 안전 문제로 리콜된 적이 없어야 한다는 걸 확인해 주세요. 우리가 받지 않는 물품은 가구와 컴퓨터입니다. 의자와 탁자들은 너무 무겁고, 공간을 많이 차지합니다. 여러분은 11월 1일부터 9일까지 학생회실에 기증품들을 가져다 줄 수 있습니다.

어휘·표현

gather 모으다 senior citizens 노인들, 어르신들 usable 사용 가능한 stained 오염된 dispose of ~을 처리하다, 없애다 stroller 유모차 drop off 내려놓다, 갖다 두다

## 16 ④

문제 해결

남자는 바자회가 열리는 날짜를 알려주고, 바자회에 알맞은 물품들을 기증해 줄 것을 요청하고 있다.
① 낡은 중고품들을 수리하기 위한 단계
② 학생회에 참여하기 위한 절차
③ 학교 바자회가 어떻게 시작되었는가
④ 학교 바자회 기증 물품을 위한 가이드라인
⑤ 학생회가 바자회를 운영해야 하는 이유

## 17 ③

문제 해결

물품들이 깨끗해야 한다고(clean) 했지만 cleaners는 언급되지 않았다.
① 장난감 ② 책 ③ 청소기
④ 의류 ⑤ 컴퓨터

# 04 영어 듣기 모의고사

정답 및 해설

» pp. 28~29

| | | | | | |
|---|---|---|---|---|---|
| 01 ② | 02 ② | 03 ④ | 04 ② | 05 ⑤ | 06 ③ |
| 07 ④ | 08 ③ | 09 ③ | 10 ④ | 11 ④ | 12 ③ |
| 13 ④ | 14 ⑤ | 15 ⑤ | 16 ② | 17 ③ | |

## 01 ②

여: 안녕하세요, 여러분. 겨울이 오고 있네요. 여러분이 졸업할 때까지 겨우 석 달이 남아 있군요. 선생님들은 여러분들과 여러분들이 성취한 일들에 아주 자랑스러워하고 있습니다. 여러분이 졸업하고 나면, 여러분이 교복을 입던 시절을 그리워하겠지만, 교복이 더 이상 필요하지는 않을 겁니다. 여러분의 오래된 교복을 기증해 주시면, 여러분 후배들에게 아주 도움이 되고 유용할 것입니다. 우리는 여러분이 기증한 교복을 아주 저렴한 가격에 판매하고, 모금된

돈은 빈곤한 분들을 돕는 데 쓰이게 될 것입니다. 여러분들의 후배들과 불우한 사람들을 위한 여러분의 관대한 지원을 고대하고 있습니다. 여러분의 도움에 미리 감사드립니다.

문제 해결

졸업 예정인 학생들에게 오래된 교복을 기증할 것을 당부하는 내용이므로 ② '졸업 전 교복 기부를 권유하려고'가 가장 적절하다.

어휘·표현

accomplish 이루다, 성취하다 donate 기증하다, 기부하다 generous 관대한, 후한 fortunate 운이 좋은

## 02 ②

여: 안녕, Harry, 오랜만이야. 살이 좀 쪘니?
남: 오, Jane, 분명해 보이니? 나도 걱정돼.
여: 매일 운동하니?
남: 아니. 중간고사를 준비하고 있어서 좀 바빠.
여: 내 생각에 몸이 건강하려면 너는 살을 좀 빼야 할 것 같아.
남: 살을 빼려면 뭘 해야 할까?
여: 우선, 규칙적으로 운동해야지.
남: 그렇지.
여: 그리고 먹는 것을 조절할 필요가 있어.
남: 식사를 걸러야 할까?
여: 아냐, 그건 건강에 나쁠 수 있어. 그냥 먹는 양을 조절해.

문제 해결

체중 감량을 위해 할 수 있는 방법들에 대한 대화이므로 ②가 가장 적절하다.

어휘·표현

gain[lose] weight 살이 찌다[빠지다] physically 육체적으로 fit 건강한

## 03 ④

남: 안녕하세요, Thompson 씨. 저는 Jack Robins입니다.
여: 안녕하세요, Robins 씨.
남: 저는 선생님 의견을 듣고 싶어서 뵈러 왔습니다.
여: 아, 아드님 진로에 관해서요?
남: 네. 저는 저처럼 제 아이도 의사가 되길 바랐습니다만, 지금 그 아이는 발레 무용수가 되고 싶어 하네요.
여: 사실, 제가 추천했습니다. 그 애는 사모님처럼 굉장히 예술적이에요. 사모님이 배우이시죠, 그렇죠?
남: 네. 하지만 그 애가 재능이 있는지 확신이 안 서네요.
여: 솔직히, 제가 발레를 가르친 10년간 그런 재능은 본 적이 없습니다.
남: 음, 그리 말씀하시면, 아내와 더 진지하게 이야기해보겠습니다. 시간 내주셔서 감사해요.
여: 천만에요.

문제 해결

여자의 말을 통해 10년 전부터 발레를 가르쳤음을 알 수 있고, 남자의 아들에게 발레를 가르치고 있으므로, 두 사람의 관계로 ④ '학원강사 - 학부모'가 가장 적절하다.

어휘·표현

career 진로, 직업 artistic 예술적인 talent 재능 frankly 솔직히, 솔직하게 말하면

## 04 ②

여: Paul, 학급미화는 어떻게 되어가고 있니?
남: 안녕, Jill. 우리는 어제 끝냈어. 이 사진 좀 봐봐.
여: 와, 교실이 깨끗하고 깔끔해보여.
남: 고마워. 우리는 하루 종일 교실을 청소했지.
여: 사물함 위에 화분이 몇 개 있네. 싱그럽고 푸르러 보인다.
남: 우리는 또한 새 옷걸이와 쓰레기 통을 샀어.
여: 알아봤어. 우리 재킷과 코트를 걸 옷걸이가 필요해. 벽 오른쪽에 있는 시계도 샀니?
남: 아니, 선배들이 기부한 거야.
여: 오 그랬어? 대단하다. 그런데, 어느 부분이 제일 마음에 드니?
남: 음. 나는 사물함 위에 있는 그림이 좋아. 사실 그 그림 내가 그렸어.

문제 해결

시계가 벽의 오른쪽에 있다고 했으므로, 대화 내용과 일치하지 않는 것은 ②이다.

어휘·표현

decoration 장식 neat 깔끔한 locker 사물함 clothes rack 옷걸이

## 05 ⑤

남: Cathy, Lucy의 생일 파티 준비는 되었어?
여: 그런 것 같아. 하나하나 전부 다시 검토해 보자.
남: 오후 5시에 이탈리안 음식점 예약했어?
여: 응, 했어. 20명 정도 된다고 했고, 방을 예약했어.
남: 잘했네. 초대장은 보냈어?
여: 물론이지. 인스턴트 메시지를 통해서 보냈어.
남: 인형은 준비됐어? 그 애가 어제 또 물어봤었어.
여: 내 친구 Dorothy가 지난주에 이미 샀어. 내일 올 수가 없어서, 나보고 자기 집에 와서 가져가라고 했어.
남: 알았어. 그녀의 주소는 어떻게 되니?

문제 해결

여자의 친구인 Dorothy가 인형을 샀는데 파티에 올 수 없어서 여자에게 가져가라고 했고, 남자가 대신 자기가 가려고 Dorothy의 주소를 물었으므로 남자가 할 일은 ⑤가 알맞다.

어휘·표현

go over 검토하다 one by one 하나씩 book 예약하다

## 06 ③

남: 안녕하세요. 찾으시는 거 도와드릴까요?
여: 무선 이어폰을 사고 싶은데요.

남: 이것은 어떠세요? 아주 가볍고 배터리가 10시간 넘게 지속되죠.
여: 얼마인가요?
남: 100달러예요.
여: 오, 넥밴드 타입이네요. 전 운동하면서 쓸 거라, 선이 없는 이어폰을 원해요.
남: 알겠습니다. 그러면 이게 손님께 완벽하겠네요. 조금 더 비싸서, 120달러입니다.
여: 멋지네요. 전화기에 쓸 방수 케이스도 필요해요. 있나요?
남: 네, 몇 개 있습니다. 이것들은 원래 20달러인데요, 이어폰을 사시면 50% 할인을 해드릴 수 있습니다.
여: 잘 됐네요. 그러면 이 빨간색 방수 케이스도 살게요.

문제 해결

선이 없는 이어폰이 120달러이고, 여기에 방수 케이스 가격이 20달러이지만, 이어폰을 함께 살 경우 50% 할인을 해준다고 했으므로, 10달러가 되어, 지불할 총 금액은 130달러가 된다.

어휘·표현

last 지속되다 waterproof 방수의

## 07 ④

여: Ken, 뭐하는 중이야?
남: 오, Jenny야. 배낭여행 정보를 모으고 있어.
여: 와, 배낭여행 가려고? 언제 갈 계획이니?
남: 아마도 올여름쯤. 유럽에 갈 계획이야.
여: 부럽다. 지난 여름에 자원봉사자로서 아프리카에 갔었지만, 유럽에는 못 가봤어.
남: 훌륭한 일을 했구나. 이번에 유럽에 나와 같이 가는 게 어때?
여: 그러고는 싶은데, 못 가.
남: 왜 못 가?
여: 우리 엄마가 올 여름에 약국을 여실 건데, 나한테 거기서 도와달라고 하셨어.
남: 알겠어. 그건 분명히 네가 딸로서 해야 할 일이네.

문제 해결

유럽에 함께 여행 가자는 남자의 말에 약국을 개업하는 엄마가 도움을 청해서 갈 수 없다고 여자가 말하고 있으므로, ④가 답으로 적절하다.

어휘·표현

backpacking 배낭여행 volunteer 자원봉사자 obviously 분명히

## 08 ③

여: Matt, 너 Dream Ice Show에 대해 들어본 적 있니?
남: 아니. 그게 뭔데?
여: 장애인들을 돕기 위한 기금 마련 행사의 일환이야. 나와 같이 가지 않을래?
남: 쇼에 누가 나오는데?
여: 7명의 올림픽 메달리스트들이 쇼에 나올 거라고 들었어. 1월 10일 7시에 있을 거야.
남: 티켓은 어떻게 살 수 있어?
여: www.frozendream2020.com이라는 사이트가 있어. 거기서 티켓 구입을 위한 배너를 볼 수 있을 거야.
남: 알겠어. 얼마니?
여: 일반석이 120달러야.
남: 쇼도 즐기면서 동시에 장애인들을 도울 수 있다니 좋게 느껴지는걸.
여: 그렇게 생각하다니 너 정말 착하구나.

문제 해결

장애인들을 돕기 위한 행사로서(목적), 1월 10일에 개최되며(날짜) 사이트 배너를 통해 티켓 구매가 가능하고(티켓 구매 방법) 일반석의 가격은 120달러(티켓 가격)이다. 행사 진행자는 언급되지 않았다.

어휘·표현

fundraiser 기금 마련 행사 the disabled 장애인들 purchase 구입, 구매 standard 기준, 표준

## 09 ③

남: 안녕하세요, 여러분, 와주셔서 감사합니다. 오늘 밤 날씨는 예전 록음악을 듣기에 훌륭하군요. 저희 다음 노래를 소개하겠습니다. 노래 'Claire'는 전설적인 기타리스트 Eric Frampton이 작곡했습니다. 이 노래는 사고로 죽은 딸을 그리워하는 아버지에 관한 것입니다. 이 노래는 발표 당시 차트에서 10위까지밖에 올라가지 못했지만, 시간이 지나면서 사람들이 더욱 사랑하기 시작했죠. 노래가 7분이 넘어서 라디오에서 듣기 힘들지만, 기타 솔로가 너무나 아름다워서 많은 뮤지션들이 오늘날에도 여전히 연주하길 좋아 합니다. 저희는 이 클래식한 노래의 현대적인 버전을 연주하겠습니다. 즐기시길 바랍니다.

문제 해결

발표 당시 차트에는 10위까지밖에 올라가지 못했다고 했으므로, 일치하지 않는 것은 ③이다.

어휘·표현

compose 작곡하다 legendary 전설적인 miss 그리워하다 release 발표 modern 현대적인

## 10 ④

남: 여보, 뭘 보고 있어요?
여: 이것 봐요. 커뮤니티 센터에서 토요일 수업이 있을 거래요. 좋은 점은 아이들과 엄마들이 함께 들을 수 있다는 거예요.
남: 꽤 흥미로워 보이네요. Tim이 좋아하겠어요.
여: 나도 그렇게 생각해요. 지난번에 이런 종류의 수업을 들었을 때 꽤나 열심이었어요.
남: 나도 그 애가 얼마나 좋아했던지 기억이 나요. 5살 아이들을 위한 수업이 두 개 있네요.
여: 6~7세용 수업으로 고를 거예요. Tim은 그걸 더 좋아할 거예요.
남: 알겠어요. 어떤 시간이 더 좋아요?
여: 이를수록 더 좋죠.
남: 그러면 더 저렴한 수업으로 하겠어요?
여: 아니오, 이 수업은 거기서 공짜 장난감을 가질 수 있어서 더 비싼 거예요. 그래서 사실 그게 더 나아요.

남: 알겠어요.

문제 해결

6~7세용 수업을 선택하겠다고 했고, 이른 시간대가 더 좋다고 했으므로, ②와 ④가 남는데, 더 비싼 수업이 장난감을 줘서 더 좋다고 했으므로 ④가 두 사람이 선택한 수업이다.

어휘·표현

involved 열중한, 열심인 pick 고르다 costly 비싼

## 11 ④

여: Mick, 이번 주말 계획이 뭐니?
남: 아직 확실하지 않아. 내 친구 John과 해변에 갈까 생각 중이야.
여: 좋을 것 같네. Kelly와 내가 같이 가도 괜찮아?
남: 물론이지. 너희는 얼마든지 와도 좋지.

문제 해결

해변에 갈 때 같이 가도 괜찮겠냐는 질문에 대한 대답으로 가장 적절한 것은 ④이다.

① 응, 그런데 우리에게 좋을 것 같진 않아.
② 미안하지만, 너와 같이 갈 수 없었던 게 미안해.
③ 가족 멤버십을 구하는 게 어때?
⑤ Kelly는 우리와 함께 할 수 없을 것 같아.

어휘·표현

welcome 맞이하다, 환영하다 work 효과가 있다

## 12 ③

남: 오늘 문학 시험 어땠어?
여: 나쁘진 않았는데, 마지막 문제에 점수를 좀 받을 수 있을지 모르겠어.
남: 이 선생님께 여쭤봤어? 그분은 아실 거야.
여: 응, 그런데 그분이 정확하게 답을 안 주셨어.

문제 해결

마지막 문제에 대해 점수를 얻을 수 있는지 선생님께 여쭤보라는 말에 대한 답으로는 ③이 적절하다.

① 아니, 그런데 나는 그것에 대해 꽤나 확신하고 있어.
② 응, 그런데 난 거기 아무것도 안 썼어.
④ 아니, 그는 그것에 대해 그다지 상관하지 않는 것 같아.
⑤ 응, 내가 물어 보면 점수를 주실 거야.

어휘·표현

literature 문학 exact 정확한

## 13 ④

여: 안녕, Jim, 뭐하고 있어?
남: 구직 면접 준비 중이야.
여: 오, 정말 바쁘겠네.
남: 응, 이게 내 첫 면접이라서, 무척 긴장되네.
여: 긴장 풀어. 잘할 거라고 확신해. 어떤 회사야?
남: 유명한 출판사야. 거기에서 일하는 건 늘 내 꿈이었어.
여: 행운을 빌어! 어떤 종류의 일에 지원했어?
남: 마케팅 부서에 지원했어.
여: 너 전공이 물리학 아니니? 그 일이 너한테 맞을지 의문이구나.
남: 나도 안 맞을까봐 걱정인데, 이 회사에 들어갈 기회를 놓치고 싶지 않아.
여: 있지, 회사를 좋아하는 것과 그곳에서 일하는 것은 별개의 문제야.

문제 해결

회사에 꼭 들어가고 싶어서, 자신과 잘 안 맞을까봐 걱정하면서도 전공과 무관한 부서로 지원한 남자에게 할 말로 ④가 가장 적절하다.

① 그럼 넌 물리학을 더 공부해야 해.
② 그래서 내가 그 회사를 추천했던 거야.
③ 물론, 마케팅 경력은 전도유망한 미래가 있지.
⑤ 물리학은 어렵지만, 노력하면 마스터할 수 있어.

어휘·표현

job interview 구직 면접 nervous 긴장한 department 부서
major 전공 recommend 추천하다 promising 전도유망한

## 14 ⑤

여: Tom, 너 Nick Stark 잘 알지, 맞아?
남: 오, Nick! 그는 내 제일 친한 친구 중 하나지. 왜?
여: 그 애와 내가 발표 프로젝트에서 같은 팀에 있어.
남: 지난번에 걔 만났을 때 들었던 것 같네.
여: 그 애가 너한테 자기가 팀에서 아무것도 안하고 있다는 얘기했어?
남: 오, 아니. 그래? 걔가 화학 과제로 꽤 바쁘다고 들었어.
여: 나는 그게 아무것도 하지 않는 데 대한 좋은 변명 같진 않아.
남: 내가 아는 한, 무책임하려는 의도는 아닐 거야. 그냥 깨닫고 있지 못한 거지.
여: 솔직히, 나는 그 애와 어떻게 해야 할지 모르겠어.
남: 내 생각엔 이 문제에 대해 그와 이야기하는 게 최선일 것 같아.

문제 해결

팀 프로젝트에서 충실하지 않은 팀원에 대한 불만을 토로하는 여자에게 할 말로 가장 적절한 것은 ⑤이다.

① 동의해. 그 애에게 시간 엄수하라고 얘기할게.
② 그럼 네가 그에게 너의 팀에 합류하라고 요청할 필요가 있어.
③ 나는 그가 책임감을 갖는 게 쉽다고 생각하지 않아.
④ 화학 과제를 혼자 하는 게 어렵다고 생각해.

어휘·표현

chemistry 화학 assignment 과제 excuse 변명
irresponsible 책임감 없는 punctual 시간을 엄수하는

## 15 ⑤

여: Liz는 쌍둥이 딸들인 Sally와 Judy가 있다. 그들은 쌍둥이이지만, 모든 면에서 상당히 다르다. Judy는 질투가 많고, 성격이 급한 반면에, Sally는 친절하고 느긋하다. 가끔 Judy의 질투가 지나쳐서 종종, Sally가 여동생에게 양보한다. 하루는 Liz가 쌍

둥이 딸들에게 같은 의자를 사줬는데, 두 개의 색깔이 달랐다. Sally는 빨간색을 받았고, Judy는 파란색을 받았다. 처음에, 그들은 자기 의자를 좋아했지만, 시간이 좀 지나고 나서, Judy는 Sally의 빨간 의자를 원했다. 이번에는 Sally가 여동생에게 굴복하려 들지 않았다. 이런 상황에서, Liz는 Judy에게 뭐라고 말하겠는가?

**문제 해결**

쌍둥이 딸 중 질투가 많아 남의 것만 좋게 생각하는 Judy에게 엄마 Liz가 할 말로 가장 적절한 것은 ⑤ '반대편 잔디가 항상 더 푸르다(남의 떡이 더 커 보인다).'이다.

① 겉만 보고 판단하지 말라
② 어떤 나쁜 일에도 좋은 면이 있다
③ 늙은 개에게 새로운 재주를 가르칠 수 없다(노인은 새로운 것을 배울 수 없다)
④ 사람은 그가 사귀는 친구를 보면 알 수 있다

**어휘·표현**

aspect 면, 양상 easygoing 느긋한 hot-tempered 성격이 불같은 more often than not 자주, 종종 yield 양보하다 give in 굴복하다 silver lining 희망의 조짐, 밝은 전망

## 16-17

남: 안녕하세요, 청취자 여러분! 저는 Health & Families의 Joe Williams입니다. 오늘 전 많은 돈을 절약할 수 있는 가장 쉬운 방법에 대해 이야기하려 합니다. 그건 여러분 치아를 건강하게 유지함으로써입니다. 정말 쉽지만, 많은 사람들이 무시하죠. 여기 환한 미소를 위한 몇 가지 요령이 있습니다. 우선, 최소한 하루 두 번 양치하세요. 뒤쪽 치아에 더 잘 닿을 수 있게 작은 머리의 칫솔을 고르세요. 이것은 치아를 깨끗하게 유지시켜줄 뿐 아니라 악취를 없애줍니다. 두 번째로, 현명한 식사를 하세요. 사탕이나 초콜릿 바같은 달콤한 음식을 피하세요. 치아가 흔들리면, 끈적끈적한 사탕은 드시지 마세요. 치아를 잃을 수 있습니다. 또한, 탄산음료와 과일주스를 제한하세요. 그런 음료들은 치아 성분을 약하게 만듭니다. 마지막으로, 6개월마다 치과 예약을 잡으세요. 우리 모두 "제 때의 한 바늘이 아홉 바늘을 던다."는 것을 알고 있습니다.

**어휘·표현**

sparkle 빛나다 sugary 달콤한 loose 헐거운 sticky 끈적거리는 soften 약하게 하다 material 성분 stitch 한 바늘

## 16 ②

**문제 해결**

치아를 건강하게 관리하는 요령에 대해 말하고 있으므로, ② '치아를 돌보는 데 도움이 되는 방법들'이 적절하다.

① 주치의의 말을 들어야 하는 이유들
③ 정기 의료검진의 중요성
④ 건강을 위해 피해야 할 음식
⑤ 일상생활 중 건강 유지를 위한 요령들

## 17 ③

**문제 해결**

치아 건강 유지를 위해 피해야 할 음식들로 캔디, 초콜릿 바, 탄산음료, 과일주스는 언급되었지만 ③ '떡'은 언급되지 않았다.

# 05 영어 듣기 모의고사

정답 및 해설

» pp. 30~31

| | | | | | |
|---|---|---|---|---|---|
| 01 ③ | 02 ② | 03 ② | 04 ⑤ | 05 ⑤ | 06 ④ |
| 07 ⑤ | 08 ③ | 09 ⑤ | 10 ④ | 11 ② | 12 ④ |
| 13 ② | 14 ① | 15 ③ | 16 ③ | 17 ④ | |

## 01 ③

남: 잘 들으세요, 학생 여러분. 저는 여러분의 체육 교사인 James입니다. 매년 열리는 체육대회가 겨우 이틀 뒤네요. 여러분의 팀 연습이 잘 되고 있다고 확신합니다. 재미있게 보내면서 급우들 사이에서 연대감을 키울 수 있는 좋은 기회입니다. 하지만 날씨 예보에 따르면 중국으로부터의 심한 미세먼지가 그날 오후 예상됩니다. 모든 학교가 야외 활동을 취소하도록 권고받았습니다. 그래서 오후에 있을 축구 경기들을 취소해야 할 것 같습니다. 모든 축구 선수들을 실망시켜 미안합니다. 다른 활동들은 계획대로 진행될 것입니다. 그러니 실망하지 말고 즐거운 시간 보내세요. 들어주셔서 감사합니다.

**문제 해결**

미세먼지로 인해 축구 경기를 취소한다는 내용을 안내하는 것이므로 남자가 하는 말의 목적으로 가장 적절한 것은 ③이다.

**어휘·표현**

P.E.(physical education) 체육 fine dust 미세먼지

## 02 ②

남: Kelly, 왜 우울해 보이니? 무슨 일 있어?
여: 영어 회화 수업 때문에 기분이 너무 안 좋아.
남: 왜? 정말 재미있다고 그러지 않았었니?
여: 연극 '로미오와 줄리엣'에서 나는 줄리엣 역할을 원했어. 그런데 Kathy가 그 역을 차지했어.
남: 그럼 넌 어떤 역할을 받았니?
여: 줄리엣의 친구 Judy야. 이 캐릭터는 원작 희곡에는 심지어 존재하지도 않아.
남: 기운 내! 네가 주인공은 아니지만, 여전히 스타처럼 빛날 수 있어.
여: 무슨 소리야? 어떤 역할도 줄리엣만큼 중요할 수는 없어.
남: 많은 조연 역할이 주연 역할만큼 인기가 있어. 넌 네 배역의 예상치 않은 매력을 보여줄 수 있어.

여: 그 말은 맞네. 격려해줘서 고마워, Danny.

문제 해결

주연이 아니라도 여전히 스타처럼 빛날 수 있고, 조연 역할도 주연만큼 인기가 있다고 말하고 있으므로, 남자의 의견은 ②가 적절하다.

어휘·표현

long face 우울한 표정 play 연극 heroine 여주인공 charm 매력 encouragement 격려

---

## 03 ②

여: 안녕하세요, Jensen 씨. 어서 들어오세요.
남: 안녕하세요. 오, 이 캣타워는 멋지네요.
여: 이곳을 위해 특별히 주문했어요. 고양이와 심지어 개들도 무척 좋아해요.
남: 저도 하나 집에 있으면 좋겠네요. Sally는 어떤가요?
여: 나아지고 있어요. 뭔가 나쁜 걸 먹은 것 같아요.
남: 흠… 제 생각엔 그날 저녁에 제 아들 Tom이 바닥에 떨어뜨린 과자를 먹었던 거 같아요.
여: 그게 원인일지 모르겠네요. 특히나 설탕이 함유된 음식은 고양이에게 해로울 수 있어요.
남: 알겠습니다. 오늘 집으로 데려가도 될까요?
여: 제가 주사 몇 대 놔주고 나서 약 10분 있다가 데려가시면 돼요.
남: 정말 감사합니다.

문제 해결

동물의 건강에 관한 이야기를 나누고 있으며, 마지막 여자의 말 중에 주사를 놔준다는 말을 통해 결정적으로 여자가 수의사임을 알 수 있다.

어휘·표현

contain 포함하다, 함유하다 injection 주사

---

## 04 ⑤

남: 엄마, 이게 뭐예요? 엄마 사진첩인가요?
여: 그래, Jerry. 한 40년 전쯤 된 거구나. 헤드폰 끼고 있는 여자애가 나야.
남: 그럼 엄마를 안고 있는 분이 할아버지인가요? 그때는 대머리가 아니셨다니 놀랍네요.
여: 응. 더 젊으셨을 땐 대머리가 아니셨어. 목걸이를 하신 이 여자분이 네 할머니란다.
남: 그때 정말 예쁘셨네요. 잠시만요, 할머니가 하신 이 목걸이 본 것 같아요.
여: 그래, 내가 하고 있는 걸 본 적 있을 거야. 나한테 선물로 주셨어.
남: 기타 치고 있는 소년은 누구죠?
여: 네 삼촌 Pat이야. 그리고 손에 야구 모자를 들고 있는 게 Mary 이모지.
남: 그렇군요. 다들 정말 어려 보이시네요.
여: 그래, 시간 정말 빠르구나.

문제 해결

대화에서는 Mary가 야구 모자를 손에 들고 있다고 했지만, 그림에서는 머리에 쓰고 있으므로, 일치하지 않는 것은 ⑤이다.

어휘·표현

bald 대머리인 necklace 목걸이 present 선물

---

## 05 ⑤

남: 안녕하세요. 음식은 어떠셨어요?
여: 예상했던 것보다 훨씬 좋았네요.
남: 정말 감사합니다. 저희 식당에서 개선시킬 점이 있나요?
여: 음, 아기들을 위한 높은 의자가 더 많이 필요한 것 같네요.
남: 그렇군요. 음식은 어떤가요?
여: 조금만 더 매우면 좋겠는데요, 그런데 그건 그저 제가 매운 걸 더 좋아해서죠.
남: 제안해주신 것들 다시 한 번 감사드려요. 그런데, 부탁 하나 들어주시겠어요?
여: 뭔데요?
남: 저희 음식에 만족하시면, 저희 블로그에 리뷰 하나 써주실 수 있을까요? 저희 식당을 홍보하는 데 아주 도움이 되거든요.
여: 오, 문제없죠. 기꺼이 그렇게 할게요.

문제 해결

대화 마지막 부분에 남자가 블로그에 리뷰를 써달라는 부탁을 하고, 그에 흔쾌히 응하는 내용이므로, 여자가 할 일로 적절한 것은 ⑤이다.

어휘·표현

spicy 매운 preference 선호

---

## 06 ④

남: 안녕하세요. 도와드릴까요?
여: 컴퓨터에 쓸 무선 마우스를 사고 싶은데요.
남: 이 기본 마우스가 10달러이고요, 버튼이 추가로 두 개 더 있는 이것이 20달러입니다.
여: 음, 추가 버튼이 있는 걸로 두 개 살게요.
남: 그래요. 다른 것 필요하신 건 없나요?
여: 블루투스 키보드도 하나 필요해요. 접을 수 있는 게 있다고 들었는데요.
남: 네, 아주 잘 팔리고 있죠. 그건 80달러입니다.
여: 좋아요. 하나 살게요. 여기 20% 할인 쿠폰이 있어요.
남: 그래요, 볼게요. *[잠시 후]* 안타깝지만 20달러 할인 제한이 있어서, 20% 할인을 완전히 받으실 수가 없네요.
여: 아, 그래요? 정말 아쉽네요. 아무튼, 여기 신용카드요.

문제 해결

추가 버튼 있는 마우스(20달러) 두 개 + 블루투스 키보드(80달러) = 120달러인데, 20% 할인이 되면 24달러 할인을 받을 수 있으나 20달러로 할인에 제한이 있으므로, 지불할 금액은 100달러이다.

어휘·표현

wireless 무선의 foldable 접을 수 있는

---

## 07 ⑤

여: 안녕하세요, 도와드릴까요?
남: 안녕하세요. 이 다운 재킷을 반품하려고요.
여: 그래요. 영수증은 가져오셨어요?
남: 여기요. 환불받았으면 해요.
여: 알겠습니다. *[잠시 후]* 그런데 문제가 하나 있는 것 같네요.
남: 그래요? 구매한지 일주일 이내면, 환불받을 수 있지 않나요, 맞죠?
여: 구매한 날짜에는 문제가 없습니다. 그런데, 할인 쿠폰을 쓰셨네요.
남: 네, 30% 할인을 받았죠.
여: 그 쿠폰을 쓰시면, 환불받으실 수 없어요. 다른 물건으로 교환만 받으실 수 있어요. 그게 조건이었어요.
남: 오, 그걸 몰랐군요. 좋아요, 다운 재킷이 아닌 겨울 코트들을 보여 주세요.

**문제 해결**

남자가 물건을 반환하며 환불을 원하지만, 직원이 할인받으면서 썼던 쿠폰의 사용 조건이 교환만 가능하다고 말하고 있으므로, ⑤가 적절하다.

**어휘·표현**

receipt 영수증 refund 환불 purchase 구매 exchange 교환
condition 조건

## 08 ③

남: Blair, 뭐에 대해 읽고 있니?
여: 그래핀에 대한 기사를 읽고 있어. 들어본 적 있니?
남: 아니. 그게 뭐니?
여: 새로운 물질이야. 굉장히 독특하지.
남: 뭐가 그렇게 독특해?
여: 음, 아주 얇지만 강철보다 강해. 더구나, 구리보다 전류를 더 잘 전달할 수 있어.
남: 그럼 그게 어디에 쓰일 수 있니?
여: 가벼우면서도 튼튼한 비행기나 차를 만드는 데 쓸 수 있어.
남: 그렇게 튼튼하면, 그런 탈 것들을 더 안전하게 해주는 데 도움이 되겠네.
여: 맞아. 또, 기사에서는 입을 수 있는 컴퓨터나 특수 섬유를 만드는 데 쓰일 수 있다고 하네.
남: 와, 놀라운 물질인 것 같구나.

**문제 해결**

그래핀이 활용될 수 있는 제품으로 비행기, 자동차, 컴퓨터, 특수 섬유는 언급되었으나, ③ '전자 종이'는 언급되지 않았다.

**어휘·표현**

transmit 전송하다, (열·전기 등을) 전도하다 electric current 전류
copper 구리 ride 운송 수단 fabric 섬유

## 09 ⑤

여: 안녕하세요, 학생 여러분. 저는 여러분의 물리 선생님, Jennifer Lewis입니다. 저는 내일부터 이틀간 열릴 영화 강의에 대해 얘기하려고 합니다. 여러분 중 몇몇이 이미 알고 있듯이, 저는 Movie Makers 클럽을 맡고 있습니다. 그래서 영화감독이신 Charlie Leonard 씨께 촬영하는 방법에 대해 우리 학생들에게 가르쳐주시도록 요청했습니다. 우리 클럽 멤버뿐 아니라, 우리 학교의 누구든 이 수업을 들을 수 있습니다. 수업은 오전 8시에 시작해서 오후 5시에 끝납니다. 여러분은 점심 전에 핵심적인 촬영 기술에 대해 배우고 점심을 먹고 나서 연습을 하게 될 것입니다. 스마트폰을 가지고 있으면 카메라를 가져오실 필요는 없습니다. 이런 특별한 기회에 참여하길 원하시면, 제 사무실로 오세요. 감사합니다.

**문제 해결**

마지막에 스마트폰이 있으면 카메라를 가져올 필요가 없다고 했으므로, 일치하지 않는 것은 ⑤이다.

**어휘·표현**

director 감독 participate in ~에 참여하다 unique 독특한
opportunity 기회

## 10 ④

남: 여보, 우리 식탁이 너무 오래되어 보여요.
여: 그러게요. 바꿀 때가 되었어요.
남: 이것 봐요. 이게 제일 잘 팔리는 식탁 목록이에요.
여: 대리석 상판으로 되어 있는 식탁을 사는 게 어때요?
남: 그건 비쌀 뿐 아니라 너무 무거울 것 같아요. 나는 나무로 된 상판이 더 좋아요.
여: 알겠어요. 그럼 어떤 모양을 원해요?
남: 나는 사각형으로 된 게 더 좋아요. 이거 어때요?
여: 그거 괜찮네요. 그리고 흰색이 우리 집에 더 잘 어울리겠어요.
남: 그래요, 이제 선택할 수 있는 게 두 개 있네요. 더 저렴한 걸 골라야 할까요?
여: 아니오, 더 나은 자재가 쓰여서 다른 것이 더 비싼 것 같아요.
남: 좋아요, 그럼 그걸 살게요.

**문제 해결**

나무로 된 상판, 사각형, 흰색의 조건은 ④, ⑤인데, 이 중 비싼 것이 자재가 좋아서 그럴 것이라는 생각으로 선택하고 있으므로 ④가 적절하다.

**어휘·표현**

marble 대리석 costly 값이 비싼 material 재료, 자재

## 11 ②

남: Mary, 날씨가 야외 활동하기에 정말 좋은데. 어디 가는 게 어때?
여: 좋지. 어디 가고 싶어?
남: Lake Park에 가서 거기서 산책하는 게 어때? 내가 새로 산 카메라 가져올게.
여: 그래, 좋아. 지금 가자.

**문제 해결**

Lake Park에 가자는 권유에 대한 답이 되어야 하므로, ②가 적절하다.
① 물론이야. 지금은 실내에 있자.
③ 미안하지만, 난 수영하는 거 좋아하지 않아.
④ 문제없어. 지금 Park 씨를 방문하자.
⑤ 응, 하지만 새 카메라를 살 필요는 없어.

어휘·표현

outdoor 야외의

---

## 12 ④

여: 얘, 봐! 저쪽에 새로 이탈리아 음식점이 생겼어.
남: 난 지난 주말에 부모님과 벌써 갔었어.
여: 벌써? 옆에 Charlie's Pizza와 비교하면 어땠어?
남: 거기 크림 파스타는 최고 중의 하나인 것 같아.

문제 해결

옆에 있는 다른 식당과의 비교를 묻는 질문에 대한 답이므로 ④가 가장 적절하다.

① 모든 걸 비교하는 건 좋지 않아, Charlie.
② 난 피자를 사실 그다지 좋아하지 않아.
③ 그날이 우리 어머니 생신이었어.
⑤ 그들은 곧 다른 식당을 열 계획이야.

어휘·표현

compare 비교하다

---

## 13 ②

남: 안녕하세요, Jones 선생님. 무엇이 문제인가요?
여: 안녕, Bill. 네 생물 시험 어떻게 된 거니? 점수가 0점이었어.
남: 정말요? 두 개 빼고 답을 다 했는데요.
여: 답지에 마킹할 때 뭘 썼니?
남: 음, *[잠시 후]* 이 샤프 연필을 쓴 것 같아요.
여: 오, Bill, 그게 문제였구나. 그걸 쓰면 안돼.
남: 네? 그럼 뭘 써야 하나요?
여: 컴퓨터 스캔을 위한 마커펜이 있어. 다른 걸 쓰면, 스캐너가 네 답을 읽어낼 수가 없어.
남: 오, 정말 죄송해요. 몰랐네요.
여: 너를 돕기 위해 할 수 있는 일이 있는지 알아보기 위해 교장 선생님께 보고하마.
남: 감사합니다, Jones 선생님. 다음 번에 더 조심할게요.

문제 해결

답지에 허용되지 않는 필기구를 쓴 자신을 도울 수 있는지 알아보겠다는 선생님의 말에 대한 응답으로 가장 적절한 것은 ②이다.

① 죄송하지만, 그 답지는 제 것이 아닌데요.
③ 좋아요, 하지만 스캐너가 동작하지 않는 것 같네요.
④ 네. 보고서를 교장 선생님께 제출할게요.
⑤ 네, 아무래도 학교에 분명한 원칙이 없는 것 같네요.

어휘·표현

biology 생물 mechanical pencil 샤프 연필 principal 교장 선생님 hand in 제출하다 principle 원칙

---

## 14 ①

남: 괜찮아, Kate? 다리는 어떻게 된 거야?
여: 어제 발목을 삐었어.
남: 병원에는 갔었니?
여: 아직 안 갔어. 엑스레이 찍으러 오늘 갈 거야. 부러지거나, 골절일 것 같아.
남: 오, 많이 부었구나. 냉찜질했니?
여: 응, 그런데 그리 도움이 안 됐어.
남: 와, 정말 아파 보이는구나. 무슨 일이었어?
여: 러닝머신에서 뛰다가 다쳤어. 준비운동을 안 해서인 것 같아.
남: 오, 저런. 어떤 운동을 하기 전에는 꼭 준비운동을 해야지. 그건 아무리 강조해도 지나치지 않아.
여: 네 말이 옳아. 항상 명심할게.

문제 해결

준비운동의 필요성을 이야기하는 것에 대한 대답이 되어야 하므로, ①이 가장 적절하다.

② 알겠어. 다시는 운동을 지나치게 하지 않을게.
③ 동의해. 네 자신에게 적절한 운동을 고를 필요가 있어.
④ 난 지금 걱정돼. 넌 건강을 위해 운동할 필요가 있어.
⑤ 나도 그래. 그것보다 더 중요한 많은 것들이 있어.

어휘·표현

sprain 삐다 ankle 발목 fractured 골절된 swollen 부은 treadmill 러닝머신 cannot ~ enough 아무리 ~해도 지나치지 않다 emphasize 강조하다

---

## 15 ③

남: May는 은행에서 일하느라 아주 분주하다. 그녀의 아들인 Peter는 8살이다. 보모인 Simmons 씨가 낮에 그를 돌봐주고, May는 저녁에 일 끝나고 그를 돌본다. May는 집에 오고 나면, 항상 너무 피곤해서 그냥 아들이 원하는 것을 하도록 둔다. 그녀는 Peter가 다양한 야외활동에 참여하길 원하지만, 그는 비디오 게임을 좋아한다. 한 번은, 그녀가 집에 왔을 때, 그는 3시간 동안 비디오 게임을 하고 있었고, 그녀를 맞이하러 나오지도 않았다. 이제 그녀는 그의 게임 시간을 제한할 때가 되었다고 생각한다. 이런 상황에서 May는 Peter에게 뭐라고 말하겠는가?

문제 해결

게임에 빠진 아들에게 게임하는 시간을 제한하겠다고 말하려는 상황에서 가장 적절한 말은 ③ '넌 게임은 덜 하고 더 공손해져야 돼.'이다.

① 엄마 아빠가 집에 오면 꼭 맞이해 줘야 돼.
② 밖에 나갈 때는, Simmons 씨께 먼저 말해야 돼.
④ 비디오 게임을 하기 전에, 아기를 돌봐야 해.
⑤ 네가 비디오 게임을 하고 싶으면 먼저 숙제를 해야 돼.

어휘·표현

be busy v-ing ~하느라 바쁘다 babysitter 보모 greet 인사하다, 맞이하다

---

## 16-17

여: 범고래는 매력적인 해양 포유류입니다. 그들은 전 세계 대양에서 볼 수 있습니다. 수컷은 길이가 31피트에 무게는 10톤까지 성장합니다. 머리 양쪽에는 하얀 반점이 있는데, 이것은 그들을 온순

하고 귀엽게 보이게 해줍니다. 그런 외모에도 불구하고, 그들은 'killer whales'라고 불립니다. 그들은 물개, 오징어, 펭귄, 심지어 자신보다 큰 다른 고래나 상어를 포함한 다른 해양 생물들을 먹고 삽니다. 무엇이 그들을 그토록 강하게 만들까요? 우선, 그들은 아주 영리하다고 알려져 있으며 특화된 사냥 기술을 발달시킬 수 있습니다. 두 번째로, 그들은 집단 사냥을 해서 (그들에게서) 도망치기가 매우 어렵습니다. 그래서, 어떤 사람들은 범고래를 바다의 티라노사우루스라고 부릅니다. 하지만 그들이 마치 인간처럼 문화적 전통을 미래 세대에게 전달한다고 알려져 있음을 감안하면, 그들은 오히려 바다의 호모 사피엔스와 같은 존재입니다.

어휘·표현

fascinating 매력적인 male 수컷 tame 온순한 feed on ~을 먹고 살다 seal 물개 squid 오징어 strategy 전략 tradition 전통 generation 세대 biological 생물학적인 feature 특징 variety 다양성 prey 먹이 extinct 멸종인

## 16 ③

문제 해결

범고래의 외양, 사냥과 관련된 특성 등을 이야기하고 있으므로, ③ '범고래의 생물학적 특징'이 가장 적절하다.

① 범고래가 먹는 먹이의 다양성
② 범고래가 집단 사냥하는 방법
④ 범고래가 거의 멸종한 이유
⑤ 범고래와 티라노사우루스 사이의 유사성

## 17 ④

문제 해결

범고래의 먹이로 ① 물개, ② 오징어, ③ 펭귄, ⑤ 상어는 언급되었지만 ④ '도마뱀'은 언급되지 않았다.

# 06 영어 듣기 모의고사

정답 및 해설

» pp. 32-33

| | | | | | |
|---|---|---|---|---|---|
| 01 ④ | 02 ② | 03 ③ | 04 ⑤ | 05 ⑤ | 06 ⑤ |
| 07 ⑤ | 08 ④ | 09 ③ | 10 ④ | 11 ④ | 12 ③ |
| 13 ③ | 14 ③ | 15 ① | 16 ② | 17 ④ | |

## 01 ④

남: 안녕하세요, 학생 여러분. 저는 여러분의 수영 강사인 David입니다. 저는 여러분 모두가 매우 열심히 해 줘서 정말 감사하고 있습니다. 여러분이 기술을 숙달하고 싶다면 계속해서 연습하는 것이 중요합니다. 그리고 저는 여러분이 접영을 배우는 것을 막 시작했다는 것을 알고 있습니다. 그러나 유감스럽게도 조명이 약간 어두워서 우리는 다음 주부터 시작해서 수영장을 수리할 것입니다. 결과적으로, 여러분들은 앞으로 2주 동안 이 수영장을 이용할 수 없습니다. 제가 홈페이지에 접영 동영상을 올리겠으니, 수리 기간 동안에 여러분은 그것을 보시고 어떻게 하는지 배울 수 있습니다. 휴식 기간 후에 뵙겠습니다.

문제 해결

조명 공사 때문에 수영장을 2주 동안 이용할 수 없어서 홈페이지에 올린 동영상을 보면서 접영을 배우라고 수강생들에게 안내하고 있다.

어휘·표현

instructor 강사 appreciate 감사히 여기다 butterfly stroke 접영 lighting 조명 video clip 동영상

## 02 ②

여: 얘, Mike! 너는 왜 그 책들을 방으로 가져가고 있니? 이제 잘 시간이야.
남: 저도 알아요, 엄마. 그러나 전구가 나가서 제 방에 있는 전구를 갈아야 해요.
여: 그 책들로 전구를 간다고? 무슨 말을 하고 있는 거니?
남: 저는 그것들이 전구를 갈려고 밟고 올라가기에 충분히 두껍다고 생각해요.
여: 그렇게 하지 마라. 너는 틀림없이 균형을 잃고 넘어질 거야.
남: 하지만 적절하게 사용할 만한 것이 없어요.
여: 의자가 있잖아! 그걸 대신 이용하렴.
남: 그 의자는 바퀴가 있잖아요. 그래서 계속 움직여요.
여: 그러면 내가 이웃에게 사다리를 빌려올게. 항상 네 안전을 최우선으로 생각하렴.
남: 명심할게요. 감사해요, 엄마.

문제 해결

두꺼운 책을 밟고 올라가서 방의 전구를 교체하려 하는 아들에게 엄마가 이웃으로부터 사다리를 빌려 오겠다고 말하며 항상 안전을 중요하게 생각할 것을 강조하고 있다.

어휘·표현

bulb 전구 step on ~을 밟다 balance 균형 proper 적절한

## 03 ③

여: 저를 위해 시간을 내 주셔서 감사합니다.
남: 천만에요. 와주셔서 감사합니다.
여: 몇 가지 질문이 있습니다. 당신은 당신의 가장 중요한 일이 무엇이라고 생각합니까?
남: 저는 이 도시를 더 좋은 곳으로 만들기 위해 선출되었습니다. 그것이 가장 중요합니다.
여: 알겠습니다. 저는 당신이 사무실을 자주 비운다고 들었습니다.
남: 시간이 있을 때마다 저는 도시에 있는 다양한 사람들을 만나서 그들이 말하고 싶은 것을 들으려고 나갑니다.
여: 온라인상에서 똑같이 할 수 있지 않나요?

남: 그들을 직접 만나는 것은 제가 그들의 솔직한 의견과 걱정을 이해하는 것을 많이 도와줍니다.
여: 알겠습니다. 우리 도시를 위해 열심히 일하고 계시는 군요. 많은 사람들이 이 인터뷰를 보는 것을 좋아할 겁니다.

**문제 해결**

여자는 남자에게 중요하게 생각하는 일에 대해 묻고 있고, 남자는 자신이 선출된 것이 이 도시를 더 좋은 장소로 만들기 위함이라고 답하고 있으므로 시장과 기자의 관계가 가장 알맞다.

**어휘·표현**

elect 선출하다 various 다양한 in person 직접, 개인적으로 concern 염려, 걱정

## 04 ⑤

여: 이 포스터를 봐! ABC 놀이공원이 Shark's Village에 개장할 거래. 동그라미 가운데에 그렇게 적혀 있어.
남: 정말 재미있어 보인다. 언제 개장할 거래?
여: 오른쪽 아래에 11월 11일에 개장한다고 하네.
남: 난 회전목마를 좋아하기 때문에 우린 꼭 가야해.
여: 움직이는 말을 얘기하는 거야? 그걸 어디서 찾았어?
남: 그건 동그라미의 오른쪽에 있어. 나는 그것을 타는 것을 제일 좋아해.
여: 아하! 거기 있구나. 난 화살을 쏘고 싶어. 그건 대관람차와 귀여운 풍선들 사이에 있어. 또한, 나는 성의 왼쪽에 있는 열기구도 타고 싶어.
남: 그건 무섭지 않겠어?
여: 그건 안전할 거야. 걱정하지 마.

**문제 해결**

여자가 놀이공원에서 타고 싶은 열기구는 포스터에서 성의 왼쪽이 아니라 오른쪽에 있으므로 ⑤가 일치하지 않는다.

**어휘·표현**

merry-go-round 회전목마 arrow 화살 Ferris wheel 관람차 hot air balloon 열기구

## 05 ⑤

여: 의사 선생님이 뭐라고 하셨어?
남: 근육이 손상되었지만, 다행히도 뼈는 완전히 괜찮아.
여: 넌 정말 운이 좋았구나! 그 소식에 안심이 된다. 이제 집에 가서 좀 쉬자.
남: 기다려, 나는 진료비를 내야 해.
여: 내가 이미 냈어.
남: 정말 고마워. 그러면 난 약국에 가서 약을 좀 받아올게.
여: 내가 이미 처방전을 받았으니 내가 대신 거기 갈게. 다친 다리를 위해 물리치료를 받는 게 어때?
남: 그걸 깜빡할 뻔했네. 의사 선생님이 내가 집에 가기 전에 물리치료를 받아야 한다고 하셨어.
여: 내가 약을 받은 후에 거기서 만나자. 좀 이따 봐.

**문제 해결**

여자가 진료비를 이미 지불했고, 이미 받은 처방전으로 약국에서 약을 받는 동안 남자는 물리치료를 받기로 했다.

**어휘·표현**

muscle 근육 damage 손상을 입히다 pharmacy 약국 prescription 처방전 physical therapy 물리치료

## 06 ⑤

*[전화벨이 울린다.]*
남: 안녕, 얘야! 요새 어떻게 지내고 있니?
여: 아빠! 전 아빠가 늘 보고 싶어요. 뉴욕에 도착하셨나요?
남: 아직은 아니야. 그러나 내일 밤에 여기를 떠날 거야.
여: 그러면 어떻게 영상통화를 걸고 있는 거예요?
남: 이 호텔에는 무료 와이파이가 있어. 그건 그렇고, 나는 네가 사고 싶어 했던 레고 세트를 찾았어. 똑같은 세트가 여기에서는 뉴욕보다 30%가 더 싸.
여: 정말요? 여기서는 그걸 사는 데 100달러를 내야 하는데.
남: 게다가, 호텔에서 나에게 10% 할인 쿠폰을 줬어.
여: 최고네요! 아빠, 제 친한 친구도 그 세트를 사고 싶어 해서요. 하나 더 사다줄 수 있어요?
남: 물론이지.
여: 정말 고마워요, 아빠.

**문제 해결**

레고 세트를 뉴욕에서 사면 100달러인데, 아빠가 계신 곳에서는 30% 더 싸다고 했으므로 70달러이다. 그런데 호텔에서 준 할인 쿠폰을 사용하면 10% 더 싸게 살 수 있으므로 63달러가 되는데, 친구의 것까지 2개를 구입해야 하므로 지불해야 하는 총 비용은 126달러가 된다.

**어휘·표현**

sweetie 애정을 담아 다른 사람을 부르는 호칭 video call 영상통화

## 07 ⑤

남: 이렇게 이른 아침에 어디 가는 거야?
여: 나는 일하러 가야 해.
남: 일하러 간다고? 오늘은 쉬는 날이잖아.
여: 난 지금 막 사무실로부터 전화를 받았어.
남: 오늘 왜 일해야 하는데? 처리해야 하는 긴급한 일이 있는 거야?
여: 사실, 난 해야 할 급한 일이 있지는 않아.
남: 네 상사가 더 많은 시간을 일하라고 너에게 강요하고 있니?
여: 아냐. 동료들 중 하나인 Danella 씨가 오늘 아침 사무실에 오는 길에 자동차 사고를 당했어. 그녀는 구매자와 중요한 회의를 하기로 되어 있어서, 내가 그녀 대신에 회의에 참석해야 해.
남: 그거 참 안 됐구나.

**문제 해결**

여자의 동료 중 한 명이 교통사고가 나서 대신 회의에 참석하기 위해서 출근한다고 했다.

어휘·표현

day off 쉬는 날 urgent 긴급한 force 강요하다 coworker 동료

## 08 ④

여: 넌 뭘 보고 있니?
남: 아내 옮기기 세계 대회야. 그것에 대해 들어본 적 있어?
여: 아니, 못 들어봤어. 그게 뭐야?
남: 규칙은 간단해. 말 그대로, 남자들이 아내들을 들고 가능한 한 빨리 결승선까지 뛰는 거야.
여: 재밌다! 누가 그걸 시작했어?
남: 핀란드에 있는 사람들이 그걸 만들었는데, 호주, 독일, 미국 같은 많은 나라들로 퍼졌어.
여: 흥미롭네. 누가 대회에서 이겼어?
남: 아직 안 끝났지만, 미국 팀이 지금 경주에서 앞서고 있어.
여: 와! 그들은 정말 빠르구나. 그건 그렇고, 결혼한 커플만 대회에 참가할 수 있어?
남: 게임의 이름과는 달리, 남자 한 명과 여자 한 명으로 구성된 팀이라면 누구나 참가할 수 있어.

문제 해결

이름(the Wife Carrying World Championship), 규칙(아내를 들고 빨리 결승선까지 뛰기), 시작한 나라(핀란드), 참가 자격(남자 한 명과 여자 한 명으로 구성된 팀)은 언급하고 있으나 역대 최다 우승팀에 대한 언급은 없다.

어휘·표현

finish line 결승선 spread 퍼지다 consist of ~로 구성되다

## 09 ③

여: 안녕하세요, 청취자 여러분. 여기는 Amazing Science이고, 저는 Amelia입니다. 오늘, 저는 새로운 운송 수단인 두바이의 드론 택시를 소개하려고 합니다. 8개의 프로펠러와 4개의 다리를 가진 달걀 모양의 공중 택시는 한 번에 한 명의 승객을 태울 수 있습니다. 142마력의 그 운송 수단은 무게가 440파운드가 나가고 11,500피트 높이까지 날 수 있습니다. 최고 속도는 거의 시속 100마일이지만, 평균 속도는 시속 62마일 정도입니다. 승객들은 스마트폰 앱을 사용하여 그것을 탈 수 있지만, 미리 입력된 목적지로만 이동할 수 있습니다. 안전을 확인하기 위해, 비행은 중앙 관제소에 의해 원격으로 감시됩니다. 드론 택시는 상업적으로 이용하기에는 아직 어려운데, 부족한 배터리 용량으로 인해 30분만 날 수 있기 때문입니다.

문제 해결

최고 속도는 시속 100마일 정도이지만, 평균 속도는 62마일 정도이다.

어휘·표현

transportation 운송 horsepower 마력 maximum 최대 application (스마트폰) 앱 destination 목적지 remotely 원격으로 commercially 상업적으로 capacity 용량

## 10 ④

남: 안녕하세요, 무엇을 도와드릴까요?
여: 저는 새 세탁기를 사야 합니다. 하나 추천해 주실 수 있나요?
남: 이번이 세탁기를 처음 구입하시는 건가요?
여: 아니요, 전에 하나 산 적이 있는데, 고장 났어요.
남: 그러면 무엇이 필요한지 이미 아실 겁니다. 특별한 기능을 원하시는 게 있나요?
여: 제가 전에 갖고 있던 것은 빨래를 건조하지 못했습니다. 그래서 건조기가 있는 것을 원합니다.
남: 그런 모델들은 더 비쌉니다만 정말 편리합니다. 또한, 저는 빨래하는 도중에 기계를 멈추지 않고 빨래를 추가할 수 있는 것을 추천합니다.
여: 좋아 보이지만 훨씬 더 비싸네요. 저는 그건 필요 없습니다.
남: 그러면 강력 세탁은 어떠세요? 그건 두꺼운 이불을 세탁하는 데 사용됩니다.
여: 전 그게 좋아요! 이걸로 주세요.
남: 최고의 것을 고르셨네요.

문제 해결

건조 기능과 강력 세탁 기능이 있지만, 빨래하는 도중에 세탁기를 끄지 않고 빨래를 추가할 수 있는 기능은 없는 세탁기를 구입하고 싶어 한다.

어휘·표현

laundry 빨래 convenient 편리한 blanket 이불

## 11 ④

여: 너 소개팅하고 싶어?
남: 소개팅? 그게 뭔데?
여: 그건 네가 모르는 사람과 하는 데이트를 말해. 나는 너에게 내 친구들 중 한 명을 소개해주고 싶어.
남: 와! 지금 막 설레는데.

문제 해결

여자가 남자에게 자신의 친구를 소개해주고 싶다는 말에 대한 응답으로 ④가 가장 적절하다.
① 나는 네 친구를 전에 만난 적이 있어.
② 나는 이미 그 의미를 알고 있어.
③ 나 대신에 그녀를 만나는 게 어때?
⑤ 나는 소개팅에 대해 나쁜 기억이 있어.

어휘·표현

blind date 소개팅 introduce 소개하다

## 12 ③

남: 실례합니다, 저는 7번 버스를 30분 동안 기다리고 있어요. 그건 언제 올까요?
여: 그건 지난달에 노선을 바꿨습니다. 더 이상 여기에 서지 않습니다.
남: 그러면 제가 과학 공원에 어떻게 갈 수 있을까요?
여: 택시를 타는 게 낫습니다.

문제 해결

남자가 버스의 노선이 바뀌어서 버스를 타지 못하는 상황에서 과학 공원에 가는 방법을 묻고 있으므로 ③이 가장 적절하다.

① 저는 그게 얼마나 자주 서는지 모릅니다.
② 그 버스는 곧 올 겁니다.
④ 저는 전에 과학 공원에 가본 적이 있습니다.
⑤ 버스로 거기 가는 데 30분이 걸립니다.

어휘·표현

route 길, 노선

## 13 ③

남: 힘 내! 넌 할 수 있어! 우리는 곧 산의 정상에 도착할 거야.
여: 올라가기 너무 힘들어. 난 요즈음에 운동을 많이 못 했어.
남: 너무 더워서 전보다 더 힘들게 느껴져. 물을 좀 더 먹어봐.
여: 울퉁불퉁한 땅 때문에 걷기가 더 힘들어.
남: 그래도 우리는 정상에 가까이 가고 있어. *[잠시 후]* 봐! 우리가 해냈어! 멋진 경관이야!
여: 와, 네가 맞았어. 환상적이다!
남: 있잖아, 난 등산이 살을 빼는 데 최고의 운동이라고 들었어.
여: 정말? 난 틀림없이 오늘 이미 적어도 2킬로그램은 뺀 것 같아.
남: 말도 안 돼. 네가 뺀 것의 절반은 아마 땀뿐일 거야.
여: 오, 안 돼. 그러면 지방은 어떻게 뺄 수 있는데?
남: 너는 거의 매일 등산을 해야 해.

문제 해결

하루 등산한 것으로 살이 많이 빠지지는 않는다고 말하는 남자에게 여자가 어떻게 뺄 수 있는지 묻고 있으므로 ③이 적절한 응답이다.

① 너는 왜 내가 살을 빼기를 원해?
② 나는 등산을 하면서 땀을 흘리는 것을 정말 좋아해.
④ 친구들에게 보여주기 위해 사진을 찍는 게 어때?
⑤ 등산을 하는 것은 네가 잘 잘 수 있도록 도와줘.

어휘·표현

uneven 울퉁불퉁한 nonsense 터무니없는 말 sweat 땀

## 14 ③

여: 이 집 어때? 나는 마음에 들어.
남: 멋지다고 생각해. 우리 애들도 좋아할 거야.
여: 우리 애들이 살기에 완벽한 장소야.
남: 충분한 방들이 있고 넓은 정원이 있어.
여: 집 옆에는 쇼핑몰이 있어. 물건을 사기에 매우 편리한 곳이야.
남: 좋아. 게다가, 많이 비싸지 않아. 우리가 감당할 수 있어.
여: 모든 것이 완벽해. 그러나 한 가지 문제 때문에 이 집에 대해서 마음을 확정하지 못하겠어.
남: 그게 뭔데?
여: 일하러 가는 데 거의 두 시간이 걸릴 거야. 출퇴근하기 너무 어려워.
남: 맞아. 당신이 우리 애들과 많은 시간을 보내지 않으면 아이들이 실망할 거야.
여: 나도 동의해. 우린 다른 집을 찾는 게 좋겠어.

문제 해결

방도 충분히 많고 넓은 정원도 있고 근처에 쇼핑몰도 있는 좋은 집이지만, 여자가 출퇴근하기에 너무 멀기 때문에 아이들과 많은 시간을 보낼 수 없어서 두 사람은 다른 집을 찾으려 하고 있다.

① 우리 애들은 시간이 많아.
② 나는 우리가 더 많은 방이 있는 집이 필요하다고 생각해.
④ 나는 통근하기 위해 이 집을 팔아야겠어.
⑤ 이 집은 내가 생각했던 것보다 조금 더 비싸.

어휘·표현

convenient 편리한 moreover 게다가 afford 살 수 있다, 살 수 있는 여유가 되다 commute 통근하다, 출퇴근하다

## 15 ①

남: Steve는 차를 몰고 있고 Nancy는 그와 함께 있다. 그들은 중요한 사람을 만나기 위해 가는 길이다. 한 구역이 공사 중이기 때문에 그들은 회의에 늦을 수도 있다. 그는 가능한 한 빨리 운전한다. 그러는 동안에, 그들은 차들이 시속 30km 이하로 속도를 늦춰야 하는 어린이 보호 구역을 지나야 한다. 그러나 그는 회의에 제 시간에 도착하기 위해 속도를 전혀 줄이지 않는다. Nancy는 그가 차 사고를 내거나 경찰에게 딱지를 끊게 될까봐 걱정이다. 그녀는 그가 천천히 운전했으면 한다. 이런 상황에서, Nancy는 Steve에게 뭐라고 말하겠는가?

문제 해결

시속 30km 이하로 줄여야 하는 어린이 보호 구역에서 속도를 줄이지 않는 남자에게 여자가 할 말로 알맞은 것은 ① '우리 안전을 위해 속도를 줄여요.'이다.

② 운전할 줄 알아요?
③ 회의를 미루는 게 어때요?
④ 잠깐 쉬는 게 어때요?
⑤ 제가 당신을 위해 이 차를 운전할까요? 저 운전할 수 있어요.

어휘·표현

construction 건설, 공사 meanwhile 그러는 동안에 reduce 줄이다 ticket 딱지 put off 미루다, 연기하다

## 16-17

여: 오늘 밤 3월 24일 오후 8시 30분부터 30분 동안 정전이 있겠습니다. 국제 조명 끄기 행사를 기념하기 위해 에펠탑이나 엠파이어 스테이트 빌딩 같은 주요 지형지물들이 잠시 동안 자발적으로 그들의 조명을 끌 것입니다. 국제 조명 끄기 행사는 2007년 3월 31일 시드니에서 처음 시행됐습니다. 그 행사는 전 세계의 많은 사람들이 그것에 참여하도록 영감을 줬습니다. 2008년에는 5백만 명의 사람들이, 그리고 2017년에는 200개 나라의 수천만 명의 사람들이 그들의 조명을 껐습니다. 여러분이 이 운동에 참여한다면, 여러분은 전화기나 TV 없이 무엇을 할 수 있는지 알게 될 것입니다. 여러분은 가족들과 함께 촛불 아래에서 환상적인 저녁을 먹거나, 사랑하는 사람과 별들 아래에서 산책할 수 있습니다. 게다가, 여러분은 작은 행동이 기후 변화나 지구 온난화를 늦추는 것과 같은 더 큰 변화로 이어질 수 있다는 것을 알게 될 것입니다!

어휘·표현

blackout 정전 voluntarily 자발적으로 switch off 끄다 conduct 시행하다 inspire 영감을 주다 beloved 사랑하는 사람

## 16 ②

문제 해결

3월 24일 밤에 행하는 국제 조명 끄기 행사에 대해 소개하고, 그 행사에 참여하는 사람들이 그것을 통해 배울 수 있는 점들에 대해서 말하고 있으므로 ② '조명을 끄는 전 세계적인 운동'이 알맞다.

① 지구 온난화로 인한 기후 변화
③ 방문할 가치가 있는 세계의 주요 랜드마크
④ 가족과 할 수 있는 흥미로운 행사
⑤ 발전소 고장으로 인한 정전

## 17 ④

문제 해결

날짜(3월 24일), 시간(오후 8시 30분에서 30분 동안), 처음 시작한 도시(시드니), 2017년 참여 인원(200개 나라에서 수천만 명의 사람들이 참여)에 대한 언급은 있지만 2008년에 참여한 나라 수에 대한 언급은 없다.

# 07 영어 듣기 모의고사

정답 및 해설

» pp. 34~35

| | | | | | |
|---|---|---|---|---|---|
| 01 ④ | 02 ② | 03 ④ | 04 ④ | 05 ② | 06 ⑤ |
| 07 ③ | 08 ④ | 09 ⑤ | 10 ③ | 11 ② | 12 ⑤ |
| 13 ③ | 14 ⑤ | 15 ③ | 16 ④ | 17 ③ | |

## 01 ④

여: 안녕하세요, 여러분. 저는 여러분의 학교를 책임지고 있는 소방관, Juliet입니다. 저는 여러분에게 지진이 났을 경우에 무엇을 해야 하는지를 알려드리겠습니다. 만약 여러분이 교실에 있다면, 거기서 계속 머무르고 떨림이 멈출 때까지 책상 아래에 있으세요. 유리가 깨져서 여러분에게 떨어질 수 있기 때문에, 교실 창문에서 떨어져 있어야 합니다. 지진이 끝난 후 학교를 빠져나올 때에는, 절대 엘리베이터를 이용하면 안 됩니다. 만약 여러분이 야외에 있다면, 그곳이 여러분이 찾을 수 있는 가장 안전한 장소일 수 있으니 거기 머물러서 누워 있으세요. 그러나 가장 중요한 것은 여러분이 침착함을 유지하고 선생님이 말씀하시는 것을 따라야 한다는 것입니다.

문제 해결

학교 담당 소방관이 학생들에게 교실에 있을 때와 야외에 있을 때 지진이 발생하면 각각 어떻게 해야 하는지를 설명하고 있다.

어휘·표현

fire officer 소방관 earthquake 지진 exit 나가다 outdoors 야외에서 calm 침착한

## 02 ②

남: 엄마, 저는 이제 도서관에 가려고요. 내일 기말고사를 위해 공부해야 해요.
여: 잠깐만, 언제 집에 올 거니?
남: 도서관이 닫는 시간인 오후 10시까지 거기서 공부하려고요.
여: 10시까지? 그러면 우산을 가져가렴.
남: 우산이요? 해가 쨍쨍한데요. 하늘에는 구름 한 점 없어요!
여: 하지만 아침 일기예보에서 저녁에는 비가 올 거라 했어.
남: 믿을 수 없어요! 오늘은 비가 올 가능성이 거의 없다고 생각해요.
여: 난 네가 지난번에 우산을 가져가지 않아서 흠뻑 젖었던 걸 기억해.
남: 하지만 공부해야 할 무거운 책들을 많이 가져가야 해요.
여: 그래도, 넌 일기예보가 예측한 것을 믿어야 해.

문제 해결

엄마는 지금 날씨가 맑더라도, 저녁에 비가 올 거라고 했던 일기예보를 믿고 반드시 우산을 챙겨야 한다고 아들에게 말하고 있다.

어휘·표현

final exam 기말고사 weather forecast 일기예보 soak 흠뻑 적시다 predict 예측하다

## 03 ④

*[전화벨이 울린다.]*
여: 안녕하세요, 무엇을 도와드릴까요?
남: 음, 저는 당신의 사이트에서 티셔츠 두 벌을 샀는데, 그것들을 반품시키고 싶어요.
여: 이름이 무엇이고, 언제 그것들을 구입하셨나요?
남: 제 이름은 James Morrison입니다. 그리고 저는 그것들을 이틀 전에 샀는데, 그것들은 저에게 너무 작아요.
여: 그러면 반품시키기보다는 더 큰 사이즈로 교환하는 것은 어떠세요?
남: 그것들이 당신의 사이트에서 살 수 있는 가장 큰 사이즈예요.
여: 아, 유감이네요. 당신은 그것들을 반품시켜야 하겠네요. 오늘 오후에 배달원이 셔츠들을 가지러 갈 겁니다. 주소가 Woodside, Allen 가(街) 60번지가 맞지요?
남: 네. 제 요구를 들어주셔서 감사합니다.
여: 천만에요. 다른 상품들을 보러 우리 사이트를 다시 방문해 주세요.

문제 해결

사이즈에 맞는 옷이 없어서 반품시키기를 원하는 남자와 반품 신청을 확인하는 여자 간의 대화이다.

어휘·표현

return 반환하다, 반품시키다 exchange 교환하다 available 이용할 수 있는, 살 수 있는 request 요청, 요구

## 04 ④

남: 여기 모델 하우스 전단지를 봐봐. 나는 이게 정말 좋아.
여: 어떤 걸 말하는 거야?
남: 거실 전단지 말이야. 이 방의 이름이 오른쪽 아래 구석에 적혀 있어.
여: 아, 이거구나. 정말 눈길을 끄네!
남: 방 가운데에 있는 작은 서랍장 위에 있는 TV를 봐봐. 그건 벽에 걸려 있어.
여: 매우 깔끔하다. 그리고 나는 오른쪽에 있는 둥근 시계가 좋아. 그건 10시 10분에 맞춰져 있어서, 그것이 나를 보고 웃고 있는 것처럼 느껴져.
남: 시계 위쪽에는 제어판이 있어. 뭘 위한 걸까?
여: 나는 그것이 방의 조명을 조절한다고 생각해. 아, 나는 이 에어컨이 좋아.
남: 나도 그래. 그건 얇고 소형이어서 많은 공간을 절약할 수 있어.

문제 해결

그림에는 시계 밑에 제어판이 있는데, 대화에서는 시계 위쪽에 제어판이 있다고 말하고 있으므로 일치하지 않는 것은 ④이다.

어휘·표현

leaflet 전단지 eye-catching 눈길을 끄는 drawer 서랍장 control panel 제어판 lighting 조명 compact 소형의

## 05 ②

*[전화벨이 울린다.]*
여: 초고속 인터넷입니다. 무엇을 도와드릴까요?
남: 저는 어제 이 아파트로 이사 왔는데요, 당신 회사의 인터넷 서비스를 이용하고 싶습니다.
여: 우리는 두 가지 종류의 서비스를 갖고 있습니다. 가격이 높을수록, 인터넷은 더 빠릅니다.
남: 저는 더 빠른 것이 좋습니다.
여: 우리의 IPTV와 전화 서비스를 함께 이용하신다면, 10% 할인을 받게 됩니다.
남: 좋아요. 제 이전 전화기를 계속 사용할 수 있나요?
여: 아니요, 특별한 모델이 필요합니다. 저희가 공짜로 제공해 드립니다.
남: 좋습니다. 그러면, 저는 TV도 바꿔야 하나요?
여: 아니요, 그럴 필요 없으십니다. 그러나 저희가 연결선을 제공해드리지 않기 때문에 그것을 직접 구입하셔야 합니다.
남: 네. 하나를 제가 살게요.

문제 해결

인터넷을 설치하려는 남자와 설치 업체 직원 간의 전화 통화 내용이다. 여자가 전화기는 제공해주지만, TV 연결 케이블은 고객이 직접 구입해야 한다고 말하고 있다.

어휘·표현

discount 할인 for free 공짜로, 무료로 cable 선 provide 제공하다

## 06 ⑤

여: ABC 놀이공원에 오신 것을 환영합니다. 무엇을 도와드릴까요?
남: 저는 입장권 네 장을 사고 싶습니다. 그것들은 얼마인가요?
여: 어른들은 20달러이고 아이들은 10달러입니다. 어른은 몇 명인가요?
남: 두 명의 어른과 두 명의 아이입니다. 그런데, 첫째가 17살입니다. 그 애도 어린이 요금을 낼 수 있나요?
여: 안됩니다. 15살 미만의 아이들만 적용됩니다.
남: 그러면 세 명의 어른과 한 명의 아이입니다.
여: 우리는 오늘 특별 행사를 합니다. 각자 10달러씩만 더 내면, 표를 자유이용권으로 올릴 수 있습니다.
남: 아, 저는 그것들을 올리고 싶어요.
여: 알겠습니다. 어떻게 결재하시겠어요?
남: 제 신용카드 여기 있습니다.

문제 해결

어른 세 명의 요금이 60달러(20달러×3)이고, 아이 한 명의 요금이 10달러인데, 각각 10달러씩 추가해서 모두 자유이용권으로 바꿨기 때문에 70달러에 40달러를 더해서 총 요금은 110달러가 된다.

어휘·표현

amusement park 놀이공원 entrance 입장 fee 요금 upgrade 올리다, 상향 조정하다 all-day pass 자유이용권

## 07 ③

남: 방학이 드디어 내일 시작하네요!
여: 그래요. 제가 지금까지 겪은 가장 길고 힘든 학기였어요.
남: 그리고 당신은 다음 주말에 부산에서 의학 세미나에 참석할 거죠, 맞죠?
여: 전 참석하지 못할 것 같아요.
남: 왜 못하세요? 당신은 그것을 계속 기다렸잖아요!
여: 저는 정말 가고 싶었어요. 하지만 제 아들이 다리가 부러져서 저는 그를 돌봐야만 해요.
남: 당신의 남편이 당신을 위해 그것을 해줄 수는 없나요?
여: 그는 다음 주에 출장을 가야 해요.
남: 아, 그걸 들으니 유감이네요. 제가 거기에 방문한 후에 세미나의 내용을 알려 드릴게요.

문제 해결

여자는 세미나에 참석하고 싶었지만, 다리가 부러진 아들을 간호해야 하는 상황이다. 게다가, 여자의 남편은 출장을 가야 해서 여자가 아들을 돌봐야만 하기 때문에 세미나에 참석할 수 없게 되었다.

어휘·표현

tough 힘든 semester 학기 seminar 세미나 take care of 돌보다 business trip 출장

## 08 ④

여: Mike, 겨울 용품을 사러 이벤트 매장에 함께 가지 않을래?
남: 겨울 용품? 지금은 여름이잖아!
여: 그게 그것이 평소보다 지금 더 싼 정확한 이유야.
남: 아, 이해했어. 매장은 어디 있고, 우리는 그곳에 어떻게 가?
여: 매장은 옆 마을인 East Village에 있는 쇼핑센터에 있어. 버스로 거기까지 가는 데 20분 걸릴 거야.
남: 좋아. 너는 거기서 뭘 사고 싶은데?
여: 나는 스키 용품들과 겨울옷들을 좀 사고 싶어.
남: 판매 기간은 얼마 동안 지속돼?
여: 이번 주 월요일에 시작했고, 한 달 동안 지속될 거야.
남: 그러면 다음 주말에 같이 가자.

**문제 해결**

상점 위치(옆 마을의 쇼핑센터), 가는 방법(버스로 20분), 사려고 하는 물품(스키 용품들과 겨울옷들), 판매 기간(월요일부터 한 달 동안)에 대한 언급은 있지만 구매 한도와 관련된 언급은 없다.

**어휘·표현**

stuff 물건 accessory 액세서리, 부대용품 last 계속되다, 지속되다

## 09 ⑤

남: 안녕하세요, 학생 여러분. 여러분 모두를 만나게 되어서 반갑습니다. 저는 Teens Invention Center의 수석 연구원, Jeremy Reed입니다. 저는 여러분들에게 어른 과학자들뿐만 아니라 여러분 같은 십 대들도 위대한 발명을 할 수 있다는 것을 말하기 위해 여기 왔습니다. 십 대들은 그들이 보는 모든 것들에 대해서 항상 호기심을 갖고 있기 때문에, 깜짝 놀랄만한 생각들을 많이 떠올릴 수 있습니다. 저는 여러분들에게 한 가지 예시를 드리겠습니다. Boyan Slat이라는 이름의 한 네덜란드 십 대가 바다를 청소하는 떠다니는 청소 기계를 만들었습니다. 그는 바다가 물고기보다 많은 플라스틱 쓰레기로 가득 차 있다는 것을 알게 된 후에 그것을 만들기로 결심했습니다. 그 기계는 바다에서 플라스틱을 모으고, 그 모아진 플라스틱은 재활용될 수 있습니다. 가장 좋은 점은 그것이 해양 동물들에게 어떠한 해도 입히지 않는다는 것입니다.

**문제 해결**

가장 좋은 점은 해양 동물들에게 어떠한 해도 입히지 않는다는 점이라고 했으므로 ⑤는 일치하지 않는다.

**어휘·표현**

invention 발명 curiosity 호기심 come up with 생각해내다, 떠올리다 floating 떠다니는 recycle 재활용하다

## 10 ③

여: Steve, 제가 제 아들의 생일 선물로 스마트폰을 사는 것을 도와줄 수 있나요?
남: 물론이지요. 이 사이트에서 다양한 폰들을 비교할 수 있어요. *[클릭 소리]*
여: 저는 어떤 것을 골라야 할지 모르겠어요.
남: 가장 중요한 것은 가격이지요. 얼마를 쓰실 건가요?
여: 저는 200달러를 갖고 있어요. 그러나 저는 케이크와 꽃도 사야 하기 때문에 150달러 이하로 쓰고 싶어요.
남: 알겠어요. 방수가 되는 걸 원하나요?
여: 사실, 저는 그게 필요하다고 생각하지 않아요. 그러나 저는 그가 어디 있는지 알기 위해 위치 추적 서비스를 갖고 있는 폰을 원해요.
남: 그리고 저는 배터리 용량이 큰 것을 추천해요.
여: 동의해요. 그러면 우리는 한 가지 선택만 있네요.
남: 그건 그에게 좋은 선물이 될 겁니다.
여: 도와줘서 고마워요.

**문제 해결**

150달러 이하로 방수 기능은 필요 없지만, 위치 추적 기능은 있는 스마트폰 중에서 배터리 용량이 더 큰 것을 고르면 된다.

**어휘·표현**

compare 비교하다 various 다양한 waterproof 방수의 location tracking system 위치 추적 시스템 capacity 용량

## 11 ②

여: Donald, 나는 배가 불러. 난 내 벨트를 풀어야 할 것 같아.
남: 이 식탁에 있는 음식을 다 먹었으니 너는 틀림없이 배가 부를 거야.
여: 나는 네 요리를 정말 좋아해서 다 먹을 수밖에 없었어.
남: <u>나는 네가 맛있게 먹어줘서 기뻐.</u>

**문제 해결**

남자가 준비한 음식을 여자가 남김없이 다 먹었고, 여자가 남자에게 맛있어서 그것들을 모두 다 먹을 수밖에 없었다고 칭찬하고 있으므로 응답으로 ②가 가장 적절하다.

① 나는 널 위해 무엇을 요리해야 할지 모르겠어.
③ 너는 네 벨트를 확인했어야 했어.
④ 너는 떠나기 전에 모든 것을 먹어야 해.
⑤ 저녁 식사를 위해 내가 요리하는 것을 도와줄 수 있어?

**어휘·표현**

loosen 풀다, 느슨하게 하다 stuffed 잔뜩 먹은, 배가 너무 부른

## 12 ⑤

남: Alice, 왜 그렇게 서둘러? 무슨 문제라도 있어?
여: 나는 내가 가장 좋아하는 밴드의 콘서트 표를 예매해야 해.
남: 예매가 몇 시에 시작하는데?
여: <u>표를 판매하기 전까지 5분밖에 안 남았어.</u>

**문제 해결**

남자가 여자에게 콘서트 표 예매를 시작하는 시간이 언제인지 묻고 있으므로 판매까지 남은 시간을 말하는 ⑤가 적절하다.

① 미안해. 시간이 별로 없어.
② 나는 그 콘서트를 빨리 보고 싶어.
③ 그 콘서트는 내일모레 시작해.
④ 표 판매는 어제 끝났어.

어휘·표현

in a hurry 서둘러 reserve 예약하다, 예매하다 reservation 예약, 예매 go on sale 판매하다

## 13 ③

남: 엄마, 은행에서 제 돈을 뽑아도 될까요?
여: 얼마를 말하는 거니?
남: 500달러요. 저는 5년 넘게 돈을 모아놔서, 충분한 돈이 있어요.
여: 그렇게 큰돈으로 뭘 사고 싶은 거야?
남: 저는 전동 킥보드를 사고 싶어요. TV에서 봤는데 정말 멋져요.
여: 그렇지만 너는 면허증이 없잖아.
남: 그걸 모는 데 면허증은 필요 없어요.
여: 나는 그래도 여전히 반대다. 왜냐하면 그건 타기에 너무 위험하다고 생각해.
남: 조심히 탈게요, 엄마. 제발 제가 살 수 있게 해주세요.
여: 네 안전에 대해서 넌 무엇을 할 거니? 너는 안전하게 타겠다는 약속을 해야 해.
남: 저는 항상 안전모를 쓰겠다고 약속해요.

문제 해결

아들은 전동 킥보드를 사고 싶어 하고, 엄마는 안전을 이유로 반대하고 있다. 마지막에 엄마가 아들에게 안전을 위해 무엇을 하겠는지를 묻고 있으므로 ③이 가장 적절하다.

① 제가 면허증을 딸 수 있도록 허락해 주셔서 감사해요.
② 그것이 제가 엄마께 여러 번 말씀드렸던 거예요.
④ 많은 교통사고가 킥보드 때문에 일어나요.
⑤ 저는 이 가게에서 싼 전동 킥보드를 찾았어요.

어휘·표현

withdraw (돈을) 인출하다 electric 전기를 이용하는 fascinating 매력적인, 멋진 license 면허증

## 14 ⑤

여: 아들아, 나는 오늘 네 담임 선생님을 만났어.
남: 선생님이 저에 대해서 뭐라고 말씀하셨어요?
여: 그는 너에 대해서 칭찬하셨어. 특히, 네 학습 태도를. 또한, 그는 나에게 네가 매우 똑똑하다고 하셨어.
남: 저에 대해 좋은 것들을 말씀해 주셔서 다행이에요.
여: 그러나, 그는 네가 쉬는 시간 동안에 네 친구들과 어울리기보다는 책만 읽으려고 한다고 걱정하셔.
남: 저는 책 읽는 게 좋아요.
여: 그래도, 나는 네가 반 친구들과 관계를 맺는 것을 배워야 한다고 생각해.
남: 그렇지만, 읽는 것은 매우 재미있어서, 책을 내려놓을 수 없을 뿐이에요.
여: 그러면 내가 너에게 제안 하나 할게.
남: 그게 뭔데요?
여: 학교에서는 반 친구들과 놀고 집에서는 책을 읽는 게 어때?

문제 해결

엄마는 아들이 쉬는 시간에 책만 읽기보다는 반 친구들과 어울리며 관계를 형성하는 것을 추천하고 있기 때문에, 학교에서는 반 친구들과 어울리고 집에서 책을 읽으라고 권하는 제안인 ⑤가 적절하다.

① 네가 더 교육적인 책을 읽으면 좋겠어.
② 너는 정말 네가 책을 읽는 것을 좋아한다고 생각하니?
③ 다음에 내가 네 선생님을 찾아갈 때에는, 그가 너를 칭찬할 거야.
④ 너는 교실에서 실수를 하지 않도록 조심해야 해.

어휘·표현

attitude 태도 hang out 어울리다 relationship 관계 suggestion 제안 compliment 칭찬하다

## 15 ③

여: Brad는 새 차를 샀고 어제 마침내 그것을 받았다. 그의 가족은 교외로 차를 몰고 나가기로 결정했다. 그들은 같이 나가게 되어서 모두 신이 났다. 출발하기 전에, Brad는 모든 것을 점검했고, 그의 딸인 Sharon이 아직 안전벨트를 매지 않은 것을 발견했다. 그는 그녀에게 그것을 매라고 설득하려고 노력했지만, 그녀는 매우 불편하다면서 그의 말을 듣지 않았다. 그녀는 또한 그들이 고속도로가 아니라 국도를 이용할 것이기 때문에 괜찮을 것이라고 말했다. 그럼에도 불구하고, 그는 그녀가 안전벨트를 매도록 설득할 필요가 있다. 이런 상황에서, Brad가 Sharon에게 뭐라고 말하겠는가?

문제 해결

아빠가 딸에게 불편하거나 국도를 이용하더라도 반드시 안전벨트를 매야 한다는 것을 설득하는 상황이므로 ③ '네 안전벨트는 사고가 났을 경우에 너를 보호해줄 거야.'가 가장 적절하다.

① 네 의자는 네 몸에 딱 맞는 크기야.
② 너는 차에서 멋진 경치를 볼 수 있어.
④ 나는 네가 운전을 배우는 것이 필요하다고 생각해.
⑤ 새 차를 살 때, 너는 안전벨트를 확인해야 해.

어휘·표현

suburb 교외 fasten 매다, 잠그다 seat belt 안전벨트 persuade 설득하다 uncomfortable 불편한 local road 국도 highway 고속도로 landscape 경치 accident 사고

## 16-17

남: 우리는 올해의 학생회를 구성하기 위해 자원하는 학생들을 찾고 있습니다. 우리는 리더십, 좋은 태도, 그리고 긍정적인 생각을 갖고 있는 학생들을 원합니다. 학교를 위해 봉사하고 싶은 사람들은 학생회에 지원하는 데 망설이지 마세요. 구성원들은 학교의 모든 학생을 대표하고 그들의 요구와 생각을 대변하게 됩니다. 당신이 지원하기 위해서는, 다음의 것들이 필요합니다. 먼저, 지원서를 작성해서 다음 주 금요일까지 제출하세요. 다음으로, 당신은 선생님들 중 한 분으로부터 추천서를 받아야 합니다. 당신은 심각한 잘못에 대한 기록이 없어야 합니다. 마지막으로 중요한 것은, 우리는 매일 아침에 회의를 합니다. 그래서 당신은 평소보다 학교를 더 빨리 와야 합니다. 위의 지시사항 중에 어떤 것이라도 충족되지 않으면, 당신은 학생회의 구성원이 될 수 없습니다.

어휘·표현

volunteer 자원자 student council 학생회 hesitate 망설이다 represent 대표하다 application form 지원서 recommendation 추천 misbehavior 나쁜 행동 fulfill 만족시키다, 수행하다

## 16 ④

문제 해결

학생회의 구성원을 뽑기 위해 필요한 조건들에 대하여 공지하고 있다.

① 학교 학생회의 목적
② 추천서를 쓰는 방법
③ 긍정적으로 생각하는 것의 장점
④ 학생회의 새로운 구성원 모집
⑤ 학생들이 지원할 수 있는 다양한 자원봉사 활동

## 17 ③

문제 해결

학생회에 지원하기 위해서는 지원서를 작성하여 다음 주 금요일까지 제출해야 하고, 교사 한 명의 추천서를 받아야 하며, 심각한 잘못에 대한 기록이 없어야 하고, 매일 아침에 회의를 하기 때문에 학교에 일찍 와야 한다. ③ '출석 일수'와 관련된 언급은 없다.

# 08 영어 듣기 모의고사

정답 및 해설

» pp. 36~37

| | | | | | |
|---|---|---|---|---|---|
| 01 ⑤ | 02 ③ | 03 ③ | 04 ⑤ | 05 ④ | 06 ③ |
| 07 ② | 08 ⑤ | 09 ④ | 10 ② | 11 ② | 12 ③ |
| 13 ② | 14 ③ | 15 ⑤ | 16 ① | 17 ④ | |

## 01 ⑤

남: 잠시만 집중해주시겠습니까? Dream Outlet에서 즐거운 쇼핑 시간 보내고 계시길 바랍니다. 지금은 8시 10분 전입니다. 저희는 10분 후에 마감을 할 예정입니다. 최종 구매를 선택하시고 계산대로 가주시길 부탁합니다. 다섯 개 이하 물품 구매 고객들은 매장 뒤편 임시 계산대에서 구매 비용을 지불하실 수 있습니다. 매장은 주중에는 오전 10시부터 오후 8시까지, 토요일에는 오전 11시부터 오후 6시까지 운영합니다. 저희가 제시간에 마감을 할 수 있도록 쇼핑을 마무리해 주시면 감사하겠습니다. 저희 매장에서 쇼핑을 해주셔서 감사합니다.

문제 해결

10분 뒤에 매장을 닫을 수 있도록 쇼핑을 정리해 달라는 내용이므로 남자가 하는 말의 목적으로는 ⑤가 가장 적절하다.

어휘·표현

proceed 진행하다, 나아가다 purchase 구매한 것 temporary 임시의 appreciate 감사하다 wrap up 정리하다 on time 제시간에

## 02 ③

남: Gina, 우리가 보고 있는 이 광고에 대해서 어떻게 생각하니?
여: 햄버거에 관한 광고 말이니?
남: 맞아. 네가 그걸 볼 때 어떤 생각이 드니?
여: 음... 햄버거가 너무 맛있어 보여서 그걸 먹고 싶어.
남: 그게 문제야. 정크 푸드에 관한 광고는 TV에서 금지되어야만 해.
여: 네 말이 맞지만 논란의 여지가 될 수 있어.
남: 그래, 패스트푸드 회사나 식당 주인들이 반대하잖아.
여: 상상이 간다.
남: 그렇지만 그런 종류의 음식을 먹는 것은 비만으로 이어질 수 있어. 나는 그것이 담배로 인한 폐암만큼 심각하다고 확신해.
여: 일리가 있네. 그렇다면 패스트푸드 광고는 TV에서 금지가 되어야겠구나.
남: 이제 말이 통하는구나.

문제 해결

남자는 패스트푸드에 관한 광고를 보고 있는 여자에게 그러한 광고는 TV에서 금지되어야 한다고 주장하고 있으므로 ③이 적절하다.

어휘·표현

controversial 논쟁의 obesity 비만 forbid 금지하다

## 03 ③

여: 안녕하세요. 여기 자리에 앉아주세요.
남: 감사합니다. 내일 여권을 신청하기 위해서 사진을 찍으려고 합니다.
여: 그렇다면 단정한 머리를 원하세요?
남: 네. 뒷부분과 옆머리는 살짝 다듬고 싶지만 윗부분은 아니에요.
여: 알겠습니다. 이번 여름에 해외에 가실 계획이 있으세요?
남: 맞습니다. 실은 다음 달에 대만에 가려고 계획 중이에요.
여: 부럽네요. 멋지게 들리네요. 음… 가르마를 어떻게 해드릴까요?
남: 오른쪽으로 가르마를 타주세요.
여: 알겠습니다. 나중에 샴푸를 하시겠어요?
남: 아니요, 저는 여기서 샴푸를 하고 싶지 않아요.
여: 알겠습니다. 편안히 계세요. 당신을 멋있어 보이게 만들어 드릴게요.

문제 해결

헤어 디자이너와 머리를 단정하게 자르기 위해 온 손님과의 대화이다.

어휘·표현

apply for 신청하다 neat 깔끔한 overseas 해외로 part 가르마를 타다, 나누다

## 04 ⑤

여: Alex, 네가 이 사진을 찍었니?
남: 응. 지난 주말에 놀이공원에 갔을 때 내가 직접 찍었어.
여: 음, 입구에 한 여자가 여자아이의 손을 잡고 그들의 순서를 기다리고 있구나.
남: 맞아. 그리고 입구와 출구 사이에 유모차가 있어. 그것은 아마 그들의 것인 것 같아.
여: 입구에 직원이 토끼 탈을 쓰고 있네. 그는 좀 더워 보인다.
남: 유감스럽지만 그런 것 같아.
여: 울타리에 기대고 있는 남자는 아이가 회전목마를 타고 있는 사진을 찍는 중이구나.
남: 아마도 그는 그 아이의 아빠인 것 같아. 출구 밖에는 야구 모자를 쓰고 있는 남자아이가 풍선을 들고 있네. 풍선은 항상 놀이공원을 떠올리게 해.
여: 나도 그렇게 생각해. 이 사진 멋지다. 정말 마음에 들어!

문제 해결

출구 밖에 야구 모자를 쓰고 있는 소년은 솜사탕을 먹고 있으므로 풍선을 들고 있다는 대화의 내용과 일치하지 않는다.

어휘·표현

baby carriage 유모차 fence 울타리

## 05 ④

남: Rachel, 이 강아지들 중에 하나를 살까? 그것들이 너무 귀엽다.
여: 나도 그러고 싶지만, 우리는 그럴 수 없어.
남: 왜 안되지? 너도 좋아하고 나도 무척 좋아하잖아.
여: Dan, 우리가 이웃과 함께 아파트에 살고 있다는 점을 기억해.
남: 우리가 주택으로 이사하면, 강아지를 길러도 될까?
여: 그래, 개를 기를 수 있어. 만약 우리가 고양이를 한 마리 사면 너는 고양이도 키울 수 있어. 나도 동물들을 사랑해. 그러나 우리는 상황을 받아들여야 해.
남: 오늘 우리가 집에 데려갈 수 있는 동물이 있을까?
여: 우리는 어항에 든 몇몇 물고기를 데려갈 수 있을 거야.
남: 좋아. 저기에 작은 수조에서 예쁜 몇몇 물고기를 선택하자.
여: 좋은 선택이야, Dan.

문제 해결

남자는 강아지를 포기하고 물고기를 가져가기로 여자와 이야기하고 있으므로 남자가 할 일로는 ④가 가장 적절하다.

어휘·표현

feed 기르다, 먹이를 주다 accept 받아들이다 bowl 어항, 사발

## 06 ③

여: 와, 이것들 좀 봐요! 목걸이가 귀여워요!
남: 감사합니다. 제가 모두 만들었습니다. 한번 착용해 보세요.
여: 멋지네요! 이건 얼마인가요?
남: 좋은 취향을 가지셨네요. 그것은 20달러입니다.
여: 음, 제가 생각한 것보다 조금 더 비싸네요. 1달러를 할인해주실 수 있나요?
남: 19달러라… 음, 당신이 다른 것을 더 사신다면 제가 좀 더 할인해 드릴게요.
여: 알겠습니다. 저는 이 귀걸이들도 마음에 들어요. 그것들은 얼마인가요?
남: 10달러입니다. 그 원석들은 진짜입니다.
여: 좋네요. 그렇다면 총합이 얼마인가요?
남: 제가 전체 가격에서 10% 할인을 해드리겠습니다.
여: 감사합니다. 저는 두 가지 다 사겠습니다.

문제 해결

목걸이가 20달러, 귀걸이가 10달러이고 전체 금액에서 10% 할인을 받으므로 여자가 지불할 금액으로는 27달러가 적절하다.

어휘·표현

necklace 목걸이 good taste 좋은 취향 earring 귀걸이

## 07 ②

*[전화벨이 울린다.]*
남: 안녕하세요? 고객센터입니다.
여: 안녕하세요. 5월 1일부터 5월 10일까지 50달러 이상의 온라인 구매에 대한 판촉 행사가 당신의 사이트에 광고되어 있었습니다.
남: 네, 맞습니다.
여: 저는 5월 7일에 51달러를 주문했습니다. 그러나 제가 주문한 것을 받았을 때, 저는 약속한 선물을 받지 못했습니다.
남: 죄송합니다. 오류가 있었음에 틀림없군요. 귀하의 주문 번호를 알려주실 수 있겠습니까?
여: AC25352입니다.
남: 네. *[잠시 후]* 제가 Linda Jones 씨와 통화하고 있는 것이 맞습니까?
여: 네, 저 맞습니다.
남: 이상하네요. 여기 저희 기록에 따르면 귀하께서는 특별 선물을 받을 수 있었음을 보여 줍니다.
여: 그게 제가 전화 한 이유입니다.

문제 해결

여자는 물건 구입에 따른 판촉용 선물을 받지 못해서 전화하고 있으므로 여자가 전화를 건 이유로는 ②가 가장 적절하다.

어휘·표현

promotional offer 판촉용 특별 행사 eligible ~을 가질[할] 수 있는

## 08 ⑤

여: Sam, 나와 같이 마라톤에 참가하는 게 어때?
남: 다음 주말에 열리는 City Half 마라톤을 말하는 거니?
여: 바로 그거야. 재미있을 거야.
남: 네가 한다면 왜 안 하겠어? 출발 장소가 어디야?
여: 우리는 토요일 오전 8시 40분 전에 국립극장 입구에 도착해야 해.
남: 문제없어. 오, 나는 내 사촌인 John도 우리와 함께 참여하기를 원해. 그는 13살인데 달리기를 좋아해.
여: 그래, 그가 참가하는 것이 가능해. 12살이 넘은 어린이들은 마라톤에 참여할 수 있어. 참가비는 우리 모두 무료야.

남: 잘 되었네. 그리고 우리가 전체 거리를 달리면 우리는 증명서를 받을 수 있다고 들었어.
여: 맞아. 정말 기다려진다!

문제 해결

대회 일시(다음 주 토요일), 출발 장소(국립극장 입구), 참가자 연령 제한(12살 이상), 참가비(무료)는 언급하고 있으나 ⑤ '우승 상품'에 관한 언급은 없다.

어휘·표현

take part in ~에 참가하다 entry fee 참가비 certificate 증명서

## 09 ④

여: 안녕하세요, 여러분! 여러분 모두가 좋아할 만한 행사가 있습니다. 그것은 AU International Baby Shower입니다. 이 행사는 물론 아이를 임신하고 있거나 3세 미만의 자녀를 둔 유학생과 교직원을 위한 것입니다. 이것은 자녀 양육에 관한 경험을 공유하며 캠퍼스 내외에서 이용 가능한 자료를 알기 위한 행사입니다. 저녁 식사는 무료로 제공되며 아기용품에 관한 기부 테이블도 있습니다! 이 행사는 Children's Learning Center에서 이번 주 금요일 오후 5시 30분부터 7시 30분까지 제한된 시간 동안 열립니다. 회신이 필수는 아니지만 매우 감사하게 여겨질 것입니다. 여러분이나 자녀가 특정 음식 알레르기가 있는 경우에는 미리 알려주세요. 오셔서 저희와 함께 해요!

문제 해결

AU International Baby Shower 행사는 금요일 오후 5시 30분부터 7시 30분까지 2시간 동안 진행되므로 ④는 내용과 일치하지 않는다.

어휘·표현

baby shower 베이비 샤워(아이의 출생을 앞둔 여성에게 선물을 하는 파티) faculty 교직원 available 이용 가능한 donation 기부 highly 매우 in advance 미리

## 10 ②

여: Henry, 무엇을 보고 있니?
남: 난 스포츠 샌들을 고르고 있어. 나 좀 도와줄래?
여: 물론이지. 네 신발 사이즈가 8.5지, 맞니?
남: 응, 근데 나는 그것보다 큰 샌들을 사야한다고 생각해. 그 사이즈로 작년 여름에 샀던 샌들이 너무 꽉 꼈어.
여: 그렇구나. 흰색과 검정색 중에 어떤 것을 더 선호하니?
남: 음… 이번엔 그 색깔들 중 어떤 것도 원하지 않아.
여: 아마도 너는 조절이 가능한 끈이 있는 샌들을 원하지, 맞지?
남: 끈이 없는 게 더 편해.
여: 좋아. 그러면 두 가지 선택이 남은 것 같구나.
남: 난 이것을 주문할게. 쌀수록 좋다고 생각해. 도와줘서 고마워.
여: 천만에.

문제 해결

사이즈는 8.5보다 큰 것을 원하고, 색깔은 흰색과 검은색을 제외한 것을, 그리고 끈이 없으며 남은 것 중에 더 저렴한 것을 고르기로 했으므로 남자가 주문할 샌들은 ②이다.

어휘·표현

tight 꽉 끼는 adjustable 조절 가능한 strap 끈 option 선택

## 11 ②

여: David, 어디를 가는 중이니? 회의는 30분 후에 시작해.
남: 음, 나는 회의가 시작하기 전에 커피 한 잔 사려고 가던 중이야. 너 뭐 좀 마실래?
여: 아니, 괜찮아. 난 이미 카페인을 너무 많이 마셨어.
남: 알겠어. 가능한 빨리 내 커피를 사가지고 올게.

문제 해결

음료를 사양하는 여자의 말에 대한 응답으로는 ②가 가장 적절하다.
① 네 말이 맞아. 난 지금은 커피를 마시지 않는 게 좋겠어.
③ 고마워. 그것을 준비할 수 있도록 네가 도와줘서 기뻐.
④ 알겠어. 돌아오는 길에 네 커피 한 잔을 사 올게.
⑤ 그러지 마. 네가 미팅에 늦을 것 같아서 걱정돼.

어휘·표현

caffeine 카페인 as quickly as possible 가능한 한 빨리

## 12 ③

남: 믿을 수 없어요! 제가 승진했다고 방금 전화를 받았어요!
여: Dean, 당신의 승진을 정말 축하해요! 당신이 해낼 줄 알았어요.
남: 고마워요, Grace. 많이 기대하진 않았지만 일이 잘 풀렸네요.
여: 겸손해 하지 마세요. 당신은 누구보다도 그걸 받을 자격이 충분해요.

문제 해결

승진에 대해 겸손해 하는 남자의 말에 대한 여자의 응답으로 ③이 가장 적절하다.
① 저도 동의해요. Robert가 승진할 자격이 충분해요.
② 천만에요. 제가 승진할 수 있도록 당신이 도와줬죠.
④ 미안하네요. 당신은 지난주에 6시간을 초과 근무했어요.
⑤ 안타깝군요. 당신은 스트레스를 많이 받았음에 틀림없어요.

어휘·표현

promote 승진시키다 work out 해결되다 deserve 자격이 있다 stressed out 녹초가 된, 스트레스가 쌓인

## 13 ②

남: Jessica, 나 문제가 생겼어. 와서 나 좀 도와줄래?
여: 물론이지. 뭘 하면 되는데?
남: 이메일이 제대로 작동되지 않는데, 이유를 잘 모르겠어.
여: 어디, 한번 보자. 뭐가 문제지?
남: 음, 이 이메일을 친구 Susan에게 보내려고 하고 있어.
여: 그런데?
남: 내가 보내는 메일이 자꾸 되돌아 와.
여: 음… 이메일 주소가 정확한지 확인해 봤니?
남: 그래. 이미 두 번이나 확인했어.

여: 때때로 친구의 편지함이 가득 차서 그럴 수가 있어. 그런 경우에 친구에게 전화해서 수신함을 비우라고 말해야 해.
남: 오, 알겠어. 지금 당장 전화해야겠다. 고마워.

문제 해결

메일함을 비우도록 친구에게 전화해 보라는 여자의 말에 대한 남자의 응답으로는 ②가 가장 적절하다.
① 네 말이 맞는 것 같아. 이메일은 사용하기에 편리해.
③ 문제없어. 기꺼이 그녀의 방을 청소할게.
④ 친구가 내 이메일을 거절하지 않기를 바라.
⑤ 네 충고 고마워. 난 이미 그녀에게 이메일을 보냈어.

어휘·표현

properly 적절히 bounce back 되돌아오다, 되튀다 inbox 수신함

---

## 14 ③

여: Ted, 좀 피곤해 보이네요. 감기 같은 것에 걸린 거예요?
남: 아니요, 괜찮아요.
여: 그렇다면 무슨 일 있어요?
남: 어젯밤 드라마를 보느라 늦게 잤어요. 최근에 그것들에 푹 빠졌어요.
여: 저도 드라마의 광팬이에요. 저는 로맨틱 코미디를 좋아해요. 당신은 어떤가요?
남: 저는 탐정물을 좋아해요.
여: 그것들은 보기엔 정말 흥미로워요. 저는 그것들을 볼 때 시간이 어떻게 그렇게 빠르게 지나가는지 모르겠어요.
남: 맞아요. 저도 또한 그래요.
여: 재미로 드라마를 보는 건 괜찮지만 제 생각엔 우리의 학업에 방해가 되면 안 된다고 생각해요.
남: 맞아요. 저는 요즘에 그것들에 조금씩 중독되고 있어 걱정이에요.
여: 조심해야 해요! 우리는 드라마 시청을 줄일 필요가 있어요.

문제 해결

드라마 보는 데 중독되는 것 같아 걱정이라는 남자의 말에 대한 여자의 응답으로는 ③이 가장 적절하다.
① 당신이 무슨 말을 하는지 알아요. 당신은 드라마의 팬은 아니잖아요.
② 나는 그렇게 생각하지 않아요. 그것들을 보는 게 해롭지 않아요.
④ 당신 말이 맞아요. 저 또한 드라마를 보는 것을 좋아해요.
⑤ 맞아요. 마약은 정말 위험해요.

어휘·표현

stay up late 늦게까지 깨어 있다 detective 탐정의 interfere 방해하다 addicted 중독된 cut down 줄이다

---

## 15 ⑤

남: Julia와 Gloria는 자매이다. 그들은 발 사이즈가 같다. 어느 일요일 아침에 Gloria가 친구를 만나러 나갈 때 그녀는 언니의 운동화를 발견한다. Julia는 지난달에 그 운동화를 샀으며 그것을 소중하게 여기고 있다. Gloria는 Julia가 지금 집에 없는 것을 안다. Gloria는 잠시 동안 망설이지만 집에 일찍 올 수 있을 것이라 생각하고 그 운동화를 신고 밖으로 나간다. 오후에 갑자기 소나기가 내려 운동화는 젖고 모양이 망가진다. 그때, 그녀는 Julia로부터 자신의 운동화가 어디에 있는지를 물어보는 문자를 받는다. Gloria가 서둘러 집에 왔을 때 그녀는 Julia가 자신에게 화난 것을 발견하고 언니의 운동화에 발생한 일에 대해서 미안함을 느낀다. 이러한 상황에서 Gloria는 Julia에게 뭐라고 말하겠는가?

문제 해결

허락 없이 언니의 운동화를 신고 나갔다가 비에 젖은 상황이므로 Gloria가 Julia에게 할 말로는 ⑤ '허락 없이 운동화를 빌려서 정말 미안해.'가 가장 적절하다.
① 난 언니가 친구들을 만나러 나갔는지 몰랐어.
② 언니가 필요할 때면 내 신발을 빌려줄게.
③ 내 친구는 비가 올 때도 스포츠 신발을 신기를 좋아해.
④ 사실, 난 언니의 문자를 못 받았어.

어휘·표현

notice 알아차리다 sneakers 운동화 cherish 소중히 여기다 hesitate 주저하다

---

## 16-17

여: 요즈음 평균 예상 수명이 전 세계 인구로 보았을 때 70세 이상입니다. 모든 사람이 오래 살기를 원하기 때문에 이것은 분명히 좋은 소식입니다. 하지만 좋은 건강을 유지하면서 오래 사는 것이 더 중요합니다. 여기엔 몇 가지 기억할 것들이 있습니다. 견과류를 먹는 것이 건강에 도움이 된다는 것을 여러분은 들어본 적이 있을 것입니다. 게다가 전문가들은 우리에게 식초가 함유되어 있는 사이드 샐러드를 먹는 것을 권합니다. 식초를 섭취하는 것은 여러분의 혈당을 42퍼센트 낮춰줄 수 있습니다. 다음으로는 적절히 운동을 하세요. 운동을 전혀 하지 않는 것은 분명히 건강에 좋지 않지만, 너무 지나친 운동은 여러분의 건강을 해치고 심지어 몇몇 부상을 유도할 수 있습니다. 또한 잠잘 때는 불을 끄세요. 만약 여러분이 매일 밤 일곱 시간에서 여덟 시간을 자지 않는다면 질병에 걸릴 위험이 급속도로 증가하는 경향이 있습니다. 말하는 것과 행동하는 것은 다른 문제입니다. 당장 오늘부터 시작하세요!

어휘·표현

average life expectancy 평균 예상 수명 vinegar 식초 consume 섭취하다 lower 낮추다 moderately 적절히 induce 유도하다 sharply 급속도로

---

## 16 ①

문제 해결

건강하게 오래 살기 위한 여러 방법을 소개하고 있으므로 여자가 하는 말의 주제로는 ① '건강하게 오래 사는 방법'이 가장 적절하다.
② 과도한 운동에 의해 발생하는 문제점
③ 질병의 다양한 원인
④ 건강한 체형을 유지하는 데 도움을 주는 요인
⑤ 건강식품을 섭취하는 것의 장단점

---

## 17 ④

문제 해결

건강 유지를 위해 견과류, 식초, 운동, 수면은 언급하고 있으나 ④ '스트레스'에 관한 언급은 없다.

# 09 정답 및 해설 영어 듣기 모의고사

≫ pp. 38~39

| | | | | | |
|---|---|---|---|---|---|
| 01 ④ | 02 ⑤ | 03 ③ | 04 ③ | 05 ④ | 06 ② |
| 07 ③ | 08 ⑤ | 09 ⑤ | 10 ③ | 11 ③ | 12 ② |
| 13 ⑤ | 14 ② | 15 ④ | 16 ② | 17 ④ | |

## 01 ④

여: 안녕하세요, 학생 여러분. 저는 교장입니다. 아시다시피, 새 체육관과 도서관 건축 공사가 진행 중입니다. 이 프로젝트는 9월 24일에 종료될 것입니다. 여러분은 9월 둘째 주까지 기존의 체육관과 도서관을 이용할 수 있습니다. 그러나 그 이후에 그것들은 폐쇄될 것입니다. 이 공사 기간 동안, 학교의 많은 곳이 매우 위험할 수 있습니다. 여러분의 안전을 위해 울타리가 쳐진 곳에 들어가지 마십시오. 또한 덤프 트럭과 같은 공사 차량을 조심하고 소리에 귀 기울여야 합니다. 마지막으로, 공사 지역 근처의 낙하물에 주의하십시오. 경청해 주셔서 감사합니다. 공사 기간 동안 초래될 수 있는 불편에 대해 죄송합니다.

문제 해결

공사가 진행 중인 학교에서 울타리가 쳐진 곳에 들어가지 말 것, 공사 차량 및 낙하물에 주의할 것 등 공사 중 안전 수칙에 대해 공지하고 있다.

어휘·표현

principal 교장 construction 공사, 건설 underway 진행 중인 afterwards 그 뒤에, 나중에 keep out of ~에 들어가지 않다 look out 조심하다 inconvenience 불편

## 02 ⑤

남: 저기, 저쪽에 있는 어린 소녀를 봐.
여: 크게 울고 있네. 무슨 일이야?
남: 저쪽에 있는 저 개들이 보이니? 개들이 소녀에게 짖어대며 뛰어다녔어. 그 애는 겁을 먹은 게 틀림없어.
여: 우는 게 당연하지. 그 개들의 주인은 어디에 있니?
남: 그녀는 친구와 벤치에 앉아있어. 그녀는 자신의 개들을 보고 있지도 않아.
여: 믿을 수 없어! 개 주인은 공공장소에서 자신의 개를 제어할 책임이 있어.
남: 맞아. 공원에서 개들은 밧줄이나 체인과 같은 목줄을 매고 있어야 해.
여: 당연하지! 애완동물 주인들은 애완동물을 공공장소에 자유롭게 데려갈 수 있지만 그것들이 통제되고 있는지 지켜봐야 해.
남: 네 말에 동의해!

문제 해결

두 사람은 애완동물 주인들이 공공장소에서 애완동물들의 행동을 통제할 책임이 있다고 말하고 있다. 따라서 ⑤가 가장 적절하다.

어휘·표현

terrified 겁을 먹은 no wonder ~하는 것은 당연하다 owner 주인 control 제어하다 leash (개를 매어 두는) 가죽 끈

## 03 ③

남: Kelly, 이쪽으로 와볼래요?
여: 네. 제가 뭘 잘못했나요?
남: 오늘 프랑스어 발음이 엉망이네요. 미리 대사를 연습하지 않았나요?
여: 죄송합니다. 어젯밤에 엄마가 수술을 받으셔서 병원에 가야 했어요.
남: 오, 그거 참 유감이네요. 하지만 이 영화에서 당신이 가장 중요한 사람이라는 것을 명심해야 해요. 우리의 성공이 당신에게 달려있어요.
여: 정말 죄송합니다. 명심할게요.
남: 거기다, 역할이 프랑스 여자이니 발음에 더 주의해야 합니다.
여: 알겠습니다. 제게 대사를 연습할 시간을 좀 주시겠어요?
남: 좋아요, 하지만 오래 걸리지 않았으면 해요.

문제 해결

남자가 여자에게 대사를 연습하지 않은 것을 지적하고, 영화의 성공이 여자에게 달려있다고 하는 것으로 보아 두 사람은 영화배우와 영화감독의 관계이다.

어휘·표현

pronunciation 발음 rehearse 예행 연습하다 line (연극·영화의) 대사 in advance 미리 surgery 수술 be up to ~에 달려있다

## 04 ③

여: Tim, 이거 여름 휴가 때 찍은 사진이야? 즐거워 보여.
남: 맞아. 우리는 해변에서 완벽한 하루를 보냈어.
여: 부모님께서 비치 파라솔 아래에 누워 계시네. 어머니께서 리본 달린 귀여운 모자를 쓰셨어.
남: 사실, 그건 내 사촌의 모자야.
여: 이 애가 네 사촌이니? 그 애와 네가 커다란 모래성을 쌓았네.
남: 맞아, 우리는 여러 개의 조개껍데기로 그걸 장식했어.
여: 아주 마음에 들어! 바다에서 손을 흔들고 있는 잘생긴 남자는 누구야?
남: 우리 삼촌이야. 물고기처럼 수영을 하시지.
여: 부러워. 여기, 네 남동생이 줄무늬 튜브를 타고 놀고 있구나.
남: 동생은 아직 수영을 못해. 그 애가 정말 귀엽지 않니?
여: 응, 귀여워. 너는 거기에서 아주 즐거운 시간을 보낸 것 같아.

문제 해결

모래성을 여러 개의 조개껍데기로 장식했다고 했으므로, ③ 불가사리 하나만 장식되어 있는 모래성이 대화의 내용과 일치하지 않는다.

어휘·표현

huge 거대한 sand castle 모래성 decorate 장식하다 seashell 조개껍데기 wave (손·팔을) 흔들다 striped 줄무늬의

## 05 ④

남: Luna, 많이 바빠 보여.
여: 응. 오늘 고객 미팅이 두 건 있고 판매 보고서를 끝내야 해.
남: 그 말을 들으니 유감이야.
여: 너는 어때? 마케팅 발표 준비를 해야 한다고 말하지 않았니?
남: 그랬는데, 발표 날짜가 변경되었어. 그걸 며칠 더 준비할 수 있어.
여: 잘됐네. 지금 바쁘지 않으면 부탁 좀 들어줄 수 있니?
남: 말해 봐. 하지만 네 대신 고객을 만나라고 부탁하지는 말아줘.
여: 그게 아니야. 이것 네 부를 복사해줄 수 있니?
남: 알았어. 커피 한 잔 마시고 할게. 괜찮니?
여: 물론이야.

문제 해결

여자는 남자에게 복사 네 부를 해달라고 부탁했다.

어휘·표현

client 고객 sales report 판매 보고서 presentation 발표 do ~ a favor ~의 부탁을 들어주다

## 06 ②

남: 안녕하세요. 티셔츠를 찾고 있어요.
여: 안녕하세요. 이쪽에 아주 다양한 티셔츠들이 있답니다.
남: 음… 이 오렌지색 티셔츠가 좋아 보이네요. 얼마인가요?
여: 24달러예요. 게다가, 이번 주에 할인 행사를 해서, 두 번째 구입 물품에 대해 50% 할인을 받을 수 있어요.
남: 와, 좋은 조건이네요. 그걸 살게요, 그리고… 이 단색의 파란 티셔츠는 얼마인가요?
여: 56달러입니다.
남: 그건 너무 비싸네요. 이 흰색 줄무늬 티셔츠로 할게요. 가격표에 32달러라고 되어 있네요.
여: 잘 고르셨어요. 요새 인기 있는 물건이랍니다.
남: 그런데 제가 이 가게 쿠폰을 사용할 수 있나요?
여: 네. 그러면 전체 가격에서 10% 할인을 더 받을 수 있어요.

문제 해결

남자는 24달러짜리 오렌지색 티셔츠와 32달러짜리 흰색 줄무늬 티셔츠를 사려고 하는데, 두 번째 물품을 50% 할인된 가격에 살 수 있고, 총액에서 10% 할인을 더 받을 수 있으므로($24+$16-$4), 남자가 지불할 금액은 36달러이다.

어휘·표현

selection 선택 가능한 것 solid 다른 색이 섞이지 않은 price tag 가격표 additional 추가적인

## 07 ③

남: Julie, 부산 국제 모터쇼가 다음 주에 열릴 거야. 난 그걸 손꼽아 기다리고 있어.
여: 그게 재미있어? 나는 모터쇼에 가본 적이 없어.
남: 아, 정말? 가봐야 해! 승용차, 트럭, SUV의 최신 모델을 볼 수 있어.
여: 너는 언제 거기에 갈 거야?
남: 다음 주 화요일. 나와 같이 가자.
여: 다음 주 화요일? 미안하지만, 안 돼.
남: 왜? 세계의 선두 자동차 회사들이 만든 차들을 시운전하고 경험해볼 수도 있어.
여: 가고 싶지만, Anna가 그날 이사하는 걸 도와야 해. 그녀가 새 아파트로 이사를 하거든.
남: 아, 알겠어. 그럼 Ted에게 같이 가자고 해봐야겠다.

문제 해결

여자는 다음 주 화요일에 친구의 이사를 도와야 해서 모터쇼에 갈 수 없다고 했다.

어휘·표현

look forward to ~을 고대하다 conduct a test drive 시운전하다 leading 선도하는 automaker 자동차 회사

## 08 ⑤

남: 여보, 친구들이 집들이 파티를 하라고 해요. 이번 주말에 되겠어요?
여: 그럼요. 몇 명 초대할 건가요?
남: 세 가족이고, 총 여덟 명이에요. Danny의 아들은 여행 중이라 오지 않아요.
여: 좋아요. 시장에 가면 소고기를 좀 구입해요, 그러면 내가 스테이크를 요리할게요.
남: 시장에서 살 게 또 있어요?
여: 네, 스테이크와 같이 먹을 채소가 필요해요.
남: 아이들을 위한 뭔가가 있어야 해요.
여: 맞아요. 영화 파일 하나와 사탕을 준비해 놓읍시다. 와인은 어때요?
남: 친구들은 운전할 거고, 부인들은 술을 마시지 않아요. 와인은 걱정할 필요 없어요.
여: 그래요, 알겠어요.

문제 해결

소고기, 채소, 영화 파일, 사탕은 언급되고 있지만, ⑤ '보드 게임'은 언급되지 않았다.

어휘·표현

vegetable 채소

## 09 ⑤

남: 저희 돌고래 워칭 투어에 참여해 주셔서 감사합니다. 이 투어는 돌고래 구경과 바다에서 하는 스노클링을 포함해 약 3시간이 걸리겠습니다. 보트를 타고 괌의 서쪽 해안으로 갈 겁니다. 거기서 여러분은 야생 돌고래가 탁 트인 바다에서 자유롭게 수영하는 것을

보시게 됩니다. 운이 좋으시면, 돌고래가 점프하는 것을 볼지도 모릅니다. 다음으로, 깨끗한 스노클링 장비를 착용하고 맑은 물 속으로 입수하셔서 수중 세계를 탐험하실 겁니다. 스노클링을 원하시지 않으면 카약에서 물고기에게 먹이를 주실 수 있습니다. 스노클링을 하신 후에는, 간식과 생수가 제공됩니다. 이 투어에는 스노클링 장비가 포함되어 있어서 가지고 오실 필요가 없습니다. 들어주셔서 감사합니다. 투어를 즐기시길 바랍니다.

**문제 해결**

스노클링 장비는 투어에 포함되어 있어서 가지고 올 필요가 없다고 했으므로 ⑤는 내용과 일치하지 않는다.

**어휘·표현**

gear 장비 explore 탐험하다 feed 먹이를 주다 offer 제공하다

---

## 10 ③

남: Chloe, 뭐하고 있니?
여: 아빠, 새 스포츠 가방을 사고 싶어서 인터넷을 검색하고 있어요.
남: 네 마음에 드는 걸 찾았니?
여: 이 다섯 개가 좋아 보이는데, 딱 하나를 고르는 게 제겐 어려워요.
남: 네가 등산을 갈 때 그걸 사용하려고 하면, 크면 클수록 더 좋단다.
여: 맞아요. 특히, 겨울에 두꺼운 옷들을 더 가지고 다녀야 해요.
남: 난 옅은 색 가방은 싫단다. 쉽게 더러워져서 말이야.
여: 좋은 지적이세요. 회색이나 남색이 좋겠어요. 그리고 전 앞 주머니가 있는 걸 사고 싶어요.
남: 그게 더 편리할 거야. 그 안에 휴대폰 같은 작은 것들을 넣을 수 있지.
여: 그럼 정했어요. 바로 주문해야겠어요.

**문제 해결**

여자는 사이즈가 크고, 회색이나 남색에, 앞 주머니가 있는 스포츠 가방을 사길 원한다.

**어휘·표현**

light colored 옅은 색의 convenient 편리한 order 주문하다

---

## 11 ③

남: Alice, 어제 핼러윈 퍼레이드는 어땠어?
여: 환상적이었어! 무엇보다, 의상들이 좋았어. 정말 무시무시하면서도 동시에 창의적이더라.
남: 아, 정말? 어떤 게 가장 마음에 들었니?
여: 나는 뱀파이어가 가장 좋았어.

**문제 해결**

남자가 가장 마음에 든 의상이 무엇이었는지 물었으므로, 뱀파이어 의상이 가장 좋았다고 하는 ③이 응답으로 가장 적절하다.

① 그 의상들은 내가 선택한 게 아니었어.
② 나는 그들의 창의적인 생각이 마음에 들어.
④ 나는 드레스를 입고 마술 지팡이를 들었어.
⑤ 내가 가장 좋아하는 것은 아이들이 하는 퍼레이드야.

**어휘·표현**

costume 의상, 복장 creepy 기괴한 creative 창의적인 at the same time 동시에 wand 지팡이

---

## 12 ②

여: David, 네 자전거를 고쳤니?
남: 아니, 그게 완전히 망가져서 그럴 수가 없었어. 새 걸로 하나 사야겠어.
여: 그 말을 들으니 유감이구나. 잠깐만! K마트에서 이번 주에 세일을 하고 있어.
남: 정말? 거기에 내일 가봐야겠다.

**문제 해결**

새 자전거를 사려고 하는 남자에게 여자가 K마트의 세일에 대해 알려주었으므로, 내일 가보겠다고 하는 ②가 응답으로 가장 적절하다.

① 좋아! 그걸 거기에서 고쳐야 해.
③ 미안해, 나는 저 자전거가 마음에 안 들어.
④ 나는 그걸 싼 가격에 샀다고 생각해.
⑤ 맞아. K마트가 시내에서 가장 좋아.

**어휘·표현**

fix 수리하다 totally 완전히

---

## 13 ⑤

남: 너 안 좋아 보여. 무슨 일 있니?
여: 네가 어제 빌려준 책 때문이야. 정말 미안해.
남: 그걸 잃어버린 것은 아니길 바라. 알다시피, 앞 표지에 작가의 사인을 받았어.
여: 알아. 내가 실수로 네 책에 물 잔을 엎었어.
남: 말도 안 돼! 더 조심했어야지.
여: 네 말이 맞아. 이걸 봐…
남: 오, 이런. 완전히 다른 책이 되었네.
여: 복구해보려고 최선을 다했는데 심각하게 훼손되었어.
남: 마지막 페이지들과 뒤 표지에 물 때문에 생긴 주름이 있잖아.
여: 미안해. 다 내 잘못이야. 내가 새 걸로 사줄게.
남: 그래도 그건 같은 것이 될 수는 없을 거야.

**문제 해결**

남자가 여자에게 빌려 준 책은 직접 작가에게 사인을 받은 의미 있는 책이므로, 여자가 새 책을 사준다고 해도 같을 수 없으므로, 남자의 대답으로 가장 적절한 것은 ⑤이다.

① 그래야지. 그의 책은 정말 재미있거든.
② 아니야, 그건 내게 별로 의미가 없어.
③ 무엇보다, 너는 사과를 해야 해.
④ 내가 얼마나 미안한지 몰라!

**어휘·표현**

autograph 서명 accidently 잘못하여, 뜻하지 않게 spill 엎지르다 damaged 피해를 입은 wrinkle 주름, 구김살

## 14 ②

여: 안녕, Brian. 네 새 일자리는 어때?
남: 별로 좋지 않아. 전보다 훨씬 바빠.
여: 새로운 직책에 적응하는 데는 시간이 좀 걸려. 넌 지난달에 그 회사에서 일하기 시작했잖아.
남: 알아, 그런데 그게 문제가 아니야.
여: 동료들이 불친절하니? 그럼 그건 큰 문제지.
남: 그게 아니야. 내 상사가 내게 너무 많은 걸 요구해.
여: 모든 상사들은 자기 직원들이 열심히 일하길 원해.
남: 내 말을 들어봐. 난 8시 전에 일을 시작해.
여: 대신 빨리 퇴근하겠지.
남: 그렇지 않아! 지금 3주째 야근을 하고 있어. 상사가 내게 계속 더 할 일을 줘.
여: 정말? 그거 아주 힘들겠네.

**문제 해결**

남자가 3주째 야근을 하고 있고, 상사가 계속 일을 더 준다고 했으므로, 여자의 응답으로 가장 적절한 것은 ②이다.

① 그는 잘하고 있는 것 같아.
③ 네가 일을 더 열심히 해야 한다고 생각해.
④ 와. 너는 일 중독자임에 틀림없어.
⑤ 정말 유감이야. 그냥 네 동료들에게 전화해봐.

**어휘·표현**

position 직위 coworker 동료 demand 요구하다 employee 고용인 instead 대신 workaholic 일 중독자, 일벌레

---

## 15 ④

여: Ian은 매일 버스를 타고 학교에 간다. 어느 날 아침, 그는 버스가 오길 기다리고 있다. 그때 그는 어젯밤에 교통 카드를 책상 위에 둔 것이 기억난다. 그는 지갑을 확인한다. 카드는 그 안에 없고, 버스 요금을 낼 충분한 돈이 없다. 그는 곤경에 처했다. 설상가상으로, 만약 그가 다음에 오는 버스를 타지 않으면 학교에 지각할 것이다. 어떻게 해야 할지 주저하고 있는데, 그는 반 친구인 Luna가 자신의 쪽으로 오고 있는 걸 본다. Ian은 그녀의 도움을 받길 원한다. 이 상황에서, Ian은 Luna에게 뭐라고 말하겠는가?

**문제 해결**

교통 카드를 집에 두고 왔고 버스 요금도 부족한 상황이므로, Ian이 Luna에게 할 말로 적절한 것은 ④ '미안하지만, 돈 좀 빌릴 수 있을까?'이다.

① 버스 요금이 얼마야?
② 내 지갑 찾는 걸 도와줄래?
③ 내 교통 카드가 안 돼.
⑤ 우리 서두르지 않으면 버스를 놓칠 거야.

**어휘·표현**

transportation card 교통 카드 bus fare 버스 요금
to make matters worse 설상가상으로 hesitate 주저하다

---

## 16-17

남: 안녕하세요, 학생 여러분. 지난 시간에 우리는 규칙적인 운동이 여러분의 건강과 성장을 위해 중요하다는 것을 배웠습니다. 유산소 운동은 특히 학생 여러분에게 필수적입니다. 유산소 운동은 산소를 필요로 하는 활동의 한 종류입니다. 여러분이 유산소 운동을 할 때 혈액이 몸 전체에 더 빠르게 공급됩니다. 그것은 심장을 더 빠르게 뛰게 하고 폐가 더 많은 산소를 들이마시도록 합니다. 이것은 심장과 폐 건강을 증진시킵니다. 게다가, 유산소 운동은 여러분이 체중이 더 늘거나 비만이 되지 않도록 해줍니다. 여러분은 유산소 운동을 함으로써 많은 칼로리를 소모시킬 수 있습니다. 예를 들어, 에어로빅 댄스는 체중을 줄이는 데 가장 빠른 방법 중 하나입니다. 마지막으로, 수영, 조깅, 인라인 스케이트 타기와 같은 유산소 운동에 참여하면 여러분은 땀을 많이 흘립니다. 이것은 몸이 나쁜 물질들을 쉽게 배출하도록 도와줍니다.

**어휘·표현**

growth 성장 aerobic exercise 유산소 운동 vital 필수적인 require 필요로 하다 oxygen 산소 lung 폐 prevent A from B A가 B하지 못하게 하다 obese 비만의 sweat 땀을 흘리다 flush out 배출하다 substance 물질 benefit 이점 strengthen 강화시키다

---

## 16 ②

**문제 해결**

남자는 심장과 폐의 건강을 증진시키고, 체중 유지와 나쁜 물질의 배출을 돕는 유산소 운동의 이점에 대해 이야기하고 있다.

① 체중을 빠르게 줄이는 방법
② 유산소 운동의 이점
③ 심장을 강화시키는 방법
④ 규칙적인 운동의 중요성
⑤ 유산소 운동의 다양한 종류

---

## 17 ④

**문제 해결**

유산소 운동으로 에어로빅 댄스, 수영, 조깅, 인라인 스케이트는 언급되었지만, ④ '줄넘기'에 대한 언급은 없다.

① 에어로빅 댄스 ② 수영 ③ 조깅
④ 줄넘기 ⑤ 인라인 스케이트

# 10 영어 듣기 모의고사

정답 및 해설

» pp. 40~41

| | | | | | |
|---|---|---|---|---|---|
| 01 ② | 02 ① | 03 ④ | 04 ⑤ | 05 ④ | 06 ③ |
| 07 ② | 08 ④ | 09 ④ | 10 ⑤ | 11 ② | 12 ③ |
| 13 ② | 14 ⑤ | 15 ③ | 16 ③ | 17 ④ | |

## 01 ②

여: 안녕하세요, 주민 여러분! 저는 관리 사무소의 Emily입니다. 최근에, 인근에서 두어 대의 차량에 도둑이 들었습니다. 이런 종류의 범죄를 예방하기 위해 여러분의 도움이 절실합니다. 대부분의 차량 절도는 이런 간단한 조치를 취함으로써 예방될 수 있습니다. 첫 번째로, 여러분의 차량이 잠겨있고 창문들이 완전히 닫혔는지 항상 체크하십시오. 두 번째로, 차량에 귀중품을 두지 마십시오. 차량에서 어떤 종류의 가방이나 상자라도 치우십시오. 그것들이 비어있더라도, 이것은 절도범들을 유혹해 문을 따게 할 수 있습니다. 마지막으로, 차량을 현명하게 주차하십시오. 집에서 외출을 한다면, 목적지와 가까운 밝은 주차 공간을 선택하십시오. 들어주셔서 정말 감사합니다!

문제 해결

여자는 차량을 항상 잠그고, 차 안에 귀중품을 두어서는 안 되며, 목적지와 가까운 밝은 곳에 차량을 주차하라면서 차량 내 물품 도난 예방 요령을 알려주고 있다.

어휘·표현

vehicle 차량 break into 침입하다, (차 문 등을) 억지로 열다 neighborhood 인근 crime 범죄 burglary 절도 valuables 귀중품 remove 제거하다 tempt 유혹하다 destination 목적지

## 02 ①

남: Veronica, 너는 대학에서 뭘 전공하고 싶어?
여: 미술 교육을 전공하려고 생각하고 있어.
남: 정말? 너는 다른 사람들을 가르치는 걸 전혀 좋아하지 않잖아.
여: 맞아, 그런데 졸업 후에 취업 기회가 많을 것 같아.
남: 넌 언젠가 네 결정을 후회할 것 같아. 네가 좋아하는 것을 공부해야 해.
여: 알다시피, 요즘 많은 젊은 사람들이 일자리를 구하기 힘들잖아. 그냥 내가 원하는 것만 공부할 순 없어.
남: 네가 좋아하지 않는 걸 계속하면 너는 행복하지 않을 거야. 선생님으로서의 네 모습이 상상이 안 돼.
여: 나도 그래. 아마도, 네 말이 맞아.
남: 넌 삽화가가 되는 걸 꿈꿔왔잖아. 또 넌 아주 재능이 많아.
여: 그렇게 말해줘서 고마워. 내게 어떤 게 더 좋은지 신중하게 생각해 볼게.

문제 해결

남자는 여자에게 취업을 위해 대학에서 좋아하지 않는 것을 전공하지 말고, 여자가 원했던 것을 공부하라고 조언하고 있다.

어휘·표현

major in ~을 전공하다 art education 미술 교육 graduate 졸업하다 opportunity 기회 regret 후회하다 illustrator 삽화가

## 03 ④

남: Owen 부인, 이게 찾으시던 거면 좋겠습니다. 이쪽으로 오십시오.
여: 네. 거실이 꽤 크네요. 아이들이 좋아할 거예요.
남: 네, 그럴 거예요. 침실이 3개이고 화장실이 2개입니다. 침실에는 모두 옷장이 구비되어 있고요.
여: 우리 가족에게 더할 나위 없이 좋네요. 아들들이 더 이상 방을 같이 쓸 필요가 없겠네요.
남: 그리고 이 집은 남향이어서 햇빛이 잘 들고 따뜻합니다.
여: 좋네요. 전 추운 걸 싫어해요.
남: 아시다시피, 고등학교가 여기에서 걸어서 10분 거리에 있습니다.
여: 그게 저희가 이 지역에 있는 집을 원하는 이유에요. 가격만 빼고 모든 것이 좋네요.
남: 좀 비싸지만 이것 같은 다른 집을 찾기 어려우실 겁니다.

문제 해결

남자가 거실, 침실, 화장실 등 집에 대해 설명을 하고, 여자가 가격을 제외하고 집을 마음에 들어 하는 것으로 보아, 두 사람은 부동산 중개업자와 고객의 관계이다.

어휘·표현

be equipped with ~을 갖추고 있다 closet 옷장 share 공유하다 face ~을 향하다

## 04 ⑤

남: Paula, 지금 뭐하고 있니?
여: 안녕, Garry. 물 절약 포스터의 밑그림을 그리고 있어. 한번 봐봐.
남: 잘 그렸네. 나는 맨 위에 있는 '물을 절약하자! 지구를 구하자!'라는 슬로건이 마음에 들어.
여: 고마워. 너는 그게 가운데 있는 커다란 물방울과 잘 어울린다고 생각하니?
남: 물론이지. 물방울 속에 있는 어린 남자아이와 여자아이가 손을 잡고 있네.
여: 그 애들 귀엽지 않니? 그들은 지구 위에 서 있어.
남: 그건 우리가 물을 절약하면 세계 전체를 구할 수 있다는 걸 의미하는 것 같은데.
여: 정확해. 나는 하늘에 세 마리의 새도 그렸어.
남: 음… 대신 구름 두서너 개를 그리는 게 좋을 것 같아.
여: 좋은 생각이야. 바로 그것들을 그릴게.

문제 해결

여자가 하늘에 세 마리의 새를 그렸다고 했으므로, 구름이 그려져 있는 ⑤가 대화의 내용과 일치하지 않는다.

어휘·표현

outline 윤곽을 보여주다 slogan 슬로건, 구호 match well with ~와 잘 어울리다 water drop 물방울

## 05 ④

*[휴대전화벨이 울린다.]*
남: 여보, 벌써 퇴근했어요?
여: 네. 당신은요?
남: 아직 보고서를 쓰고 있어요. 그것을 끝내려면 30분이 걸릴 거예요.
여: 그러면 우린 Ellen의 생일 파티에 좀 늦을 거예요. 당신 회사 앞에서 기다리고 있을게요.
남: 알겠어요. 여보, 우리가 쇼핑몰에서 산 귀걸이를 가지고 있나요?
여: 그럼요. 예쁜 리본으로 포장했어요.
남: 잘했네요! 생일 카드도 가지고 있죠?
여: 아, 하나 사는 걸 깜박했어요. 여기 근처의 선물 가게에서 살게요.
남: 그래요. 내가 Ellen에게 전화해서 우리가 조금 늦을 거라고 말할게요.

**문제 해결**

마지막에 여자는 근처 선물 가게에서 생일 카드를 사겠다고 했다.

**어휘·표현**

**get off work** 퇴근하다 **work on** ~에 착수하다 **wrap** 포장하다

## 06 ③

남: 안녕하세요, 무엇을 도와드릴까요?
여: 안녕하세요, 저는 강좌 하나를 등록하고 싶어요. 캘리그래피 수업은 얼마인가요?
남: 한 시간짜리 수업은 한 달에 30달러이고, 두 시간짜리 수업은 50달러예요.
여: 저는 두 시간짜리 수업을 원해요.
남: 그 강좌는 준비물 때문에 매달 추가로 10달러를 내셔야 합니다.
여: 좋습니다. 저는 제 남편을 포함해서 두 명을 등록할게요.
남: 아, 두 명 이상을 등록하시면, 각각 10%의 할인을 받으십니다.
여: 좋네요!
남: 그리고 한 번에 전 과정을 지불하셔야 합니다. 이 강좌는 두 달 짜리입니다.
여: 그러면 저는 두 명 값을 이 신용카드로 지불할게요.

**문제 해결**

두 시간짜리 캘리그래피 수업료($50)에 준비물 비용($10)을 더하면 일인당 비용이 $60이다. 두 명을 등록하려고 하므로 120달러($60×2)를 지불해야 하지만 10% 할인이 되므로 108달러가 되는데, 두 달치를 내야 하므로 최종 비용은 216달러($108×2)이다.

**어휘·표현**

**register** 등록하다 **additional** 추가의 **supplies** 준비물 **sign up** 등록하다 **discount** 할인

## 07 ②

*[휴대전화벨이 울린다.]*
남: 안녕, Sue. 무슨 일이야?
여: James, 너 지금 어디야?
남: 학교 체육관이야. 테니스 연습을 하고 있어.
여: 거기서 Ben을 봤니? 만나기로 했는데, 그 애가 나오지 않았어.
남: 정말? 그 애는 여기 있었는데, 10분 전쯤에 나갔어. 그에게 전화해보지 그래?
여: 했는데, 전화를 받지 않네.
남: 무슨 일인데? 왜 그렇게 급해?
여: 내일까지 역사 보고서를 끝내야 하는데, 그 애의 도움이 필요해.
남: 그렇구나. 아, 이제 기억이 나. 그가 잡지를 사러 ABC 서점에 갈 거라고 말했어.
여: 정말? 그럼 곧바로 거기 가서 그 애를 찾아보는 게 좋겠어. 고마워!

**문제 해결**

여자는 Ben과 연락이 되지 않자 남자에게 Ben이 어디 있는지 물어보려고 전화했다.

**어휘·표현**

**be supposed to-v** ~하기로 되어 있다 **show up** 나타나다 **urgent** 긴급한 **right away** 즉시

## 08 ④

여: 여보, 드디어 우리 여름 휴가를 위한 좋은 캠프장을 골랐어요.
남: 그게 어디에요? 흥분되네요.
여: Alice 호수예요. 여기 밴쿠버에서 한 시간 정도 걸려요.
남: 아, 들어본 적이 있어요. 그 지역에 네 개의 호수가 있어서 다양한 수상 스포츠를 즐길 수 있죠.
여: 맞아요. 당신이 원하면, Four Lakes 산책로를 걸을 수도 있는데, 그 산책로는 모든 호수를 둘러싸고 있어요.
남: 좋아요! 캠프장을 빌리는 데는 얼마가 드나요?
여: 하룻밤에 25달러예요.
남: 적당하네요. 거기에 우리 개를 데려갈 수 있나요?
여: 애완동물은 허락되지 않아요. 우리가 없는 동안 Roy가 그들을 돌봐줄 수 있을 거 같아요.
남: 좋아요. 그럼 예약을 하죠.

**문제 해결**

Alice 호수로의 이동 시간(약 한 시간), 가능한 야외 활동(수상 스포츠, 산책로 걷기), 이용료(하룻밤에 25달러), 애완동물 동반 가능 여부(애완동물이 금지됨)는 언급되었지만, 편의시설에 대해서는 언급하지 않았다.

**어휘·표현**

**campsite** 캠프장 **trail** 오솔길, 산길 **circle** ~을 둘러싸다 **rent** 빌리다 **reasonable** 합리적인, 적당한 **allow** 허락하다

## 09 ④

남: 안녕하세요, 학생 여러분. 교감인 Jim Connor입니다. 학생 백일장에 대한 세부 사항을 알려 드리게 되어 매우 기쁩니다. 올해 백일장의 주제는 '나의 영웅'입니다. 여러분의 영웅은 선생님, 부모님, 또는 친구가 될 수 있습니다. 누구든지 간에, 그들의 이야기를 나누고 싶습니다. 이 백일장은 모든 학년이 참여할 수 있습니다. 여러분의 글은 11월 10일까지이며, 1,000자에서 1,500자 사이여야 합니다. 여러분의 글은 원본이어야 하며 출판되지 않은 것이어야 함을 명심하십시오. 글을 이메일에 첨부하여 contest@gwu.

edu로 보내주십시오. 제출물은 이름, 학년과 전화 번호를 포함하고 있어야 합니다. 우승자는 12월 15일에 발표될 것입니다. 상은 1등, 2등, 3등에게 수여됩니다. 여러분의 훌륭한 글을 읽기를 고대하고 있습니다.

문제 해결

제출물에 주소가 아니라 전화 번호가 포함되어 있어야 한다고 했으므로 ④가 일치하지 않는다.

어휘·표현

vice principal 교감 announce 알리다, 발표하다 detail 세부 사항 due ~하기로 되어 있는 unpublished 출판되지 않은 attachment 첨부 submission 제출(물) award 수여하다

---

## 10 ⑤

남: TE 전자제품 가게에 오신 걸 환영합니다. 무엇을 도와드릴까요?
여: 안녕하세요, 진공청소기를 찾고 있어요.
남: 이쪽으로 오세요. 이것들이 저희 매장에서 가장 잘 팔리는 다섯 가지 모델입니다.
여: 음, 저는 무선 청소기가 더 좋을 것 같아요. 그게 간편해서 집 어디에나 가지고 다닐 수 있어서요.
남: 그게 요즘 무선 진공청소기가 인기 있는 이유이지요. 그것들의 경우에 작동 시간이 긴 것이 중요합니다.
여: 맞아요. 작동 시간이 40분 이상 되어야 해요. 배터리를 자주 충전하고 싶지 않아요.
남: 그럼, 이 두 상품이 남네요. 돈을 얼마나 쓰길 원하세요?
여: 900달러 이상 쓰고 싶지 않아요.
남: 그럼, 이 모델이 고객님이 원하시는 바를 충족시키네요.
여: 좋아요. 도와주셔서 감사합니다.
남: 천만에요.

문제 해결

여자는 무선에, 40분 이상의 작동 시간을 가지며, 900달러 미만인 청소기를 원하므로, 여자가 구입할 청소기로 ⑤가 알맞다.

어휘·표현

vacuum cleaner 진공청소기 cordless 무선의 run time 실행 시간 charge 충전하다 item 품목, 물품 fit 적절하다, 들어맞다

---

## 11 ②

여: 너 Harper의 사촌 Roy를 아니?
남: 물론이야, 우린 1년 전쯤 바이올린 레슨을 함께 받았어. 그때 우리는 그냥 초급자였어.
여: 놀라지 마. 그가 지난주에 인디애나 주 바이올린 대회에서 우승했어.
남: 뭐라고? 그는 정말 재능이 있는 게 틀림없어.

문제 해결

약 1년 전에는 초급자였던 Roy가 인디애나 주 바이올린 대회에서 우승했다는 말을 듣고, Roy가 재능이 있는 게 틀림없다고 대답하는 ②가 남자의 응답으로 가장 적절하다.
① 굉장해. 난 네가 자랑스러워.
③ 우리는 바이올린 연주를 정말 즐겼어.
④ 나는 그가 바이올린 대회에서 우승할 거라고 확신해.
⑤ 그 말을 들으니 유감이야. 그는 다음 번에 더 잘할 거야.

어휘·표현

beginner 초급자 competition 대회 talented 재능이 있는

---

## 12 ③

남: 내일 영업 회의에 몇 명이 참석할까요?
여: 15명쯤이 될 것 같아요.
남: 내가 예상했던 것보다 많네요. 지금 우리에게 유인물이 충분히 있나요?
여: 네. 더 복사할 필요가 없어요.

문제 해결

남자가 유인물이 충분하냐고 물었으므로, 충분히 있어서 더 복사할 필요가 없다고 대답하는 ③이 여자의 응답으로 가장 적절하다.
① 아니요, 복사본 16부만 있어요.
② 물론이죠. 저는 벌써 그것들을 제출했어요.
④ 영업 회의가 취소되었어요.
⑤ 네, 복사기가 지금 고장 났어요.

어휘·표현

attend 참석하다 sales meeting 영업 회의 expect 예상하다 handout 배포 자료 cancel 취소하다

---

## 13 ②

*[전화벨이 울린다.]*
여: Manhattan Milk에 전화 주셔서 감사합니다. 무엇을 도와드릴까요?
남: 안녕하세요, 저는 가정 배달을 받고 있는 고객인데요, 오늘 우유를 아직 못 받았어요.
여: 아, 정말 죄송합니다.
남: 배달이 늦어져서 제 아이들이 아침에 우유를 못 마셨어요.
여: 다시 한 번, 정말 죄송합니다. 제가 고객님의 성함과 휴대폰 번호를 알 수 있을까요?
남: 제 이름은 John Peterson이고 제 전화번호는 012-3432-5566입니다.
여: 확인해 볼게요. *[잠시 후]* Park 가에 사시네요, 그렇지 않나요?
남: 맞아요. 새로운 우유 배달원이 실수를 한 것 같네요.
여: 그에게 바로 전화를 해서 가능한 한 빨리 댁에 배달되도록 하겠습니다.
남: 확실히 이런 일이 다시 일어나지 않게 해주세요.

문제 해결

여자가 마지막에 우유를 가능한 빨리 배달되게 해주겠다고 했지만, 남자는 늦은 배달로 인해 아이들이 우유를 못 먹는 불편을 겪은 뒤이므로, 이런 일이 다시 일어나지 않게 해달라고 말하는 ②가 가장 적절하다.
① 심한 교통 체증 때문에 지체되었습니다.
③ 아뇨, 괜찮습니다. 저는 이미 우유 한 잔을 마셨습니다.
④ 저는 가정 우유 배달 서비스를 신청하고 싶습니다.

⑤ 아시다시피, 저는 우유 한 병이 아니라 두 병을 주문했습니다.

**어휘·표현**

delivery 배달 customer 고객 delivery man 배달원 delay 지연시키다 sign up for ~을 신청하다

## 14 ⑤

여: Chris, 너 피곤해 보이는구나. 학교에서 무슨 일 있었니?
남: 엄마, 그냥 너무 배가 고파요. 점심을 못 먹었거든요.
여: 왜 점심을 걸렀어? 또 배가 아팠니?
남: 아니요. 과학 숙제하는 걸 깜박해서 점심 시간에 그것을 해야 했어요.
여: 그렇구나. 미안하지만, 저녁 준비를 하는 데 시간이 좀 걸릴 거야.
남: 기다릴 수가 없어요. 너무 배가 고파서 지금 말이라도 먹을 수 있겠어요!
여: 그럼 외식을 하자꾸나. 일식당이 좋을 것 같은데.
남: London 가에 있는 Yamamoto 식당을 말씀하시는 거예요?
여: 맞아. 어떠니?
남: 오, 전 거기가 지겨워요. 스시가 먹고 싶지만, 그 식당에서는 아니에요!
여: 그럼 전화기로 다른 일식당을 검색해볼게.

**문제 해결**

남자가 스시는 먹고 싶지만 여자가 말한 식당에서는 먹기 싫다고 했으므로, 다른 일식당을 검색해보겠다고 하는 ⑤가 응답으로 가장 적절하다.

① 좋아. 너도 거기를 좋아할 거라고 생각했어.
② 알았어. 그럼 태국 식당에서 먹자.
③ 정말? 네가 일식에 질렸는지 몰랐어.
④ 복통이 있을 때는 스시를 먹어서는 안 돼.

**어휘·표현**

skip 건너뛰다 stomachache 복통 prepare 준비하다 be tired of ~에 싫증이 나다 search 검색하다

## 15 ③

여: 오늘은 어버이날이다. Dan은 엄마와 아빠를 위해 저녁 식사를 준비하고 싶어서 식료품점에 간다. 그는 부모님이 가장 좋아하시는 요리인 토마토 스파게티와 햄·버섯 피자를 만들 계획이다. 그는 카트에 토마토, 스파게티 면, 햄과 버섯을 넣는다. 그는 그것들을 살 충분한 돈이 있다고 확신한다. 그러나 계산대에서 그는 예상보다 더 많은 돈이 나와 돈이 부족한 것을 알게 된다. 그는 가격을 확인하고 자신에게 돈이 과다 청구되었다는 것을 알게 된다. 그는 점원에게 착오가 있었던 게 틀림없다고 말하고 싶다. 이 상황에서, Dan은 점원에게 뭐라고 말하겠는가?

**문제 해결**

자신이 산 물건의 가격보다 돈이 많이 청구된 상황이므로, Dan이 점원에게 할 말로 가장 적절한 것은 ③ '총액이 잘못된 것 같네요.'이다.

① 신용카드로 계산할게요.
② 어떻게 할인을 받을 수 있나요?
④ 여기 채소가 비싼 것 같아요.
⑤ 죄송하지만, 이 버섯들을 뺄게요.

**어휘·표현**

grocery store 식료품점 mushroom 버섯 check-out counter 계산대 realize 깨닫다 be short of ~이 부족하다 overcharge 과다 청구하다

## 16-17

남: 안녕하세요, 청취자 여러분, Today's Issue에 오신 것을 환영합니다. 저는 Carl Jackson입니다. 최근에 미세 플라스틱에 대해 들어보셨을 겁니다. 미세 플라스틱은 5mm도 안 되는 작은 플라스틱 조각입니다. 그것들은 타이어 가루, 얼굴 각질 제거제와 치약을 포함하여, 다양한 종류의 큰 플라스틱 제품이 분해되어 발생합니다. 유감스럽게도, 세계 플라스틱의 대다수는 결국 바다로 갑니다. 미세 플라스틱에 있는 나쁜 화학물질들은 바다에 영향을 미칠 뿐 아니라, 스폰지처럼 외부 공급원으로부터 나쁜 화학물질을 흡수합니다. 이것들은 플랑크톤에서 고래에 이르는 해양 먹이 사슬의 전 단계에 있는 종들에 의해 섭취됩니다. 미세 플라스틱은 새와 물개의 위에서도 발견됩니다. 과학자들에 따르면, 조개류를 좋아하는 사람들은 매년 11,000개까지의 미세 플라스틱 입자를 먹을 수도 있다고 합니다. 우리는 이 심각한 문제를 어떻게 해결할 수 있을까요? 저는 내일 몇 가지 흥미로운 해결책을 가지고 다시 찾아오겠습니다!

**어휘·표현**

microplastic 미세 플라스틱 breakdown 분해 facial scrub 얼굴 각질 제거제 majority 대다수 chemical 화학물질 affect 영향을 미치다 soak up 흡수하다 species 종(種) food chain 먹이 사슬 solution 해결책

## 16 ③

**문제 해결**

남자는 미세 플라스틱의 나쁜 화학물질들이 바다에 영향을 미치고, 나아가 주변의 나쁜 화학물질을 더 흡수하여 해양 생물뿐 아니라, 그것을 먹는 동물과 사람에게까지 악영향을 끼친다고 말하고 있으므로, ③ '미세 플라스틱의 숨겨진 위험성'이 적절하다.

① 먹이 사슬의 중요성
② 해양 오염을 해결하기 위한 방법
④ 해양 오염의 다양한 원인
⑤ 미세 플라스틱의 종류와 원천

## 17 ④

**문제 해결**

남자는 플랑크톤, 고래, 물개, 조개류에 대해서는 언급했지만, ④ '새우'는 언급하지 않았다.

① 플랑크톤 ② 고래 ③ 물개
④ 새우 ⑤ 조개류

# 11 영어 듣기 모의고사
정답 및 해설

» pp. 42~43

| | | | | | |
|---|---|---|---|---|---|
| 01 ③ | 02 ① | 03 ⑤ | 04 ⑤ | 05 ④ | 06 ③ |
| 07 ⑤ | 08 ⑤ | 09 ④ | 10 ④ | 11 ① | 12 ⑤ |
| 13 ② | 14 ① | 15 ⑤ | 16 ② | 17 ① | |

## 01 ③

남: 안녕하세요. 저는 시설 관리자인 James Brown입니다. 협조해 주셔서 항상 감사드립니다. 오늘은 쓰레기 처리에 대해 이야기하려고 합니다. 여러분 모두 아시다시피, 주민들은 매주 토요일 아침에 쓰레기를 내놓도록 되어 있습니다. 하지만, 어떤 주민들께서는 엉뚱한 날에 쓰레기를 내놓고 계십니다. 어떤 분들은 분리 배출해야 할 음식물 쓰레기를 쓰레기봉투에 넣습니다. 이웃으로서 주민 규정을 준수하는 것은 길에서 교통 규칙을 준수하는 것만큼이나 중요합니다. 곧 규정을 어기신 분들을 찾아낼 계획입니다. 우리 마을을 깨끗하게 유지하도록 다른 사람들을 배려하고 규칙을 따릅시다. 감사합니다.

**문제 해결**

쓰레기가 잘못 버려지는 사례들을 이야기하고, 규칙 준수를 촉구하는 내용이므로 ③이 적절하다.

**어휘·표현**

facility 시설 disposal 처리 resident 주민 observe 준수하다 regulation 규정 considerate 배려하는

## 02 ①

남: Patty, 안 좋아 보이네. 무슨 일 있니?
여: 아니, 그런데, 물리 수업 때문에 기분이 좀 가라앉아 있어.
남: 물리 수업? 네가 제일 좋아하는 것 아니니?
여: 맞아, 그런데, 고등학교에 들어오고 나서, 너무 어려워졌어. 흥미를 잃어가고 있어.
남: 음, 수업 준비를 충분히 하고 있니?
여: 아니. 사실을 말하면, 요즘 학교 축제 준비로 무척 바빴어.
남: 어떤 과목이 어렵다고 느껴지면, 매 수업 전에 예습이 필수야.
여: 너는 효과가 있었어?
남: 응, 그렇게 해서 수학에서 많이 향상되었어. 자료를 예습하고 나니 수업이 더 쉽게 느껴져.
여: 나도 효과가 있으면 좋겠구나.

**문제 해결**

여자가 고등학교 입학 이후, 물리 과목이 어렵게 느껴진다고 하자, 남자는 어려운 과목에 대해서는 꼭 예습을 해야 한다는 입장이므로, 남자의 의견으로 ①이 알맞다.

**어휘·표현**

feel down 우울하다, 기분이 가라앉다 to tell the truth 사실을 말하면 preview 예습하다 material 자료

## 03 ⑤

남: 안녕하세요, Sarah! 오랜만이네요.
여: 우리 함께 일한지 벌써 3년이 지났군요.
남: 그래요, 시간 참 빠르네요. George Manson의 이야기를 쓰고 계시다고 들었는데, 맞나요?
여: 네. 작년에 그 살인자가 감옥에서 죽었어요, 그리고 그 사건에 대한 정보를 모으기 시작했죠.
남: 일종의 범죄 이야기를 쓰고 있는 건가요?
여: 'Seven' 같은 스릴러를 만들려고 해요.
남: 멋지겠어요. 언제 마무리될 거 같나요?
여: 제 생각으로는 다음 달쯤 될 것 같아요.
남: 잘 됐네요. 제가 대본을 볼 수 있을까요? 스릴러 영화를 만들 계획이거든요. 이미 Mike Scott 씨를 감독으로 고용했어요.
여: 정말요? 그분이 아주 잘 어울릴 거라고 확신이 드네요.
남: 저도 그래요.

**문제 해결**

여자는 작품 집필을 하고 있고, 남자는 영화를 만들 계획이라고 했으므로, 둘의 관계는 시나리오 작가와 영화 제작자가 알맞다.

**어휘·표현**

crime 범죄 hire 고용하다 fit 맞는 것, 어울리는 것

## 04 ⑤

남: 그래요, 이게 당신이 늘 얘기하던 직원 라운지군요.
여: 맞아요. 어떤가요?
남: 음, 저도 여기서 일하고 싶네요. 저 냉장고는 정말 크네요.
여: 네. 그리고 저건 최근에 산 안마 의자예요.
남: 나중에 앉아봐야겠네요. 읽을 책은 없나요?
여: 저쪽에 잡지책과 만화책들이 좀 있어요.
남: 훌륭하군요. 오, 이건 작년에 제가 사고 싶어 했던 커피 메이커네요.
여: 저도 그게 마음에 들어요. 커피향이 매일 아침 방 전체를 가득 채우죠. 정말 좋아요.
남: 전자레인지는 왜 없나요?
여: 아, 잠시 고장이 나서, 수리 보냈어요.
남: 그렇군요. 여긴 말 그대로 '모든 것'이 있군요.

**문제 해결**

전자레인지가 왜 없냐는 질문에 수리를 보냈다고 답했으므로 ⑤의 전자레인지는 내용과 일치하지 않는다.

**어휘·표현**

staff 직원 temporarily 일시적으로 out of order 고장난 literally 문자[말] 그대로

## 05 ④

여: 안녕, Peter. Tim과 나는 오늘 밤 Tim의 집에서 NBA 결승전을 같이 볼 거야. 우리와 같이 보자!
남: 나도 그렇게 하고 싶은데, 역사 수업 보고서를 끝내야 해.
여: 걱정 마. 난 끝내는 데 두 시간밖에 안 걸렸어.

남: 정말? 좋아, 그럼 언제 Tim의 집으로 가야 하니?
여: 9시 30분.
남: 스낵 같은 거 가져갈까?
여: Tim이 이미 좀 샀어. 아, 블루투스 스피커 있으면 하나 가지고 올래?
남: 하나 있긴 한데, 뭐에 쓰려고? Tim의 TV가 고장 났어?
여: 아냐, 잘 작동하고, 화면도 아주 커. 그런데 소리가 약간 더 커져야 해.
남: 알겠어. 그때 봐.

문제 해결

남자에게 TV 음량이 작아서 블루투스 스피커가 있으면 가져오라고 했으므로 ④가 알맞다.

어휘·표현

bring 가져오다 display (TV·컴퓨터 등의) 화면

## 06 ③

여: 도와드릴까요?
남: 네. 딸에게 줄 머리핀을 찾고 있는데요.
여: 흰 토끼가 있는 이 핀을 사시는 거 어때요? 여자애들한테 꽤 인기가 있는데요.
남: 캐릭터가 마음에 드네요. 그 애도 좋아하겠어요. 얼마죠?
여: 10달러예요.
남: 그럼 그거 두 개 살게요. 같은 캐릭터가 있는 다른 것 있나요?
여: 토끼가 있는 야구 모자가 있어요.
남: 아, 괜찮네요. 저 분홍색 모자 하나 살게요. 그건 얼마죠?
여: 20달러예요. 다 같이 사시면 전체 금액에서 10% 할인해 드릴 수 있어요.
남: 그거 좋네요. 모두 살게요.

문제 해결

머리핀($10)X2개+야구 모자($20)=40달러인데, 전체 금액에서 10% 할인이 들어가면, 4달러 할인이 되어 지불할 금액은 36달러가 된다.

어휘·표현

offer 제공하다 discount 할인

## 07 ⑤

여: 안녕하세요, 도와드릴까요?
남: 네. 제 이름은 Dan Sanders입니다. Wade 씨와 6시에 치료 예약이 되어 있어요.
여: *[잠시 후]* 죄송합니다, Sanders 씨. 문제가 있는 것 같네요. 예약자 명단에 없으신데요.
남: 정말요? 어제 확인하려고 전화까지 했는데요. 다시 한 번 확인해 주세요.
여: 아, 여기 있네요, 그런데 예약이 내일이시네요. 아마도 Porter 씨가 실수하신 거 같네요.
남: 그럼 오늘 저녁 늦게라도 치료를 받을 수 있을까요? 기다릴 수 있는데요.
여: 죄송하지만 오늘 저녁에는 빈자리가 없어요.
남: 어떻게 이런 일이 일어날 수 있는지 이해가 안 되네요.
여: 정말 죄송합니다만, 제가 해드릴 수 있는 일이 없네요.

문제 해결

남자의 치료 예약이 다음 날로 잘못 잡혀 있어서 화가 난 상황이다.

어휘·표현

therapy 치료 confirm 확인하다 opening 빈자리

## 08 ⑤

여: Chris, 너 비행기표를 예약하고 있구나.
남: 응, 이탈리아에 가서 볼로냐 어린이 도서 박람회를 방문할 거야.
여: 그게 세계에서 가장 큰 국제 도서 박람회 중 하나라고 들었어.
남: 맞아. 올해 약 1,200명의 출품자와 25,000명 이상의 방문객이 참여할 것으로 예상돼.
여: 놀라워! 그건 역사가 기니?
남: 응, 1963년에 시작되어서, 그 이후로 일 년에 한 번 열려왔어.
여: 거기에서 아동 도서를 제작하고 출판하는 전문가들을 많이 만날 수 있을 것 같네.
남: 물론이야. 또 나 같은 삽화가를 위한 많은 행사와 유명한 작가들이 하는 강의가 있어.
여: 좋은 시간을 보내길 바라.
남: 고마워.

문제 해결

개최 국가(이탈리아), 규모(약 1,200명의 출품자와 25,000명 이상의 방문객), 창립 연도(1963년), 행사 내용(삽화가를 위한 행사, 유명한 작가들이 하는 강의 등)에 대해서는 언급했지만, 참가비에 대한 언급은 없다.

어휘·표현

book 예약하다 book fair 도서 박람회 exhibitor 출품자 publish 출판하다 illustrator 삽화가 lecture 강의 author 작가

## 09 ④

여: Toy Flea Market에 오신 것을 환영합니다. 이 시장은 오늘 시작해서 7일간 이곳에서 열릴 것입니다. 그 기간 동안 매일 오전 10시부터 오후 7시까지 열리게 됩니다. 여러분들은 자유롭게 장난감을 사고 파실 수 있습니다. 종류는 피규어, 탈 것, 인형, 그리고 그 외 상품들로 분류됩니다. 망가진 장난감을 팔길 원하시면, 우선 수리를 하셔야 합니다. 시장 뒤편에 있는 수리점을 이용하시면 되겠습니다. 또 만화책 코너가 있는데요, 그곳에서는 옛날 만화책들과 애니메이션 DVD를 판매합니다. 마지막으로, 수리점 옆에는 키즈카페가 있습니다. 부모님께서 쇼핑하시는 동안 아이들은 실내 놀이터를 즐길 수 있습니다. 방문해 주셔서 감사합니다. 즐거운 쇼핑 되세요.

문제 해결

망가진 장난감을 판매 전에 수리해야 한다고 했으므로 구매자가 아니라 판매자가 수리해야 한다. 따라서 ④는 내용과 일치하지 않는다.

어휘·표현

flea market 벼룩시장 category 범주, 종류 figure 모형, 피규어

vehicle 차량, 탈 것

## 10 ④

남: 여보, 뭐 하고 있어요?
여: 공기청정기를 온라인에서 보고 있어요. 그런데 이 다섯 개 중에 뭘 로 골라야 할지 살짝 헷갈려요.
남: 우리 이번 달에 돈을 너무 많이 썼어요. 그럼 150달러 미만의 청정기들을 사는 거 어때요?
여: 아, 좋아요. 리모컨은 필요한가요?
남: 전혀요. 스마트폰 앱으로 조종할 수 있어요.
여: 소음 수준은 어때요?
남: 조용한 게 확실히 좋죠. 이 제품은 헤파필터가 있나요?
여: 아니요, 하지만 저 제품은 있네요.
남: 효율적인 필터가 다른 다양한 기능들보다 더 중요하기 때문에 저 제품을 사야겠어요.
여: 고마워요, 여보. 당신이 공기청정기 선택을 쉽게 해주었네요!

**문제 해결**

150달러 미만에 리모컨이 없는 제품은 ②와 ④인데, 헤파필터가 반드시 있어야 한다고 했으므로 ④가 적절하다.

**어휘·표현**

confused 당황한, 헷갈리는 efficient 효율적인

## 11 ①

여: Jim, 너 새 아파트로 이사할 거라고 들었어.
남: 응. 너도 알다시피, 내가 우리집에 아주 불만스러워하잖아. 새 집으로 가는 게 아주 기대돼.
여: 좋겠다. 여기서 얼마나 먼 거리니?
남: 겨우 10분만 걸으면 되는 거리야.

**문제 해결**

새로 이사갈 집까지의 거리를 묻는 질문에 대한 답이므로 ①이 적절하다.
② 이제 5시 5분 전이야.
③ 그건 내가 처음에 예상했던 게 아니야.
④ 그건 네 생각만큼 비싸지 않아.
⑤ 집을 떠나는 건 신나는 일이 아니야.

**어휘·표현**

dissatisfied 불만족스러운

## 12 ⑤

남: Kate, 주말 어땠니?
여: 그리 좋지 않았어. 여동생이 아파서 주말 내내 그녀를 돌봐야 했거든.
남: 오, 정말? 지금은 어때?
여: 다행히, 지금은 훨씬 나아졌어.

**문제 해결**

동생의 몸 상태를 묻는 질문에 대한 응답이므로 ⑤가 적절하다.
① 그녀가 지금 집에 있길 바라.
② 난 그녀가 어떻게 지내는지 몰라.
③ 난 그녀를 더 이상 돌보고 싶지 않아.
④ 미안하지만, 내일 난 거기 갈 수 없어.

**어휘·표현**

sick 아픈 take care of ~을 돌보다 whole 전부의

## 13 ②

여: 안녕, John, 어디 가니?
남: 책 좀 빌리려고 도서관에 가고 있어.
여: 뭐에 대한 책을?
남: 스릴러 영화에 대한 책. 그것에 대해 발표 준비를 하고 있거든.
여: 재미있겠다.
남: 영어 과제야. 다음 주 목요일에 발표하기로 되어 있어.
여: 와, 시간이 많이 남지 않았구나. 난 네가 그런 종류의 영화에 관심 있는지 몰랐어.
남: 난 무서운 부분은 그렇게 좋아하지 않는데, 스토리에는 흥미가 있어.
여: 그렇구나. 스토리가 미스터리 소설과 종종 비슷해.
남: 바로 그거야. 항상 영화가 어떻게 끝날지 궁금하거든.
여: 나도 그래, 그런데 볼 때, 놀라는 장면을 못 견디겠어.
남: 하지만 그런 장면을 보는 게 영화를 이해하는 데 도움이 될 거야.

**문제 해결**

스릴러 영화 스토리에 흥미가 있어서 그 매력을 알려주는 이야기를 하고 있으므로, ②가 가장 적절한 응답이다.
① 내 생각에 난 전혀 놀랄 거 같지 않아.
③ 다음 주 목요일까지 과제를 끝낼 수 있어.
④ 그래서 로맨스 영화 DVD를 모으기 시작했어.
⑤ 그러면 영화 보러 가는 게 어때?

**어휘·표현**

check out (책을) 대출하다 scary 무서운 scene 장면

## 14 ①

여: 안녕하세요, 도와드릴까요?
남: 네. 제가 여기서 2주 전에 이 빔 프로젝터를 샀는데요. 갑자기 제 컴퓨터와 연결이 안 돼요.
여: 아, 그래요? 불편을 끼쳐드려 죄송합니다. 제 노트북과 한번 연결해볼게요.
남: 그래요.
여: *[잠시 후]* 말씀이 맞는 것 같네요. 연결에 분명히 문제가 있어요.
남: 교환받을 수 있나요? 내일 파티가 있어서, 빔 프로젝터가 하나 필요해요.
여: 물론이죠. 그런데 똑같은 검은색 제품들은 다 팔렸어요.
남: 색깔은 상관없어요. 흰색도 괜찮습니다.
여: 좋습니다. 지금 하나 가져다드릴게요.
남: 잘 됐네요. 집에 가져가기 전에 테스트해보고 싶어요.
여: 물론이죠. 잘 작동하는지 여기서 확인하실 수 있어요.

**문제 해결**

교환받는 제품을 집에 가져가기 전에 테스트해보고 싶다는 말에 대한 답으로 가장 적절한 것은 ①이다.

② 그렇게 하세요. 당신의 노트북도 수리가 필요한 것 같아요.
③ 죄송하지만, 당신의 집에서 확인하실 수는 없습니다.
④ 그래요, 나도 파티에 가게 되면 기쁠 거예요.
⑤ 알겠습니다. 당신의 노트북을 당장 고칠 수 있어요.

**어휘·표현**

inconvenience 불편 connection 연결, 접속 sold out 다 팔린 right away 즉시, 당장

## 15 ⑤

남: 어제, Jenny는 엄마를 위해 파스타 요리를 하고 있었다. 그녀는 끓는 물에 면을 넣다가 손가락에 화상을 입었다. 그녀는 큰 통증에 시달려, 병원에 가서 화상 입은 자리를 James 선생님에게 보여주었다. 그는 화상에 약을 좀 바르고 붕대를 감아주었다. 그녀는 오늘 다시 진료를 보기로 예약했다. 하지만 지금 그녀는 그녀의 가장 절친한 친구 Mary의 생일 파티를 잊어버려서 예약을 미뤄야 한다. Jenny는 Mary가 파티 준비하는 것을 돕기로 되어 있어서 시간에 맞춰 거기 가야만 한다. 이런 상황에서 Jenny는 James 선생님에게 뭐라고 말하겠는가?

**문제 해결**

친구 Mary의 생일 파티 준비를 위해 병원 예약 시간을 미뤄야 하는 상황이므로, James 선생님에게 ⑤ '제 예약을 모레로 바꿀 수 있을까요?'라고 말하는 것이 가장 적절하다.

① 어떻게 통증을 줄일 수 있을까요?
② 죄송하지만, 전 파티에 가고 싶지 않아요.
③ 제 생일 파티를 미뤄도 괜찮을까요?
④ 이런 화상에는 무엇이 최고의 약인가요?

**어휘·표현**

burn 화상을 입다; 화상 noodle 면 apply (약을) 바르다 bandage 붕대 appointment 약속, 예약 put off 미루다 relieve 덜다, 경감시키다 the day after tomorrow 모레

## 16-17

여: 안녕하세요, 여러분. 갈라파고스 야생동물 투어에 오신 것을 환영합니다. 여러분은 갈라파고스 땅거북, 파란발 부비새, 해양 이구아나와 같은 여러 놀라운 동물들을 보게 될 것입니다. 하지만, 방문객들이 갈라파고스 국립공원 서비스가 정해 놓은 규칙을 따르는 것이 정말 중요합니다. 우선, 플래쉬를 터뜨리는 촬영은 허용되지 않습니다. 이는 야생동물들에게 매우 불쾌한 것일 수 있습니다. 다음으로, 분홍색과 노란색처럼 밝은 색 옷은 피하세요. 그런 옷은 벌레들이 꼬일 수 있습니다. 세 번째로, 어떤 동식물도 섬으로 데려오지 마세요. 또, 조개, 바위, 나무, 나뭇잎 같은 어떤 자연물도 집으로 가져가실 수 없습니다. 마지막이지만 중요한 것은 동물들에게 너무 가까이 가지 마세요. 항상 동물들에게서 최소한 2미터 거리는 반드시 유지해야 합니다. 갈라파고스의 천연의 아름다움을 보호하는 데 도움 주시면서 여행을 즐기세요.

**어휘·표현**

wildlife 야생동물 incredible 놀라운 marine 해양의 flash photography 플래쉬를 터뜨리는 촬영 disturbing 불쾌한, 동요시키는 attract 끌다, 매료시키다 object 물건, 물체 maintain 유지하다 distance 거리 diversity 다양성 forbid 금지하다

## 16 ②

**문제 해결**

갈라파고스 야생동물 투어에서 지켜야 할 규칙을 안내하는 내용이므로, ② '갈라파고스에서 여행객이 따라야 할 규칙들'이 적절하다.

① 갈라파고스의 야생동물의 다양성
③ 갈라파고스의 특별한 여행에 합류하는 방법
④ 갈라파고스에서 야생동물들이 직면한 위험
⑤ 갈라파고스로부터 여행객을 금지한 이유

## 17 ①

**문제 해결**

② 사진, ③ 옷, ④ 자연물, ⑤ 동물로부터의 거리에 대해서는 주의 사항으로 이야기했지만, ① '음식'에 대해서는 언급하지 않았다.

# 12 영어 듣기 모의고사

정답 및 해설

»pp. 44~45

| | | | | | |
|---|---|---|---|---|---|
| 01 ④ | 02 ③ | 03 ① | 04 ④ | 05 ④ | 06 ③ |
| 07 ② | 08 ④ | 09 ③ | 10 ③ | 11 ② | 12 ⑤ |
| 13 ④ | 14 ⑤ | 15 ③ | 16 ③ | 17 ⑤ | |

## 01 ④

남: 안녕하세요, 학생 여러분. 저는 이번 학기 여러분의 체육 선생님입니다. 신체 단련 수업이 다음 주에 시작됩니다. 많은 위험한 운동 기구가 있기 때문에, 여러분들이 따라야 하는 지시 사항들이 있습니다. 가장 중요한 것은 여러분들이 적절하게 몸을 풀어야 한다는 것입니다. 그것은 여러분의 근육이 힘든 육체적 활동을 할 수 있도록 준비하는 것을 돕습니다. 또한, 여러분들은 훈련장에 있는 매트 위에서 뛰어서는 안 됩니다. 여러분들은 다른 학생들이나 운동 기구와 부딪혀서 심하게 다칠 수 있습니다. 마지막으로, 여러분들은 제 지시를 따라야 합니다. 모든 기술은 여러분의 친구들에게서가 아니라, 저에게만 배워야 합니다. 저는 함께 훌륭한 학기를 기대하겠습니다.

**문제 해결**

이번 학기부터 신체 단련 수업을 하게 된 체육 선생님이 학생들에게 신체

단련장 사용 시 몸을 충분히 풀고, 매트 위에서 뛰면 안 되며, 선생님의 지시를 따를 것을 말하고 있다.

어휘·표현

physical education 체육 semester 학기 equipment 도구, 장비 instruction 지시 muscle 근육 bump 부딪히다

## 02 ③

여: 너는 뭐에 대해 읽고 있어?

남: 나는 다른 문화들에서 다른 의미들을 갖는 손동작들에 대한 글을 읽고 있어.

여: 흥미로운 게 있어?

남: 너는 엄지와 검지로 만든 고리가 무엇을 의미하는지 아니?

여: 음, 그건 OK 표시 아니야?

남: 맞아, 우리는 모든 것이 완벽하다는 것을 보여주기 위해 그 표시를 사용해. 그러나 그것은 다른 나라들에서는 다른 것들을 의미해.

여: 그것이 뭘 의미하는데?

남: 그것은 프랑스에서는 '아무것도 아닌 것'이나 '0'을 의미하고, 일본에서는 '돈'을 의미해. 더 놀라운 것은, 그것은 또한 브라질에서는 매우 무례한 몸짓으로 여겨져.

여: 믿을 수 없어! 같은 몸짓이 나라에 따라 다양한 의미를 가질 수 있구나.

남: 나는 우리가 외국을 여행할 때 몸짓 언어를 사용하는 것을 주의해야 한다고 생각해.

문제 해결

같은 동작이라도 나라와 문화에 따라 다양한 의미를 가질 수 있다는 것을 여러 나라의 예를 들어 말하고 있다.

어휘·표현

article 글, 기사 gesture 몸짓, 동작 thumb 엄지손가락 index finger 집게손가락 rude 무례한 depending on ~에 따라 beware 조심하다

## 03 ①

남: 휴! 큰 사고가 났네요! *[잠시 후]* 누가 경찰을 불렀나요?

여: 접니다. 제가 사고를 보자마자 911에 전화했어요. 그건 끔찍했어요.

남: 진정하시고 무슨 일이 일어났는지 정확하게 말씀해 주세요.

여: 제가 이 교차로에서 길을 건너려고 기다리고 있는 동안에, 차 한 대가 갑자기 속도를 높이더니 속도를 줄이지 않고 계속 왔어요.

남: 빨간 불에요?

여: 네. 그가 신호등을 못 본 것 같았어요. 그 차가 이 교차로에서 대기하고 있는 다른 차를 추돌했어요.

남: 무슨 일이 벌어졌는지 알 것 같네요. 자, 운전자들은 지금 어디에 있나요?

여: 그들은 저기 벤치에 앉아 있어요.

남: 전 그들을 확인해봐야겠네요. 정말 감사합니다.

문제 해결

교차로에서 속도를 줄이지 않은 차가 다른 차와 충돌한 사고가 났는데, 여자는 사고 경위에 대해 남자에게 설명하고 있으므로 두 사람의 관계는 경찰과 사고 목격자가 알맞다.

어휘·표현

accident 사고 horrible 끔찍한 intersection 교차로 reduce 줄이다 traffic light 신호등 crash 부딪히다

## 04 ④

남: 엄마, 저는 그림을 다 그렸어요.

여: 멋지구나! 무엇에 대한 거니?

남: 제목은 '미래 도시'예요. 왼쪽에 큰 우주선이 달나라 여행을 준비하고 있어요.

여: 끝내준다! 많은 사람들이 지금 탑승하고 있네. 오른쪽에 있는 건물은 농장인 것 같구나. 왜냐하면 그 건물 위에 간판이 있기 때문이야.

남: 네, 사람들이 거기에서 많은 곡물들을 기를 수 있어요.

여: 중앙에 있는 차들은 뭐니?

남: 그것들은 날아다니는 자동차들이에요. 그것들은 하늘을 날 수 있어요.

여: 그들은 농장 건물에 매달려 있는 신호등을 따르는 것 같구나. 차들 뒤에 있는 남자는 뭘 하는 거니?

남: 그는 개인용 헬리콥터로 날고 있는 중이에요. 프로펠러가 헬멧에 있어서 그는 그의 머리로 그걸 조종할 수 있어요.

문제 해결

그림에서 신호등은 땅에 세워져 있는 기둥 위에 있는데, 대화에서는 농장 건물에 달려 있다고 했으므로 ④가 일치하지 않는다.

어휘·표현

drawing 그림 spaceship 우주선 floating 떠다니는 propeller 프로펠러

## 05 ④

여: 내일이 드디어 우리 아들의 첫 번째 생일이에요.

남: 우리는 힘든 한 해를 보냈어요. 노력해 주어 고마워요.

여: 나도 고마워요. 이제 생일 파티를 위한 모든 것을 점검해 봐요. 식당은 예약했나요?

남: 물론 했지요. 우리 부모님들과 친척들을 초대하는 건 어떻게 되었나요?

여: 내가 지난주에 그들 모두에게 전화했지만, 한 번 더 확인할게요.

남: 좋아요. 그러면 난 그애를 위한 멋진 케이크를 주문할게요.

여: 아, 내가 이미 어제 하나 주문했어요. 내일 손님들에게 줄 선물들을 포장해 주세요.

남: 문제없어요. 그것들은 어디에 있나요?

여: 그것들은 부엌 식탁 위에 있어요.

문제 해결

마지막 부분에 여자가 남자에게 손님들에게 줄 선물을 포장해 달라고 부탁하고 있고 남자는 알았다고 했으므로 ④가 알맞다.

어휘·표현

tough 힘든 effort 노력 reserve 예약하다 invitation 초대 relatives 친척 confirm 확인하다 wrap 포장하다

## 06 ③

여: 안녕하세요. 오늘 어떻게 도와드릴까요?
남: 안녕하세요. 이 스웨터들을 드라이클리닝하고 싶어요.
여: 네. 몇 개인가요?
남: 네 개입니다. 스웨터 하나를 드라이클리닝하는 데 얼마인가요?
여: 한 장당 5달러입니다. 이번 금요일까지 다 될 겁니다.
남: 좋아요. 제가 여기 처음 온 거라 운동화도 세탁해 주시는지 궁금하네요.
여: 한답니다. 한 켤레당 2달러 50센트입니다.
남: 네. 두 켤레 가져왔어요. 그것들을 이번 주 금요일에 스웨터와 함께 찾아갈 수 있을까요?
여: 물론입니다. 그리고 첫 방문이셔서 20% 할인을 해드립니다.
남: 그거 좋네요! 여기 제 신용카드입니다.

**문제 해결**

남자는 스웨터 4장을 드라이클리닝하고 운동화 2켤레를 세탁하려고 하는데, 스웨터는 장당 5달러이고 운동화는 한 켤레당 2달러 50센트이므로 (4x$5+2x$2.50) 25달러를 지불해야 한다. 그런데 첫 방문 시 20% 할인을 해준다고 했으므로($25-$5), 남자가 지불할 금액은 20달러이다.

**어휘·표현**

dry-clean 드라이클리닝하다 charge (요금을) 부과하다 wonder 궁금해 하다

## 07 ②

*[전화벨이 울린다.]*
남: 여보세요, 제가 Jane 교수님과 통화할 수 있을까요?
여: 접니다. 누구신가요?
남: 안녕하세요, 저는 당신의 영어 수업을 듣는 Mason입니다. 제가 오늘 오후에 있는 말하기 시험을 미룰 수 있을까요?
여: Mason, 너는 왜 그것을 미루고 싶어 하니?
남: 저희 집에 있는 에어컨이 고장이 났는데요, 정비사가 전화해서 오늘 오후에 올 거라고 했어요.
여: 시험이 더 중요하단다, 안 그러니?
남: 그렇지만, 그가 오늘 방문할 수 없으면 2주 안에는 올 수 없다고 했어요. 집에 저 말고는 아무도 없고요.
여: 오, 알겠다. 요즈음은 너무 더워서 에어컨을 빨리 고쳐야 할 거야. 내일 오후 3시는 어떠니?
남: 아주 좋아요. 감사합니다.

**문제 해결**

남자의 집에 있는 에어컨이 고장 났는데, 정비사가 오늘 고치러 오지 못하면 2주 후에야 올 수 있다고 했기 때문에 에어컨 수리를 위해서 시험을 미루려고 하고 있음을 알 수 있다.

**어휘·표현**

postpone 연기하다 delay 미루다, 연기하다 break down 고장 나다 repairman 정비사

## 08 ④

남: 엄마, 저는 담임선생님께 학교 소식지를 받았어요.
여: 그랬어? 뭐에 대한 거야?
남: 공개 수업에 대한 거예요.
여: 아, 난 작년에 참석 못해서, 올해는 보고 싶구나. 무슨 요일이니?
남: 다음 주 금요일이에요. 제 교실로 오전 10시 전에 오셔야 해요.
여: 알았다. 다른 학년들도 공개 수업을 하니?
남: 아니요, 이번에는 2학년만 해요.
여: 네 형의 수업은 다른 날에 갈 수 있을 것 같구나. 어떻게 등록하는 거니?
남: 이 신청서를 채우셔야 해요. 엄마가 그걸 다 쓰시면, 제가 선생님께 돌려드릴게요.
여: 고마워, 아들.

**문제 해결**

일시(다음 주 금요일), 장소(교실), 대상 학년(2학년), 신청 방법(신청서 작성 후 선생님께 제출)에 대한 언급은 있지만, 공개 수업 과목에 대한 언급은 없다.

**어휘·표현**

newsletter 소식지 open class 공개 수업 attend 참석하다 application form 신청서

## 09 ③

남: 안녕하세요, 학생 여러분. 미국 자연사 박물관에 오신 것을 환영합니다. 저는 이곳 박물관 책임자인 John Brandel입니다. 이제는 유명한 공룡인 Titanosaur에 대하여 소개하겠습니다. 믿거나 말거나, 그들은 일억 년 전에 숲에서 살았다고 전해집니다. 아르헨티나 사람들이 공룡 화석 한 무리를 발견해서 뉴욕에 있는 이 박물관으로 옮겼습니다. 여러분이 볼 수 있듯이, 그것은 매우 큽니다. 키가 37미터나 됩니다. 그건 너무 커서 목과 머리가 옆방까지 뻗어 있습니다. 그것은 식물을 먹었고 몸무게가 70톤 가까이 나갔습니다. 그것은 코끼리 10마리의 총 무게와 같습니다! 매년 대략 오백만 명의 관람객들이 이 유명한 공룡 화석들을 보기 위해 방문합니다.

**문제 해결**

목에서 머리까지의 길이가 아니라 전체 키가 37미터이다.

**어휘·표현**

Museum of Natural History 자연사 박물관 director 책임자 believe it or not 믿거나 말거나 fossil 화석

## 10 ③

남: Clean Water Corporation에 오신 것을 환영합니다.
여: 안녕하세요, 저는 정수기를 대여하고 싶습니다. 얼마일까요?
남: 매달 30달러부터 시작합니다. 다양한 기능을 더하시면, 가격은 올라갑니다. 추가적인 기능을 원하시는 게 있나요?
여: 저는 얼음을 만들 수 있는 것을 원합니다.
남: 그러면 가격은 50달러부터 시작됩니다. 온수는 어떠세요?
여: 전 두 명의 어린아이들이 있어서요, 그것은 그들에게 위험할 수

있다고 생각합니다.
남: 전 자동 세척 모델을 추천합니다. 기계를 관리하기가 더 편합니다.
여: 정수기는 정기적으로 세척할 필요가 있는 게 맞지요? 그 기능은 저에게 정말 매력적이네요.
남: 좋습니다. 그러면 두 가지 선택만 남았네요. 어떤 것이 더 마음에 드세요?
여: 저는 더 싼 것을 고르겠습니다.
남: 좋은 선택이세요! 많은 사람들이 그 모델을 좋아합니다.

문제 해결

여자는 얼음 기능과 자동 세척 기능이 있지만, 온수 기능은 없는 모델들 중에 가격이 더 싼 것을 원하고 있다.

어휘·표현

corporation 회사 rent 빌리다 water purifier 정수기 extra 추가적인 self-cleaning 자동 세척 regularly 정기적으로

---

## 11 ②

여: 저는 이제 일하러 가야 해요. 그런데 밖이 꽁꽁 얼게 춥네요.
남: 당신은 털 부츠는 물론이고 모자와 장갑을 착용해야 해요.
여: 그러나 저는 저 부츠를 신고 걷기가 어려워요!
남: 감기에 걸리지 않으려면 당신은 몸을 따뜻하게 해야 해요.

문제 해결

매우 추운 날이기 때문에 부츠를 신으면 걷기에 불편하다는 여자의 말에 몸을 따뜻하게 유지해야 감기에 걸리지 않는다고 충고하는 응답이 적절하다.
① 새 모자와 장갑을 사는 게 어때요?
③ 내일 눈이 매우 많이 내릴 것이라고 하더군요.
④ 이런 날씨에 밖에서 걸으면 재밌을 것 같아.
⑤ 병원에 가는 게 어때요?

어휘·표현

freezing 매우 추운, 꽁꽁 얼게 추운 catch a cold 감기에 걸리다 heavily 심하게, 매우

---

## 12 ⑤

남: Rachel, 너는 대학에 들어가면 무엇을 전공하고 싶어?
여: 음, 난 거기서 영어를 공부하고 싶어.
남: 그러면 졸업 후에 뭘 할 건데?
여: 난 중학교나 고등학교에서 학생들을 가르치고 싶어.

문제 해결

여자가 대학에서 영어를 전공하고 싶다고 하자, 남자가 졸업 후에 하고 싶은 일을 묻고 있다. 따라서 영어를 공부해서 졸업 후에 할 수 있는 일을 찾아야 한다.
① 나는 영문학을 좋아하게 되었어.
② 나는 올해 대학에 들어갔으면 좋겠어.
③ 나는 대학에서 영어를 매우 열심히 공부할 거야.
④ 영어를 공부하는 것이 수학을 공부하는 것보다 쉬워.

어휘·표현

major in ~을 전공하다 graduate 졸업하다 literature 문학

---

## 13 ④

남: 안녕하세요, 여기서 당신을 만나게 되어서 반가워요.
여: 안녕하세요! 오랜만이네요. 어떻게 지내셨어요?
남: 잘 지냈어요. 이 은행에는 사람들이 많이 있네요. 30명이 넘는 사람들이 줄을 서서 기다리고 있는 것 같아요.
여: 그래요, 매월 말에는 많은 사람들이 와요.
남: 저는 점심시간 동안에 여기 온 거예요. 전 충분한 시간이 있을 것 같지 않아서 걱정이네요.
여: 당신 말이 맞는 것 같아요. 그런데, 무슨 일로 오셨나요?
남: 돈을 달러로 바꿔야 해요.
여: 급한 게 아니면 내일 다시 오시는 것이 좋겠어요.
남: 사실, 내일 출장을 가야 해요.
여: 어쩔 수 없는 것 같네요.
남: 맞아요. 그냥 기다려야 해요.

문제 해결

남자가 출장을 가야 해서 내일 다시 은행에 올 수 없다고 하자 여자가 어쩔 수 없겠다고 했으므로, 남자가 그 말에 맞장구를 치는 ④가 응답으로 적절하다.
① 저는 다음에 여기 오는 게 좋겠네요.
② 제가 당신을 위해 기다려 주길 원하세요?
③ 저는 제가 얼마의 돈을 가지고 있는지 모르겠어요.
⑤ 괜찮아요. 이미 돈을 좀 뉴욕에 보냈어요.

어휘·표현

urgent 긴급한

---

## 14 ⑤

여: 너 어디 가니?
남: Jim과 약속을 했어요. 저 나가도 돼요, 엄마?
여: 이렇게 늦게 뭐를 하려고 하는데?
남: 전 걔와 야구를 할 거예요.
여: 이 시간에? 매우 어두워지고 있어서 위험해.
남: 우린 마당에서 캐치볼만 할 거예요.
여: 너 지난달에 야구하다가 다쳤던 거 기억 못 하니? 넌 나에게 밤에는 밖에서 운동하지 않겠다고 약속했잖아.
남: 기억해요. 그래도 그건 재밌고 제가 스트레스를 푸는 데 도움이 돼요.
여: 너는 약속을 지켜야 해. 야구를 하기보다는 다른 것을 해 보는 게 좋겠다.
남: 어떤 거요? 우리가 어떤 것을 할 수 있을까요?
여: 너는 퍼즐을 푸는 것 같이 머리를 쓰는 운동을 할 수 있지.

문제 해결

엄마가 아들에게 깜깜한 밤에는 위험하게 바깥에서 운동하지 말고, 다치지 않을 만한 다른 활동을 하기를 권하고 있으므로 ⑤가 응답으로 적절하다.
① 나는 야구 경기를 보는 것을 정말 좋아해.
② 나는 네가 대신에 농구를 하길 원해.

③ 야구를 하는 것은 너를 기분 좋게 하지 못할 거야.
④ 나는 네가 더 많은 바깥 활동을 할 것을 추천해.

어휘·표현

yard 마당  relieve 없애 주다, 완화하다  outdoor 야외의

## 15 ③

남: Olivia와 Luke는 학교에서 과학 동아리의 회원들이고, 어렸을 때부터 매우 친한 친구였다. 그들이 기말고사를 준비하기 위해 함께 공부하는 동안에 Olivia는 Luke가 뭔가를 걱정한다는 것을 듣는다. 문제는 그가 과학은 잘하지만 수학은 못한다는 것이다. 안타깝게도, Olivia도 수학을 못하기 때문에 그를 도울 수 없다. 그래서 그녀는 그에게 동아리의 다른 친구들에게 도움을 요청하라고 말한다. 그는 매우 부끄러움이 많고 아무도 그를 돕지 않을까봐 걱정하지만, 그녀는 그에게 괜찮을 거라고 말하고 싶어 한다. 이런 상황에서, Olivia는 Luke에게 뭐라고 말하겠는가?

문제 해결

부끄러움이 많고 아무도 그를 돕지 않을까봐 걱정이 되어 친구들에게 도움을 요청하지 못하는 Luke에게 할 말로 ③ '그들은 기꺼이 너를 도울 거야. 걱정하지 마.'가 가장 적절하다.
① 넌 내가 수학을 공부하는 것을 정말 도울 수 있어.
② 그들은 수학을 정말 잘해, 그렇지 않니?
④ 기말고사 끝나고 어디라도 가자.
⑤ 그들에게 대신 과학을 공부하라고 말하는 게 어때?

어휘·표현

science club 과학 동아리  somewhere 어딘가에

## 16-17

여: 안녕하세요, 저는 여러분 같은 대학생들을 도울 수 있는 것을 말해주기 위해 여기 왔습니다. 여러분은 여행을 계획해 본 적 있나요? 여행은 여러분이 재충전하고 더 독립적이게 되도록 많이 도와줍니다. 여러분이 우울하고 낙담해 있다면, 그것은 여러분이 기분을 좋게 하는 것을 도울 겁니다. 그러나 패키지 여행에 합류해서는 안 됩니다. 여러분은 여러분만의 여행을 계획하는 것을 시도해야 합니다. 그것을 잘 계획하려면, 여러분은 다음의 것들을 준비해야 합니다. 먼저, 언제 어디로 갈 것인지를 결정하세요. 인터넷을 이용하여 방문하기에 적절한 시간과 장소를 찾아보세요. 다음으로, 거기서 무엇을 할지를 선택하세요. 또한, 여행을 할 수 있는 충분한 돈을 모으세요. 여행을 준비하면서 보내는 시간이 이미 그것의 일부라는 것을 기억하세요. 안전하고 즐거운 여행되세요!

어휘·표현

recharge 재충전하다  independent 독립적인  depressed 우울한  discouraged 낙담한

## 16 ③

문제 해결

여자는 대학생들이 스스로 여행을 계획하여 가는 것이 주는 긍정적인 점들과 어떻게 여행을 준비해야 하는지에 대하여 이야기하고 있으므로 주제로는 ③ '여행의 장점들과 그것을 준비하는 방법'이 가장 적절하다.
① 공부하기 위해 해외로 가는 것의 단점들
② 열정이 십 대들에게 미치는 영향
④ 방학 동안에 스스로를 재충전하는 방법
⑤ 교환 학생 프로그램을 위해 준비하는 방법

## 17 ⑤

문제 해결

여행을 준비하기 위해서는 인터넷을 이용하여 언제, 어디로 갈 것인지를 정하고, 거기서 무엇을 할지를 선택해야 하며, 충분한 돈을 모아야 한다고 언급했다.

# 13 영어 듣기 모의고사

정답 및 해설

» pp. 46~47

| | | | | | |
|---|---|---|---|---|---|
| 01 ④ | 02 ③ | 03 ① | 04 ⑤ | 05 ④ | 06 ② |
| 07 ③ | 08 ② | 09 ③ | 10 ③ | 11 ① | 12 ④ |
| 13 ④ | 14 ② | 15 ③ | 16 ⑤ | 17 ② | |

## 01 ④

남: 비타민은 건강을 유지하기 위해 여러분이 필요로 하는 물질이다. 사람들은 매일 비타민을 섭취하려고 애쓴다. 하지만 여러분은 스스로에 대해 얼마나 많은 시간을 쓰고 있는가? 빠르게 흘러가는 세상에서의 압력 때문에 우리는 결국 스스로를 위한 더 적은 양질의 시간을 갖게 된다. 나는 스스로를 위한 양질의 시간을 '비타민 T'라고 부르고 싶다. 그것은 비타민이 우리 신체에 필수적인 만큼 시간이 우리의 삶에 필수적이라는 의미이다. 사무실에서 초과근무를 하거나 너무 많은 사회적 책임을 지는 것은 우리에게서 비타민 T를 빼앗는다. 비타민 T가 없으면 우리는 의미 있는 삶을 살 수 없다. 이제 비타민 T를 섭취할 시간이다.

문제 해결

스스로를 위한 양질의 시간을 '비타민 T'라고 명명하며 이것이 필요함을 역설하고 있으므로 남자가 하는 말의 목적으로는 ④가 가장 적절하다.

어휘·표현

substance 물질  consume 섭취하다  end up -ing 결국 ~하다
vital 필수적인  obligation 의무, 책임  drain 소모시키다, 빼내다

## 02 ③

남: 안녕, Sophia. 일자리 찾았니?

여: 사실, 나는 두 군데에서 일자리 제안을 받았어. 하나는 대기업으로부터이고, 다른 하나는 중소기업이야.
남: 잘됐네. 너는 어떤 것을 선택하려고?
여: 결정할 수가 없어! 대기업은 많은 혜택이 있어. 대기업은 보통 높은 연봉을 제안해. 또한 보다 좋은 의료 서비스를 받고 무상교육들을 받을 수 있어.
남: 맞아. 하지만 중소기업들은 또한 강점이 있어.
여: 중소기업들이? 예를 들어봐.
남: 음, 너는 동료들과 고객들을 좀 더 잘 알 수 있게 돼. 대기업에서는, 친구를 만들기는 힘들어.
여: 좋은 예를 많이 들어줬네. 이 문제에 대해 좀 더 생각해볼 필요가 있어.

문제 해결

남자는 중소기업이 대기업보다 개인을 더 존중하는 분위기가 있다고 주장하고 있으므로 남자의 의견으로는 ③이 적절하다.

어휘·표현

benefit 혜택 offer 제안하다 health care 의료 서비스 strong point 강점

---

## 03 ①

여: Russell, 네가 연극을 위해 연습 중이란 말을 들었어. 잘 되고 있니?
남: 잘 되고 있습니다. 모든 회원들이 정말 열심히 연습하고 있어요.
여: 그런 말을 들어서 기쁘구나. 난 네가 연극에서 주연을 맡아서 자랑스러워.
남: 감사합니다. 하지만 저는 많은 대사를 외우는 데 어려움이 있습니다.
여: 음… 내 생각엔, 네 기억력은 훌륭해. 사실, 내 과목에서 네 점수는 학급에서 상위권에 있어.
남: 그러면 어떻게 해야 할까요?
여: 편안히 하고 대화가 이루어지는 상황을 상상하도록 노력해 보렴.
남: 오, 알겠어요. 그렇게 해볼게요!
여: 좋아, 하지만 다음 내 수업의 쪽지 시험을 위해 공부하는 것도 잊지 마라.
남: 네, 선생님. 수업시간에 뵈요.

문제 해결

연극에서 대사를 외우는 것에 대해 조언하고 있는 선생님과 학생과의 대화이다.

어휘·표현

leading 주된, 주요한 memory 기억력 situation 상황

---

## 04 ⑤

여: Alex, 여기 우리 가족 사진을 봐요!
남: 누가 찍었어요?
여: 우리 막내 아들, Jay가요.
남: 사진에 무슨 문제가 있나요? 우리 강아지, Henry가 매트 위에서 낮잠을 즐기고 있네요.
여: 강아지에 대해 이야기하는 게 아니에요. 난 우리 아들, Jeff에 대해 말하는 거예요. 그는 휴대폰으로 게임을 하고 있어요.
남: 음… 그는 게임을 하면서 많은 시간을 보내고 있군요.
여: 맞아요. 하지만 당신은 바닥을 진공청소기로 청소하고 있고, 나는 빨래를 널고 있어요.
남: 네, 우리는 일요일마다 그런 집안일을 하지요.
여: 그리고 우리 딸인 Holly는 창문을 닦고 있어요.
남: 그래요. 그녀는 집안일을 돕기를 좋아해요, 그렇지 않나요?
여: 아무도 집안일 하기를 좋아하지는 않아요. 우리가 해야 하기 때문에 할 뿐이지요. 우리는 Jeff에게 뭔가를 말해야 해요.
남: 좋아요. 무슨 말인지 알겠어요.

문제 해결

딸은 창문을 닦고 있다고 했는데 그림에는 싱크대에서 설거지를 하고 있으므로 ⑤는 대화의 내용과 일치하지 않는다.

어휘·표현

nap 낮잠 vacuum 진공청소기로 청소하다 hang the laundry 빨래를 널다 chore 허드렛일

---

## 05 ④

*[전화벨이 울린다.]*
여: 여보세요?
남: 안녕, Jessica. 나 Blake야.
여: 오, Blake. 새 집은 어떠니?
남: 여기 모든 것이 거의 완벽해.
여: 그런 말을 들어서 다행이다. 음, 무슨 일이니?
남: 다음 주말에 집들이 파티를 열 계획이야.
여: 좋구나. 음식을 준비하는 데 도움이 필요하니?
남: 아니, 괜찮아. 내 여동생이 나를 도울 거야. 이메일로 동아리 회원들을 초대하고 싶은데 인터넷 서비스가 아직 설치가 되지 않았어.
여: 오, 정말? 나는 모든 회원들의 이메일 주소를 알고 있어.
남: 좋아. 나 대신에 모든 회원들에게 단체 이메일을 보내줄 수 있겠니?
여: 전혀 문제없어. 세부사항을 알려줘.
남: 고마워, Jessica.

문제 해결

여자는 남자를 대신해서 동아리 회원들에게 단체 메일을 보내주기로 하고 있으므로 여자가 할 일로는 ④가 적절하다.

어휘·표현

housewarming party 집들이 파티 install 설치하다 mass email 단체 이메일

---

## 06 ②

여: 실례합니다. 이 운동화가 얼마인가요?
남: 환영합니다. 그것의 가격은 90달러입니다.
여: 약간 비싸네요. 음, 상점 회원권이 있으면 할인된 가격에 살 수 있다고 들었는데요.
남: 맞습니다. 운동화는 정가에서 20% 할인된 가격에, 그밖에 거의 모든 것은 10% 할인받게 됩니다.
여: 좋습니다. 이 경우에는 제가 18달러를 절약할 수 있네요.

남: 그렇습니다.
여: 트레킹화 한 켤레도 필요합니다. 그것은 얼마인가요?
남: 100달러입니다. 그것에 대해서는 10% 할인해 드릴 수 있습니다.
여: 나쁘지 않네요. 그것 둘 다 사겠습니다. 여기 제 회원카드와 신용카드 있습니다.
남: 알겠습니다. 잠시만요.

문제 해결

90달러인 운동화를 20% 할인된 가격인 72달러에, 100달러인 트레킹화를 10% 할인된 가격인 90달러에 구입하게 되므로, 여자가 지불할 금액으로는 ②가 알맞다.

어휘·표현

sneakers 운동화 discounted 할인된 list price 정가 trekking shoes 트레킹화

---

## 07 ③

남: 안녕, Emma, 넌 당황스러워 보인다. 뭐가 잘못되었니?
여: 안녕, Eric. 내가 정말 멍청한 일을 저질렀어. 난 할아버지를 위한 선물을 찾기 위해서 가게에 가서 모자를 하나 샀어.
남: 모자에 대해서 바가지를 썼니?
여: 아니, 그건 아냐.
남: 그러면 뭐가 문제인데?
여: 내 친구인 Julia의 생일 선물로 립스틱을 또한 구입했어. 난 포장을 하고 각 사람에게 선물을 보냈어.
남: 그런데 무슨 문제가 있니?
여: 내가 집에 돌아왔을 때, 난 내가 할아버지에게 립스틱을, Julia에게 모자를 보낸 것을 깨달았어.
남: 이런! 선물을 잘못된 사람들에게 보냈구나.
여: 그랬어. Eric, 어쩌면 좋지?

문제 해결

할아버지와 친구에게 보낼 선물을 서로 바꿔 보내서 여자가 당황해 하고 있으므로 당황한 이유로는 ③이 적절하다.

어휘·표현

embarrassed 당황한 stupid 멍청한 overcharge 바가지를 씌우다

---

## 08 ②

*[전화벨이 울린다.]*
여: Star Stay입니다. 도와드릴까요?
남: 안녕하세요, 다음 주에 그곳을 방문하려고 합니다.
여: 환영합니다. 저희는 공항 근처에 있고, 넓은 주차장을 가지고 있습니다.
남: 좋네요. 공항까지 셔틀버스가 있나요?
여: 유감스럽게 그것은 없지만, 공항까지 대중교통은 있습니다.
남: 음… 인터넷 서비스는 있지요?
여: 네. 방에서 무료 와이파이에 연결할 수 있습니다.
남: 알겠습니다. 그리고 수영장이 있나요? 제 아이들이 수영하기를 좋아해서요.
여: 물론이지요. 누구라도 여기 수영장에서 수영할 수 있습니다.
남: 좋습니다. 날짜를 결정하고 다시 전화드리겠습니다.
여: 네. 좋은 하루 되세요.

문제 해결

주차장, 대중교통편, 와이파이, 수영장에 관한 언급은 있으나 전망에 대한 언급은 하고 있지 않다.

어휘·표현

spacious 넓은 public transportation 대중교통

---

## 09 ③

여: Bandera Historical Ride에 오신 것을 환영합니다! 우리는 아름다운 Medina 강을 따라 말을 탑니다. Bandera Historical Ride는 잊지 못할 경험을 위한 90여분 이상의 역사와 관련된 풍경을 특징으로 합니다. 타는 동안에 말에게 먹이를 줄 기회를 가질 수 있습니다. 타는 사람은 10살 이상이어야 합니다. 하지만 또한 그들은 적어도 100파운드의 몸무게가 나가야 합니다. 모든 타는 사람들은 자신의 말을 탈 수 있어야 합니다. 높은 수요로 인해 저희는 미리 예약한 것을 선호합니다. 갑자기 들른 사람은 말을 탈 기회를 갖지 못할 수도 있습니다. 탄산음료와 같은 다과가 투어 중에 무료로 제공됩니다. 모든 우리의 투어는 친근한 전문가들에 의해서 안내됩니다. 여러분이 우리와 함께 신나는 경험을 하시길 희망합니다!

문제 해결

각자 자신의 말을 타야 한다고 했으므로 ③은 내용과 일치하지 않는다.

어휘·표현

feature 특징을 짓다, 특징을 이루다 feed 먹이다, 먹이를 주다
reservation 예약 drop-in 불쑥 들른 사람 refreshment 다과

---

## 10 ③

남: 여보, 골프 가방을 막 검색하고 있어요. 나 좀 도와줄래요?
여: 좋아요. 어떤 색깔을 마음에 두고 있나요?
남: 흰색이 어때요? 대부분 내 친구들은 흰색 가방을 갖고 있어요.
여: 다른 것을 선택하기를 추천하고 싶어요. 흰색은 때가 타기 쉬워요.
남: 알겠어요. 내가 쓸 수 있는 최대치는 110달러인 것 같아요.
여: 이것 어때요? 꽃무늬가 예쁘네요.
남: 놀리지 말아요. 그런 종류의 가방을 멘 남자는 본 적이 없어요.
여: 그러면 두 가지 선택이 남아 있네요. 오, 이것은 선물로 장갑을 주네요.
남: 내 것은 거의 새것이에요. 난 차라리 다른 선물을 받고 싶어요.
여: 좋아요. 어서 주문해요.

문제 해결

흰색이 아니고 110달러가 넘지 않으며 꽃무늬는 피하고 있다. 또한 장갑 선물은 원치 않고 있으므로 남자가 주문할 가방으로는 ③이 적절하다.

어휘·표현

look up 검색하다, 쳐다보다 maximum 최고, 최대 place an order 주문하다

## 11 ①

여: Ted, 넌 활기차 보이는구나. 난 요즘 무척 피곤해.
남: Rachel, 네가 매일 운동하면 건강을 유지하는 데 도움이 될 거야.
여: 네 말이 맞는 것 같다. 음, 건강을 유지하기 위해 넌 무엇을 하니?
남: 매일 아침 한 시간 동안 조깅을 해.

**문제 해결**

건강을 유지하기 위해 무엇을 하고 있느냐는 여자의 말에 대한 남자의 응답으로는 ①이 가장 적절하다.
② 네가 규칙적으로 운동한다는 말을 들어서 놀랐어.
③ 매일 밤 충분한 수면을 취하는 게 낫다고 생각해.
④ 난 식품 회사에서 일하고 있어.
⑤ 사실 지난달부터 집에 있었어.

**어휘·표현**

energetic 활기 찬 work out 운동하다

## 12 ④

남: 오, Amy. 네가 Twenty의 팬미팅에 갔다고 들었는데. 어땠니?
여: 그건 시간 낭비였어. 내가 가장 좋아하는 가수인 Eric을 보지 못했어.
남: 오, 정말? 왜 그가 팬미팅에 안 나왔니?
여: 그는 그때 다른 일정이 있었나봐.

**문제 해결**

여자가 좋아하는 스타가 팬미팅에 불참한 이유를 묻고 있으므로 이것에 대한 응답으로는 ④가 가장 적절하다.
① 그가 나에게 인사하는 방식을 잊을 수가 없어.
② 나는 팬미팅에 가고 싶지 않았어.
③ 내가 거기에 가기 전에 그가 아픈 것을 알았어.
⑤ 그가 팬들로부터 엄청난 환영을 받은 것은 당연하지.

**어휘·표현**

a waste of time 시간 낭비 absent 부재의, 결석한 receive a welcome 환영을 받다

## 13 ④

*[전화벨이 울린다.]*
여: Rainbow Shop입니다. 어떻게 도와드릴까요?
남: 안녕하세요, 제가 2주 전에 귀사의 대표 향수를 구입했습니다.
여: 오, 저희 제품을 주문해 주셔서 감사드립니다.
남: 음, 문제는 제가 아직 그것을 받지 못한 것인데, 제 계정에는 이미 제가 그것을 받은 것으로 되어 있습니다.
여: 오, 정말이요? 불편을 드려 정말 죄송합니다. 주문 번호를 알 수 있을까요?
남: 네, 주문 번호는 KS3456입니다.
여: 잠시만요. 이런. 상품이 저희에게 되돌아왔습니다. 우편물 발송 주소가 없었네요.
남: 믿을 수가 없군요!
여: 저희가 상품을 재배송하거나 고객님께서 지불을 취소할 수도 있습니다. 어떤 것을 더 선호하시나요?
남: 그냥 환불받겠습니다.
여: 알겠습니다. 신용카드 거래를 취소해 드리겠습니다.

**문제 해결**

환불받기를 원한다는 남자의 마지막 말에 대한 여자의 응답으로는 ④가 가장 적절하다.
① 죄송합니다. 그 제품은 지금 재고가 없습니다.
② 물론이죠. 그 향수를 다시 주문할 수 있습니다.
③ 맞습니다. 손님은 이미 그 제품을 받았습니다.
⑤ 알겠습니다. 우편물 발송 주소를 알 수 있을까요?

**어휘·표현**

signature 특징 inconvenience 불편함 nonexistent 존재하지 않는 reship 재배송하다

## 14 ②

여: Scott, 오늘 당신이 나와 함께 집 청소를 하길 원해요.
남: 문제없어요. 봄마다 우리는 청소할 필요가 있어요. 무엇을 먼저 해야 할까요?
여: 음, 당신 책장을 다시 정리하는 게 어때요?
남: 좋아요. 책장에 많은 먼지가 있군요. 내가 한동안 그것을 청소하지 않았어요.
여: 말할 것도 없이, 너무 많은 당신 예전 책들이 있어요.
남: 음… 사실이에요, 하지만 때때로 난 예전 책들이 필요해요.
여: 글쎄요, 작년 이래로 당신은 그 책 중에 하나도 읽지 않았어요.
남: 아니에요, 때때로 난 책장의 책을 읽기를 즐겨요.
여: 여보, 그 책들이 너무 많은 공간을 차지하고 있어요. 난 당신이 그것을 치우길 원해요.
남: 난 원치 않아요. 그것들은 나에게는 소중해요.

**문제 해결**

남자는 예전 책을 치우기를 원치 않고 있으므로 여자의 마지막 말에 대한 남자의 응답으로는 ②가 가장 적절하다.
① 그것들은 내 것이 아니에요. 그것들은 당신 거예요.
③ 물론이죠, 청소는 항상 나를 상쾌하게 만들어요.
④ 책장에 먼지를 떨어내도록 노력할게요.
⑤ 알았어요. 당신은 책을 좀 읽길 원하는군요.

**어휘·표현**

reorganize 재정리하다 bookshelf 책장 dust 먼지 needless to say 말할 것도 없이

## 15 ③

남: Rebecca는 고등학생이다. 오늘 아침에 일어났을 때, 그녀는 알람이 울리지 않았고 벌써 아침 7시인 것을 알고는 깜짝 놀란다. 평소보다 20분이 늦은 것이다. 그녀는 1교시에 수학 쪽지 시험이 있는 것을 알고 있으며 수업 전에 그것에 대해 좀 더 공부하기를 원한다. 그녀가 버스를 타고 학교에 간다면, 공부할 시간이 없을 것이다. 그때 그녀는 아빠가 엄마와 함께 아침식사를 하고 계신 것을 발견한다. 그가 차로 그녀를 학교에 데려다주면, 쪽지 시험을

준비할 시간이 있을 것이라고 그녀는 생각한다. 이러한 상황에서 Rebecca는 아빠에게 뭐라고 말하겠는가?

문제 해결

늦잠을 자서 아빠가 차로 자신을 학교에 데려다주기를 원하고 있으므로, Rebecca가 아빠에게 할 말로는 ③ '죄송하지만, 저를 학교까지 태워 주시겠어요?'가 가장 적절하다.

① 수학 쪽지 시험을 준비하시겠어요?
② 어제 수학 쪽지 시험에서 좋은 점수를 받았어요.
④ 매일 아침 식사를 즐기시기를 바라요.
⑤ 오늘 아침에 왜 저를 깨우지 않았는지 모르겠어요.

어휘·표현

go off 울리다 notice 눈치 채다

---

## 16-17

여: 안녕하세요, 여러분. 재미있는 시간을 보내고 편히 쉬고 싶어서 파티를 여는 것을 좋아하시나요? 때때로 파티는 여러분과 친구들을 위한 즐거운 행사일 수 있습니다. 하지만, 파티는 여러분에게 많은 돈을 들게 할 수 있을 뿐만 아니라 우리에게 지구를 희생시킬 수도 있습니다. 여러분의 행사를 환경에 해롭지 않게 할 수 있도록 여러분이 취할 수 있는 몇 가지 조치가 있습니다. 첫 번째로, 플라스틱 접시나 그릇과 같은 일회용품 사용을 피하세요. 또한, 나무젓가락과 플라스틱 스푼은 파티에서 종종 낭비되기도 합니다. 만약 여러분이 충분한 접시가 없다면, 손님들에게 자신의 것을 가져오도록 요청하세요. 그 다음으로, 초대장을 온라인으로 보내세요. 모든 사람은 이 방법을 선호하고, 그것은 많은 종이를 절약시켜 줄 것입니다. 마지막으로, 재활용이 쉽도록 하세요. 손님들이 파티에서 쓰레기를 쉽게 분리할 수 있도록 라벨을 붙인 쓰레기통을 설치하세요. 멋진 파티를 즐기시길 바랍니다.

어휘·표현

cost an arm and a leg 많은 돈이 들다 measure 조치
disposable item 일회용품 separate 분리하다

---

## 16 ⑤

문제 해결

파티를 환경에 해롭지 않도록 여는 방법에 대해 이야기하고 있으므로 주제로는 ⑤ '친환경적인 파티를 여는 방법'이 가장 적절하다.

① 우리가 파티를 열어야 하는 이유
② 플라스틱 제품을 사용하는 것의 부작용
③ 지구 온난화를 줄이는 해결책
④ 직장에서 물건을 재활용해야 하는 필요성

---

## 17 ②

문제 해결

파티에서 낭비되기 쉬운 물건으로 ② '플라스틱 빨대'는 언급되지 않았다.

① 플라스틱 접시 ③ 플라스틱 그릇
④ 초대장 ⑤ 플라스틱 스푼

# 14 영어 듣기 모의고사

정답 및 해설

» pp. 48~49

| | | | | | |
|---|---|---|---|---|---|
| 01 ① | 02 ⑤ | 03 ② | 04 ③ | 05 ⑤ | 06 ③ |
| 07 ⑤ | 08 ③ | 09 ④ | 10 ③ | 11 ⑤ | 12 ④ |
| 13 ① | 14 ② | 15 ④ | 16 ② | 17 ③ | |

## 01 ①

여: 주목해 주시겠습니까? 모든 건물 입주민들께 드리는 안내 사항입니다. 아시다시피, 우리는 많은 불법 주차 차량들로 주차장이 붐비고 있어서 최근에 새로운 주차 관리 장비를 설치했습니다. 5월 2일부터 그 시스템은 주차 카드가 없는 차들이 건물 안에 진입하는 것을 막을 것입니다. 모든 입주민들은 5월 1일까지 주차 카드를 발급받으셔야 합니다. 주차 카드를 소지하고 있지 않으면, 들어올 때 관리 사무소를 방문해 주시기 바랍니다. 이로 인해 발생될지 모르는 불편함에 대해 사과를 드립니다. 협조해 주셔서 감사합니다.

문제 해결

새로운 주차 관리 장비가 도입되었음을 알리며, 이에 따라 입주민들에게 5월 1일까지 주차 카드를 발급받을 것을 요청하고 있다.

어휘·표현

resident 거주민, 입주민 install 설치하다 facility 설비
illegally 불법으로 prevent ~ from v-ing ~가 …하는 것을 막다
inconvenience 불편

---

## 02 ⑤

남: 여보, 우리 애들이 비디오 게임을 너무 많이 한다고 생각하지 않나요?
여: 나도 그게 걱정이 되네요. 시간을 너무 많이 낭비하고 있는 것 같아요.
남: 아이디어가 있어요. MBS라는 새로운 게임에 대해 들어봤어요?
여: 아니요. 그게 어떤 건가요?
남: 쉬운 영어로 되어 있는 퍼즐 게임이에요. 아이들이 그걸 통해 영어를 배울 수 있죠.
여: 재미있겠네요. 그래서 애들이 그 게임을 하게 두자는 건가요?
남: 그래요, 그게 총 쏘는 게임을 하는 것보다는 훨씬 낫다고 생각해요. 어떤가요?
여: 좋을 수도 있겠지만, 여전히 아이들이 게임하는 걸 당연시하게 될까봐 염려가 돼요.
남: 그래서 어떤 게임을 하든 게임하는 것이 습관이 될 거라 생각한다는 거죠, 맞나요?
여: 그게 제 생각이에요.

문제 해결

여자는 게임의 종류가 유익하다, 해가 된다와 관계없이 아이들이 게임하는 것을 당연하게 생각하는 것을 염려하고 있으므로 ⑤가 적절하다.

어휘·표현

take ~ for granted ~을 당연시하다

## 03 ②

여: 안녕하세요, Williams 씨. 만나 뵙게 되어 영광입니다.
남: 제가 영광이죠. 저는 이 프로그램의 팬입니다.
여: 감사합니다. 어쨌든, 전 당신의 새 영화에 대한 잡지 기사를 읽었어요.
남: 네, 그 영화는 내일 개봉될 겁니다.
여: 촬영하시는 동안 어려움은 없으셨나요?
남: 없었어요. 저는 Tom Jones 감독이 전체 팀을 이끄는 방식에 대해 전적으로 만족했어요. 전 그게 그분이 감독하는 첫 번째 영화라는 게 믿기지 않았어요.
여: 지난주에 있었던 첫 시사 후에, 평론가들도 당신이 말한 것과 똑같이 말했어요.
남: 저는 이 영화가 올해 최고의 공상 과학 영화가 될 거라고 확신해요.
여: 그 영화를 정말 보고 싶네요.
남: 영화는 당신이나 오늘 이 프로그램을 듣고 계신 분들을 실망시키지 않을 겁니다.

문제 해결

남자의 새로운 영화와 Tom Jones 감독에 대해 말하고 있으므로 남자가 영화배우임을 알 수 있고, I'm a fan of this show.라는 말에서 여자는 프로그램의 진행자이며, those who are listening to the show today를 통해 그 쇼는 라디오 프로그램임을 알 수 있다.

어휘·표현

honor 영광, 명예 article 기사 release (영화가) 개봉하다 face 직면하다 premiere (영화의) 개봉, 초연 critic 평론가

## 04 ③

남: Eve, 뭘 보고 있어?
여: 이건 우리 학교 소식지 표지에 쓸 사진이야.
남: 저 곳은 큰 나무들이랑 벤치가 있어 평화로워 보이는구나.
여: 응, 거기는 학생들이 주로 쉬고 이야기 나누는 곳이지.
남: 저 조각상들은 흥미로워 보이네. 하나는 선생님처럼 보이고, 다른 하나는 학생 같네.
여: 맞아.
남: 왜 올빼미가 남자 어깨 위에 있어?
여: 올빼미는 지혜와 지성을 상징해.
남: 그렇구나. 그런데, 밑에 있는 원이랑 네모는 뭐니?
여: 학교와 우리 동아리 로고를 위한 공간이야.
남: 이 표지 좋아 보이는 것 같아.

문제 해결

남자는 새가 선생님 조각상의 어깨 위에 있다고 말했는데, 그림 속 새는 손등 위에 자리잡고 있으므로, 내용과 일치하지 않는다.

어휘·표현

cover 표지 newsletter 소식지 chat 이야기하다, 수다떨다 sculpture 조각 owl 올빼미 stand for ~을 나타내다, 상징하다 wisdom 지혜 intelligence 지성 by the way 그런데, 그건 그렇고 logo 로고

## 05 ⑤

여: Bill, 난 우리의 발리 여행이 무척 기대돼요.
남: 나도 그래요. 거기 날씨가 좋기를 바라요. 그런데, 전부 준비가 된 건가요?
여: 그런 것 같아요. 내가 지난주에 항공 예약을 확인했어요.
남: 좋아요. 숙박도 확인했나요?
여: 그럼요. 그리고 Martha에게 우리가 여행 간 동안 들러서 Jerry에게 먹이를 주라고 부탁했어요.
남: 잘했어요. 나도 우리 고양이가 굶을까 봐 걱정을 했어요.
여: *[잠시 후]* 이럴 수가, 문제가 있어요! 내 여권이 지난달에 만료됐어요.
남: 정말요? 여행 가기 전에 깨달았다니 정말 다행이네요.
여: 맞아요. 까맣게 잊었지 뭐예요. 내일 아침 맨 먼저 재발급을 받아야겠어요.

문제 해결

대화의 마지막 부분에 기간이 만료된 여권을 갱신하겠다고 했으므로 ⑤가 알맞다.

어휘·표현

confirm 확인하다 accommodations 숙박 시설 starve 굶주리다 expire 기한이 만료되다 reissue 재발행하다

## 06 ③

여: 안녕하세요. 무엇을 도와드릴까요?
남: 사우나 표를 구입하고 싶어요.
여: 네. 몇 명이 오시나요?
남: 어른 세 명과 아이 네 명이요.
여: 아이들은 모두 미취학 아동인가요?
남: 아뇨, 두 명은 초등학생이에요. 그 애들도 할인을 받을 수 있나요?
여: 네, 50% 할인을 받을 수 있답니다. 성인 가격은 10달러이고, 학생 가격은 5달러, 미취학 아동은 무료입니다.
남: 오, 미취학 아동은 무료라니 좋군요.
여: 이 호텔에 숙박 중이신가요? 그렇다면, 전체 금액에서 20% 추가 할인을 받으실 수 있어요.
남: 네, 우리는 모두 여기 묵고 있어요. 우리가 아주 좋은 가격으로 잘 사는 것 같군요.

문제 해결

어른 3명과 초등학생 2명, 미취학 아동 2명인데, 성인 가격은 10달러, 초등학생은 5달러, 미취학 아동은 무료이다. 따라서, 전체 40달러인데 숙박객이라 20% 추가 할인을 받게 되어 지불할 금액은 32달러이다.

어휘·표현

preschooler 미취학 아동 deal 거래

## 07 ⑤

여: Larry, 너 대학 지원하는 거 끝냈니?

남: 응, 지난주에 다 했어.
여: 몇 군데 지원했니?
남: 여섯 군데. 면접을 준비하느라 바쁠 거야.
여: 주의하렴. 너 지난번에 지각해서 면접을 못봤잖아.
남: 이번 면접들은 정말 중요해. 이번에는 다를 거야.
여: 네가 너무 긴장하거나 아프지만 않으면 좋은 결과가 있을 거야.
남: 그랬으면 좋겠어.
여: 나머지는 다 준비된 거니? 면접들의 시간과 장소도 확인했고?
남: 응. 아, 잠깐만… 이 두 곳의 면접 시간이 아주 똑같네. 하나를 포기해야겠어.
여: 아, 이런. 거기서 뭘 해줄 수 없는지 전화해서 알아봐.

문제 해결

'These two interview times are exactly the same.'이라는 남자의 말에서 두 곳의 면접 시간이 겹쳤음을 알 수 있다.

어휘·표현

apply for 지원하다, 신청하다 give up 포기하다

## 08 ③

남: Lily, 너 다음 주 월요일이 엄마와 아빠의 25주년 결혼기념일인 거 알고 있었니?
여: 물론이지. 특별히 할 것을 생각해 봤어?
남: 뷔페 식당의 표를 드리는 건 어떨까?
여: 내가 이미 한 곳을 예약해 두었어. 그런데 이번은 25주년 기념일이니까, 그보다는 더 나은 게 필요해.
남: 알아. 내가 꽃와 케이크를 주문해 놨어.
여: 난 우리가 돈으로 살 수 있는 선물에 대해 이야기하는 게 아니야.
남: 그럼 뭔데?
여: 우리가 손으로 쓴 편지를 드리는 게 어떨까?
남: 좋은 생각이야. 엄마가 좋아하실 거라고 정말 확신해.
여: 아빠도 좋아하실 거야. 아들과 딸이 쓴 하나밖에 없는 유일한 손편지일 거야.

문제 해결

부모님의 결혼 기념일을 위해 뷔페 식당을 예약하고 꽃과 케이크를 주문해 두었으며, 함께 손편지를 써서 드리기로 했다.

어휘·표현

wedding anniversary 결혼기념일 handwritten 손으로 쓴
one and only 유일한

## 09 ④

남: 안녕하세요, 여러분! Rocket Swimming Center의 개막식에 오신 것을 환영합니다. 저는 관리자인 David Hughes입니다. 아시다시피, 이 센터는 전 올림픽 금메달리스트인 Mike Manning 씨를 비롯한 많은 분들의 후원으로 비로소 건립될 수 있었습니다. Manning 씨는 우리가 기금을 마련하는 걸 도와주시고 공사 중에 이 시설에 대해 자문을 해주셨습니다. 그분 외에도, 많은 지역 거주자분들이 저희를 또한 후원해 주셨습니다. 이 센터는 3개의 커다란 수영장이 있습니다. 두 개는 건물 안에 있으며 둘 다 올림픽 기준을 충족하고 있습니다. 레크리에이션용 수영장은 건물 밖에 있으며 6월부터 10월까지 대중에게 개방될 예정입니다. 입장료는 지역 주민들에게 할인이 되며, 따라서 저는 모든 분들이 이 멋진 시설을 최대한 즐기실 수 있기를 바랍니다. 감사합니다.

문제 해결

야외 수영장은 6월부터 10월까지 개방된다.

어휘·표현

ceremony 의식, 식 support 후원; 후원하다 fund 기금
consult 자문하다 construction 건설, 공사 standard 기준
recreational 레크리에이션용의, 오락의 admission fee 입장료

## 10 ③

남: 여보, 다음 주 화요일이 당신 생일이네요. 원하는 게 있나요?
여: 그래요, 난 신발을 사고 싶어요. 온라인으로 찾아봐요.
남: 좋아요. *[타이핑 소리]* 어떤 종류의 신발을 원하는 거예요?
여: 나는 집 근처에서 신을 운동화를 원해요.
남: 어떤 색을 원하나요?
여: 분홍색이나 보라색을 선호해요. 검정색은 싫어요.
남: 당신이 5사이즈를 신죠, 그렇죠? 그러면 우리가 선택할 수 있는 남은 옵션은 2개네요. 방수 기능이 있는 게 필요한가요?
여: 잘 모르겠어요. 방수되는 것들은 얼마나 더 비싼가요?
남: 방수되는 것들은 일반적인 것들보다 30달러 더 비싸요.
여: 내가 예상했던 것보다 훨씬 더 비싸네요. 그러면 난 더 싼 걸 사겠어요.
남: 좋아요, 내가 그걸 주문할게요. 미리 생일 축하해요, 여보!

문제 해결

분홍색이나 보라색 신발 중에서 5사이즈이며 방수 기능이 없는 더 싼 것을 선택했다.

어휘·표현

sneakers 스니커즈 운동화 in advance 미리

## 11 ⑤

남: 이봐, 뭘 하고 있는 중이니?
여: 우리 가족이 내일 저녁 식사를 하러 갈 식당을 찾고 있는 중이야.
남: 그래서 어떤 종류의 음식을 먹으러 갈 건데?
여: 난 피자나 파스타를 먹고 싶지만, 아이들은 중국 음식을 원해.

문제 해결

남자가 어떤 종류의 음식을 먹을지 질문했으므로, 음식의 종류를 답하는 응답이 알맞다.
① 정확하게 언제 우리가 저녁 식사를 할지는 잘 모르겠어.
② 난 파스타나 피자는 더 이상 좋아하지 않아.
③ 지난번에 어디에 갔었는지 기억이 나지 않아.
④ 응, 난 우리 애들이 먹을 음식을 결정할 거야.

어휘·표현

determine 결정하다

## 12 ④

여: George, 네 치료는 어떻게 되고 있니? 등은 아직도 아프니?
남: 점점 더 나아지고 있어. 난 운동을 더 할 필요가 있는 것 같아.
여: 그렇다면 나와 함께 요가를 배우는 건 어때?
남: 나도 그러고 싶지만, 난 그것을 배울 만큼 충분히 유연하지가 않아.

**문제 해결**

함께 요가를 배우는 게 어떠냐는 여자의 제안에 대한 응답이므로, 수락 또는 거절의 응답이 이어지는 것이 가장 적절하다.
① 다음 주에 치료를 시작하는 게 어때?
② 미안하지만, 난 요가를 배우는 것에 대해 들떠 있어.
③ 운동을 다시 시작해야 할지 잘 모르겠어.
⑤ 네가 벌써 등의 통증이 나았다니 놀라워.

**어휘·표현**

therapy 치료, 요법 flexible 유연한, 잘 구부러지는 recover 회복하다

## 13 ①

남: 안녕, 수미야. 무슨 일로 왔니?
여: 전 제 영어 작문 시험 결과를 보고 싶어요.
남: 그래. *[타이핑 소리]* 여기 있단다. 네 점수는 좋지도 나쁘지도 않구나.
여: 그게, 전 최선을 다했어요. 제 작문 실력을 향상시키기 위해 뭘 더 해야 할지 모르겠어요.
남: 네 문장들을 읽어보면, 네가 문장 구조에 대해 충분히 공부를 하지 않은 것 같아 보이는구나.
여: 맞아요. 전 어떤 문장이 잘못된 건지 구분할 수 없어요.
남: 좋은 문장을 쓰기 위해서는, 설령 네가 그걸 좋아하지 않더라도, 문법을 좀 더 공부할 필요가 있단다.
여: 그걸 명심할게요.
남: 인터넷에서 Tommy Smith의 강의를 수강해 보는 게 어떠니?
여: 저도 그 강의에 대해 들었어요. 하지만 저에게는 조금 어려울 것 같다고 생각해요.
남: 아니란다, 넌 기초 과정을 선택할 수 있어.

**문제 해결**

여자의 마지막 말에서 남자가 추천한 강의가 어려울 것 같다고 했으므로, 기초 과정을 선택할 수 있다는 응답이 알맞다.
② 물론이지, 그의 강의는 초급 학습자들을 위한 거란다.
③ 그래, 그의 강의를 이해하는 게 가능해.
④ 맞아. 대신 Smith 선생님 수업을 들어보렴.
⑤ 좋아, 내가 그걸 다른 학생들에게도 추천하도록 하마.

**어휘·표현**

sentence 문장 keep ~ in mind ~을 명심하다 basic 기초의, 초보의 lecture 강의 recommend 추천하다

## 14 ②

여: 안녕하세요, 무엇을 도와드릴까요?
남: 저는 태블릿 PC를 찾고 있어요.
여: 그것을 주로 어디서 사용하실 건가요, 집인가요 밖인가요?
남: 저는 밖에서 사용할 거예요. 전 작고 가벼운 것을 원해요.
여: 좋아요. 제가 몇 개 보여드릴게요. *[잠시 후]* 이 세 개가 가장 인기 있는 것들이에요.
남: 음… 이건 별로네요. 디자인이 제게 좀 이상해 보여요.
여: 하지만 그건 좀 더 편리하게 일할 수 있도록 작은 키패드가 장착되어 있답니다.
남: 아, 그건 매우 유용하겠네요.
여: 디자인이 약간 이상하긴 해도, 많은 사람들이 좋아한답니다.
남: 이해할 수 있어요, 하지만 제게 그 기능이 정말 필요한지 아닌지 모르겠네요.
여: 그렇다면 여기에서 한번 시험해 보신 후에 결정하실 수 있어요.

**문제 해결**

키패드가 달려 있어서 편리하긴 하나 디자인이 이상한 태블릿 PC에 대해 키패드 기능이 필요한지 어떤지 모르겠다고 했으므로, 점원인 여자의 응답으로는 테스트해 보라는 답변이 가장 적절하다.
① 이제 전 당신이 정확히 뭘 원하는지 모르겠네요.
③ 제가 당신이라면, 이것과 같은 태블릿 PC는 구입하지 않을 거예요.
④ 디자인이 가장 중요하다는 건 말할 필요도 없죠.
⑤ 때때로 대중의 의견은 제 의견과 매우 달라요.

**어휘·표현**

mainly 주로 awkward 이상한, 기묘한 be equipped with ~이 장착되어 있다 keypad 키패드 try out 시험해 보다, 테스트하다 it is needless to ~할 필요가 없다

## 15 ④

여: Bill은 아침에 일어나는 데 어려움을 겪고 있다. 엄마가 매일 아침 그를 깨워야만 하며, 만약 엄마가 늦잠을 자면 그는 스스로 일어날 수 없다. 지난주에 그는 학교에 40분 지각하여 선생님으로부터 수업에 낙제할 수 있다는 경고를 받았다. 경고에도 불구하고, 그는 나쁜 습관을 고칠 수가 없었다. 일찍 일어날 수 없는 주된 이유는 그가 매일 밤 늦게까지 스마트폰 게임을 하기 때문이다. 그는 밤에 3-4시간밖에 잠을 자지 못한다. 이제, 그의 엄마는 그의 가장 친한 친구인 Janet에게 도움을 청했는데, 그가 Janet이 하는 이야기는 듣기 때문이다. 이런 상황에서 Janet은 Bill에게 뭐라고 말하겠는가?

**문제 해결**

Bill이 아침에 일찍 일어나지 못하는 것은 밤늦게까지 스마트폰 게임을 하기 때문이므로 이에 대한 충고를 하는 것이 가장 적절하다.
① 너는 치료를 받기 위해 병원에 가
② 너는 학교에 다니지 않으면 문제가 생길 거야
③ 너는 네 전화기를 더 최신의 것으로 바꿔야 해
④ 너는 밤에 게임하는 걸 그만두고 더 일찍 자야 해
⑤ 너희 엄마가 시험을 위해 네 공부를 도와주라고 나를 보내셨어

**어휘·표현**

have trouble v-ing ~하는 데 어려움이 있다 sleep in 늦잠을 자다 unable ~할 수 없는 medication (약물) 치료

## 16-17

남: 모든 사람들은 걱정을 합니다. 걱정은 우리로 하여금 행동을 취하고 문제를 해결하게 해주기 때문에 도움이 될 수도 있습니다. 하지만, 걱정 때문에 일에 집중하지 못하고 스트레스를 받는다면, 저는 당신이 지나치게 걱정을 하고 있다고 말할 수 있습니다. 그런 경우에는, 걱정하는 것을 멈춰야 합니다. 제가 몇 가지 팁을 드리겠습니다. 먼저, 일어나서 움직이세요. 운동은 스트레스와 걱정을 줄여주는 자연적이면서도 효과적인 방법이랍니다. 걷고, 달리거나, 춤추세요. 다음으로, 심호흡을 하세요. 걱정을 할 때면 예민해지고 숨을 더 빠르게 쉽니다. 심호흡 운동을 연습함으로써, 당신은 마음을 진정시키고 부정적인 생각을 없앨 수 있습니다. 마지막으로, 명상은 생각을 통제할 수 있는 또 다른 좋은 방법입니다. 책상다리를 하고 앉거나 초를 켤 필요는 없습니다. 그저 조용하고 편안한 자리를 찾으십시오. 그리고 명상 과정을 이끌어줄 수 있는 스마트폰 앱을 선택하십시오. 행운을 빕니다!

**어휘·표현**

take action 행동을 취하다 effective 효과적인 relieve 경감하다, 완화하다 negative 부정적인 meditation 명상 cross-legged 책상다리를 한 process 과정

## 16 ②

**문제 해결**

지나치게 걱정하는 사람들에게 걱정을 멈추기 위한 팁을 알려주고 있다.

① 걱정의 긍정적인 효과
② 걱정을 멈출 수 있게 도와주는 방법
③ 정기적인 명상의 이점
④ 당신에게 딱 맞는 운동을 찾는 법
⑤ 일상 생활에서 감사할 일들

## 17 ③

**문제 해결**

걷기, 춤추기, 심호흡, 명상은 언급되었지만, TV 보기는 언급되지 않았다.

① 걷기 ② 춤추기 ③ TV 보기
④ 심호흡 ⑤ 명상

# 15 정답 및 해설 영어 듣기 모의고사

>> pp. 50~51

| | | | | | |
|---|---|---|---|---|---|
| 01 ③ | 02 ③ | 03 ① | 04 ⑤ | 05 ⑤ | 06 ③ |
| 07 ④ | 08 ⑤ | 09 ③ | 10 ④ | 11 ④ | 12 ② |
| 13 ④ | 14 ② | 15 ④ | 16 ③ | 17 ⑤ | |

## 01 ③

남: 안내 말씀 드리겠습니다. 승객 여러분. 어떤 분이 빨간색 가죽 케이스의 안드로이드 스마트폰을 가져왔습니다. 저희 청소부가 그것을 2층 여자 화장실에서 방금 발견했습니다. 청소부 아주머니 말씀이 그것은 두 번째 칸 화장지 용기 위에 있었다고 합니다. 이 전화의 주인이시라면 1층의 7번 플랫폼과 매표소 사이에 위치해 있는 안내데스크로 와주시기 바랍니다. 여름 휴가철이 절정이라 요즘 터미널이 매우 혼잡하오니, 소지품을 잃어버리지 않도록 주의하십시오. 저희 고속버스 터미널을 이용해 주셔서 감사합니다.

**문제 해결**

고속버스 터미널 안내 방송으로 청소부가 화장실에서 스마트폰을 주웠으니 스마트폰 주인은 안내데스크로 와서 찾아가라는 내용이다.

**어휘·표현**

janitor 청소부 toilet paper 휴지 dispenser (안에 든 것을 바로 뽑아 쓸 수 있는) 기계, 용기 stall (화장실 등의 각) 칸 in full swing 절정인 belongings 소지품 express bus 고속버스

## 02 ③

여: Jackson, 너에게 그 바지가 잘 어울려. 백화점에서 샀어?
남: 아니. 어제 아침에 인터넷으로 주문했는데 방금 배송됐어.
여: 오 정말? 너한테 잘 맞아.
남: 응, 그런데 색이 내가 화면으로 본 것과 달라.
여: 파란색은 네가 가장 좋아하는 색이잖아, 안 그래?
남: 응, 그런데 더 진해야 해. 또 하나 문제는 질감이야. 너무 거칠어.
여: 그래서 나는 인터넷이나 TV로는 옷을 안 사.
남: 너는 일전에 TV에서 머그잔 세트 샀잖아.
여: 맞아, 하지만 옷이 아니었어. 나는 옷은 직접 본 후에만 사.
남: 나도 이제부터 그래야겠어.

**문제 해결**

여자가 다른 건 몰라도 옷은 직접 보고 사야 해서 인터넷이나 TV로 사지 않는다고 말하고 있다.

**어휘·표현**

order 주문하다 deliver 배달하다 fit ~에게 딱 맞다 texture 질감 rough 거친 clothing (집합적) 옷 from now on 이제부터

## 03 ①

남: Anika, 버터 팝콘과 콜라를 받으렴.
여: 이것 때문에 늦으신 거예요?
남: 주차장에서 주차 자리를 찾는 데 오랜 시간이 걸렸어. 거의 다 찼더라고.
여: 근데 유감스럽게도, 아빠의 노력이 헛된 것 같네요.
남: 무슨 말이니?
여: 제가 15살임을 보여주는 나이 증명서를 가져와야 해요.
남: 나이 증명서가 없으면 우리가 오늘 밤에 영화를 못 본다는 말이니?
여: 네, 그래요.
남: 하지만…기다려봐! 부모가 동반하면 가능하다고 들었어.
여: 정말요? 그 말을 들으니 안심이 되요!
남: 나도 그렇단다. 이제, 영화관으로 가자.
여: 좋아요. 가요.

문제 해결

여자는 15세 임을 증명하는 증명서가 필요하다고 했고, 남자는 부모가 동반하면 증명서 없이도 영화 관람이 가능하다고 했다. 둘이 함께 영화를 보러 갔으므로 하므로 부모와 자녀 관계임을 알 수 있다.

어휘·표현

parking lot 주차장 unfortunately 유감스럽게도 effort 노력
proof 증명(서) accompany 동반하다 relieved 안도하는

---

## 04 ⑤

여: Steve, 이것 좀 봐. 내 돌잔치 사진이야.
남: 오, 너 참 귀엽다. 탁자 위에 있는 물건들은 돌잡이 행사를 위한 거야?
여: 응. 난 전통적인 한국 모자인 조바위를 쓰고 있어.
남: 돌잔치 사회자가 지폐를 쥐고 있네. 저게 네가 집은 지폐야?
여: 응, 맞아. 그가 하객들에게 그것을 보여주고 있어. 그것은 내가 미래에 부자가 된다는 뜻이야.
남: 오 정말? 그래서 너의 아빠가 너를 안고서 "만세"를 부르고 있는 거구나.
여: 맞아. 나도 그것이 좋았나 봐. 그런데 연필을 쥐고 있는 우리 엄마 좀 봐. 전혀 기분 좋아 보이지 않아.
남: 네가 연필을 집기 원하셨나 보네.
여: 응, 내가 교수가 되기를 원하셨지.

문제 해결

엄마는 연필을 쥐고 있다고 했으므로 청진기를 들고 있는 엄마의 그림이 내용과 일치하지 않는다.

어휘·표현

bill 지폐; 청구서 host 사회자 hurray 만세 grab 집다

---

## 05 ⑤

*[휴대전화벨이 울린다.]*
남: 여보세요? Logan입니다.
여: 안녕하세요, 저는 Claire예요. Buckingham Way에 있는 집을 봤던 사람이에요.
남: 저희는 그곳에 집이 두 채예요. 어느 것을 말씀하시는 거지요?
여: 빨간색 지붕이 있는 이층집요.
남: 오, 어제 그 집을 보신 여자분이신가요?
여: 네. 그거 아직 비어 있나요?
남: 네. 아직 새 세입자를 찾고 있어요. 관심이 있으신가요?
여: 네, 그런데 제 아들이 임대하기 전에 그 집을 보고 싶어 해요.
남: 언제든 보실 수 있어요. 그럼 언제 만날까요?
여: 아들에게 물어보고 바로 전화드릴게요.
남: 알겠습니다. 전화 기다리겠습니다.

문제 해결

대화 후반부에 중개인이 언제 집을 보러 올 거냐고 묻자 여자가 아들에게 물어보고 전화하겠다고 말했으므로 ⑤가 알맞다.

어휘·표현

story (건물의) 층; 이야기 rent 임대(하다) tenant 세입자

---

## 06 ③

남: 안녕하세요. 전에 요가를 해보셨나요?
여: 아니요. 하고 싶었는데 기회가 없었어요. 제 동료가 이곳을 추천해 줬어요.
남: 그러시군요. 저희 요가 센터는 회원제로 운영해요.
여: 네, 알아요. 그래서 3개월 회원권이 500달러이지요, 맞지요?
남: 네, 맞아요. 일주일에 3일만 오실 수 있다면 450달러예요.
여: 겨우 50달러 적네요…
남: 네. 그럼 매일 오실 건가요 아니면 일주일에 세 번 오실 건가요?
여: 차라리 매일 오는 쪽으로 선택하겠어요.
남: 알겠습니다. 6개월이나 1년 회원권은 어떻게 생각하세요? 10% 할인을 받으실 수 있습니다.
여: 그건 나중에 생각해 볼게요. 등록해 주세요.

문제 해결

주 3일 오는 것은 450달러이고 매일 오는 것은 500달러라 가격 차이가 별로 나지 않으므로 매일 오는 쪽을 선택했고 10% 할인을 받을 수 있는 장기 회원권 등록은 거절했으므로 500달러가 알맞다.

어휘·표현

colleague 동료 recommend 추천하다 sign up 등록하다

---

## 07 ④

*[휴대전화벨이 울린다.]*
여: 안녕, 아빠.
남: 안녕. 집에 가고 있니 아니면 아직 동네에 있니?
여: Rebecca와 같이 지하철역 근처 카페에 있어요. 아직 얘기 중이에요.
남: 집에 가는 길에 태워 줄까?
여: 아주 좋죠, 그런데 Mason은요? 그의 피아노 레슨이 끝난 상태예요?
남: 응, 방금 평소보다 훨씬 더 일찍 끝났어. 거기 얼마나 오래 있을 거야?
여: 아무 때고 갈 수 있어요. 여기 언제 오실 거예요?

남: 당장은 아니야. 우리는 지하철역 사진 부스에게 여권 사진을 찍을 거야.
여: 오, 맞아요. 여권들을 갱신해야 하지요. 알았어요, 기다릴게요.
남: 좋아. 금방 전화하마.

문제 해결

딸을 태우기 전에 아빠와 아들의 여권을 갱신해야 해서 지하철역 사진 부스에서 여권 사진을 찍고 데리러 간다고 했다.

어휘·표현

neighborhood 동네 chat 잡담하다 passport 여권 booth 작은 공간, 부스 renew 갱신하다

---

## 08 ⑤

여: Dylan, 우리 Summer Swag에 갈까?
남: 오, 싸이 콘서트! 가고 싶어, 그런데 비싸지 않아?
여: 비싸지, 하지만 그의 콘서트는 적어도 평생 한 번은 가볼 가치가 있어.
남: 표가 얼마인데?
여: 스탠딩석만 남았는데 13만 원이야.
남: 와. 잠실 실외 경기장에서 8월 3일과 4일에 열리는 거 맞지?
여: 맞아. 콘서트는 오후 6시 42분에 시작해.
남: 6시 42분에? 그거 웃긴걸.
여: 너도 알다시피, 싸이잖아, 한국어로 4 2.
남: 하하. 좋아, 가서 스트레스 좀 풀자.
여: 좋은 자리를 잡으려면 2시간 더 일찍 도착해야 해.

문제 해결

티켓 가격(13만 원), 개최 날짜(8월 3일과 4일), 시작 시간(6시 42분), 개최 장소(잠실 실외 체육관)에 대한 언급은 있지만 초대 가수는 언급되지 않았다.

어휘·표현

at least 적어도 once in a lifetime 평생에 한 번 standing ticket 스탠딩석 표 relieve (스트레스 등을) 풀다, 완화하다

---

## 09 ③

여: 좋은 밤이에요, 청취자 여러분! 이번 주말에 뭘 하실 건가요? 집에서 TV 보는 것 외에 별다른 계획 없으신가요? 그럼 나가서 과거로 여행하는 거 어떠세요? 남산골 야시장이 남산한옥마을에서 매주 토요일에 열리고 있습니다. 야시장은 조선 왕조의 시장을 재현한 것입니다. 작년에 처음 열렸는데 독특한 컨셉으로 많은 인기를 얻어서 다시 열렸습니다. 하지만 올해는 훨씬 더 많은 재미있는 활동들과 행사들이 있습니다. 친구들이나 가족과 함께 오세요. 정말 멋진 경험을 하게 되실 겁니다. 5월 5일에 개장했고 10월 27일에 폐장할 겁니다. 그런데 기억할 것은 7월 한 달간은 내내 열리지 않는다는 것입니다.

문제 해결

남산골 야시장은 작년에 처음 열렸으므로 올해로 세 번째가 아니라 두 번째 열리는 행사이다.

어휘·표현

replica 복사판 marketplace 시장 dynasty 왕조 gain 얻다 popularity 인기 concept 컨셉, 개념 entire 전체의

---

## 10 ④

남: Gabbie, 나 선글라스 사야 해. 와서 도와줄 수 있을까?
여: 그럴게. 오, Audrey 선글라스네! 지금 세일 중이구나!
남: 응. 뭐가 나한테 가장 잘 어울리는 것 같아?
여: 어디 보자. 둥근 선글라스 어때? 쓰면 멋져 보이겠어.
남: 글쎄, 나는 타원형 선글라스나 사각 선글라스같이 너무 튀지 않는 게 좋아.
여: 그럼 타원형 선글라스가 사각 선글라스보다 너한테 더 잘 어울릴 거야. 사각 선글라스는 너무 평범해.
남: 좋아. 색깔은? 두 가지가 있어, 검정과 파랑.
여: 너는 어느 것이 더 좋아? 내가 너라면 검정을 고를 거야.
남: 나는 네 의견을 믿어. 그리고 나는 더 비싸더라도 플라스틱 렌즈로 할 거야.
여: 그래야 한다고 생각해. 더 가볍고 더 안전하잖아.

문제 해결

남자는 검정색 타원형 선글라스에 플라스틱 렌즈인 모델을 구입할 것이다.

어휘·표현

on sale 세일 중인 stylish 멋진 oval 타원형의 stand out 눈에 띄다 ordinary 평범한 trust 믿다 frame (안경 등의) 테

---

## 11 ④

남: 피곤해 보이는구나, 얘야. 오늘 힘들었니?
여: 최악이었어요, 아빠. 좋은 소식은 내일이 쉬는 날이라는 거예요.
남: 그럼 내일 밤에 기분 전환으로 뭔가 할까? 영화 어때?
여: 죄송해요, 아빠. 약속이 있어요.

문제 해결

힘든 하루를 보낸 딸에게 기분 전환을 위해 내일 밤에 같이 영화 보자고 하는 아빠의 말에 수락이나 거절의 응답이 알맞다.

① 좋아요, 하지만 퇴근 후에 할게요.
② 저는 그 시간에 사무실에 있을 거예요.
③ 아니에요, 저는 아직 그 영화를 안 봤어요.
⑤ 네, 내일 하루 휴가를 내야겠어요.

어휘·표현

tough 힘든; 질긴 off duty 휴무인 for a change 기분 전환으로

---

## 12 ②

여: 오, William. 벌써 7시 30분이야. 너 늦겠다.
남: 걱정 마세요, 엄마. 아직 30분 남았어요.
여: 오늘 평소보다 30분 더 일찍 나가지 않니? 며칠 전에 그렇게 얘기했잖아.
남: 오 이런. 저 좀 태워다 주시겠어요?

문제 해결

엄마를 통해 오늘 평소보다 일찍 나가야 한다는 사실을 알게 된 아들의 응답으로 ②가 가장 적절하다.

① 아니에요, 늦지 않으려고 일찍 나왔어요.
③ 아니에요, 그것보다 더 일찍 나갈 거예요.
④ 그렇다고 말했는데, 오늘 일찍 일어났어요.
⑤ 아니요, 하지만 30분 후에 나가야 해요.

어휘·표현

give ~ a ride ~을 태워다 주다

## 13 ④

여: 곧 Taylor의 생일이야.
남: 응, 토요일이야. 이틀밖에 안 남았어.
여: 그녀가 졸업하기 전의 마지막 생일이 될 거야. 뭔가 특별한 것을 하자.
남: 나도 같은 생각을 하고 있었어. 목걸이를 사주는 거 어때? 액세서리를 좋아하잖아.
여: 아니면 영화 보러 갔다가 고급 식당에서 저녁을 먹을 수도 있고.
남: 이탈리아 식당에 가자.
여: 그 말은 네 생각보다 내 생각이 더 좋다는 거야?
남: 음, 둘 다 하자. 그건 그렇고, 계속 하품을 하고 있어. 늦게 잤어?
여: 잠을 충분히 못 잤어. 새벽 3시에 잠자리에 들었어.
남: 3시? 피곤하겠다. 근데 왜?
여: 써야 할 보고서가 있었어. 오늘이 마감일이었거든.

문제 해결

잠을 잘 못 잤다는 여자에게 이유를 묻고 있으므로 ④가 적절하다.

① 내가 약속이 있어서 그날은 안 돼.
② 내가 그녀의 목걸이를 잃어버려서 그녀에게 새 것을 사주었어.
③ 그녀는 영화 보는 것보다 먹는 것을 더 좋아해.
⑤ 우리가 서로 다른 대학에 갈 거니까 그것은 마지막이 될 거야.

어휘·표현

accessory 액세서리 fancy 고급의 yawn 하품하다

## 14 ②

남: Anita, 어디 갔었어?
여: 우체국에 갔었어.
남: 국경일에도 열어?
여: 아니. 그곳에 가서 닫힌 걸 발견하고서야 깨달았어.
남: 오 저런. 뭘 보내려고 했는데?
여: 몇몇 서류. 네가 알다시피, 내가 유학을 갈 계획이잖아.
남: 응, 그래서 유학원이 너를 지금 도와주고 있잖아.
여: 맞아. 거기서 이번 주에 서류를 보내 달라고 했어.
남: 조금 있다가 며칠 간 출장 가기로 되어 있지 않아?
여: 맞아. 토요일에 돌아와. 그러니 내 대신 서류 좀 보내 줄 수 있을까?
남: 당연히 해줄 수 있지. 내 책상 위에 올려 놔.

문제 해결

여자는 유학 서류를 유학원에 이번 주까지 보내야 하는데 잠시 후면 출장을 가서 토요일에나 돌아올 예정이라 남자에게 대신 서류 발송을 부탁하는 상황이므로 ②가 적절하다.

① 걱정하지 마. 너는 그것을 내일 할 수 있어.
③ 그럼, 할 수 있어. 당장 가도 좋아.
④ 미안해. 일이 우선이어야 해.
⑤ 괜찮아. 서류 가져올 필요 없어.

어휘·표현

national holiday 국경일 realize 깨닫다 document 서류
study abroad 유학하다 agency 대행사

## 15 ④

남: Lucas와 Melanie는 Cooper라는 이름의 개를 키운다. Cooper는 Melanie의 여동생의 개가 낳은 새끼들 중 한 마리이다. 지금 부부는 여름 휴가 여행을 계획 중이다. 잠시 동안 그들은 Cooper를 집에 혼자 두는 것을 생각해 본다. 그때 그들은 언젠가 Melanie의 여동생이 그렇게 했다가 그녀의 개의 울음소리가 하루 종일 이웃을 방해했던 일이 생각난다. 그래서 그들은 즉시 그들의 마음을 바꾼다. 대신 Lucas는 애완동물에게 비행기 탑승이 허용되는지 알아보기 위해 인터넷을 확인한다. 허용되기는 하는데 항공사마다 애완동물 정책이 다르기 때문에 그들의 항공사에 전화할 필요가 있다. 이런 상황에서 Lucas는 Melanie에게 뭐라고 말하겠는가?

문제 해결

기르는 개를 비행기에 데리고 탈 수 있는 것을 알게 되지만 항공사마다 정책이 다르므로 항공사에 전화를 해야 하는 상황에서 할 말로 ④ '우리 항공사 정책에 대해 더 알아보자.'가 적절하다.

① 여동생에게 두 마리는 너무 많다고 말해.
② 여동생에게 봐 달라고 부탁하는 게 어때?
③ 그냥 자동차로 가자. 개는 비행기 탑승이 허용되지 않아.
⑤ 집에 며칠 동안 두는 게 어때?

어휘·표현

disturb 방해하다 all day long 하루 종일 immediately 즉시
instead 대신에 airline 항공사 policy 정책

## 16-17

여: 안녕하세요, 주민 여러분. 많은 가정들이 휴가를 맞아 집을 떠나면서 주택 침입 사건이 기승을 부리고 있습니다. 빈집털이의 희생자가 되는 것을 피하기 위해 여기 여러분을 위한 몇 가지 주의사항이 있습니다. 가장 중요한 것은 모든 문을 잠그라는 것입니다. 많은 사람들이 창문과 뒷문 잠그는 것을 잊습니다. 다음으로는 집을 떠나 있는 동안 우편물이 쌓이게 두지 말라는 것입니다. 우편물을 중단시키거나 친구가 신문을 집어오게 하세요. 셋째, 귀중품을 안 보이게 두세요. 현금은 은행에 맡기거나 집 안의 서로 떨어져 있는 보다 안전한 장소들에 두세요. 또한 집 안의 전등과 TV를 계속 켜 두세요. 여러분의 스마트폰이 전등이나 TV를 계속 켰다 껐다 할 수 있을지도 모릅니다. 마지막으로, 휴가 일정이나 사진을 페이스북에 올리지 마세요. 비밀로 하세요. 이런 주의사항을 따르면, 여러분의 집이 그대로인 것을 발견하게 될 것입니다.

어휘·표현

a rash of 빈번한 break-in 주택 침입 avoid 피하다 victim 희생자 pile up 쌓이다 suspend 중단하다 valuables 귀중품 out of sight 보이지 않는 separately 따로따로, 별도로 post 게시하다

## 16 ③

문제 해결

휴가철 빈집털이의 희생자가 되지 않도록 해주는 몇 가지 주의사항에 관한 내용이다.

① 휴가를 즐기는 방법
② 좋고 안전한 집을 사는 방법
③ 휴가철 빈집털이를 예방하는 법
④ 범인을 현장에서 잡기 위한 조언
⑤ 집을 더 좋게 만들기 위해 해야 하는 것

## 17 ⑤

문제 해결

휴가철 빈집털이를 예방하기 위해서는 문을 잘 잠그고, 우편물이 쌓이지 않게 하고, 귀중품을 잘 보관하고, 전등을 스마트폰을 이용하여 켰다 껐다 하라고 했지만, 열쇠에 대해서는 언급하지 않았다.

① 문 ② 우편물 ③ 귀중품
④ 전등 ⑤ 열쇠

# 16 영어 듣기 모의고사
정답 및 해설

» pp. 52~53

| | | | | | |
|---|---|---|---|---|---|
| 01 ⑤ | 02 ⑤ | 03 ① | 04 ③ | 05 ④ | 06 ⑤ |
| 07 ③ | 08 ④ | 09 ⑤ | 10 ③ | 11 ③ | 12 ⑤ |
| 13 ③ | 14 ④ | 15 ④ | 16 ② | 17 ③ | |

## 01 ⑤

여: 안녕하세요, 여러분. 저는 이 매장의 상급 관리자 Sandra Jennings입니다. 먼저 여러분의 지속적인 협조에 감사드리고 싶습니다. 식기세척기가 내일 설치되는데 이는 일회용 컵 사용을 줄이려는 정부의 최근 결정에 따르려는 노력의 일환입니다. 주방이 이미 좁다는 걸 알고 있기에 이런 소식을 알려드리게 되어 정말 죄송합니다. 설치 작업은 내일 오전 10시로 예정되어 있고 약 1시간 가량 걸릴 겁니다. 그리고 참고로 말씀드리자면 개인용 컵을 가져오는 손님에게는 10% 할인이 제공됩니다.

문제 해결

일회용 컵 사용을 줄이라는 정부 시책에 부응하기 위해 식기세척기를 설치할 것이니 좁더라고 양해 바란다는 상관의 메시지 내용이다.

어휘·표현

constant 끊임없는 cooperation 협조 dishwasher 식기세척기 install 설치하다 cut down on ~을 줄이다 disposable 일회용의 announcement 발표, 소식 reference 참고, 참조

## 02 ⑤

여: Marco, 무슨 생각을 하고 있어?
남: 왜 사람들이 길거리에 쓰레기를 버리는 건지 생각 중이야.
여: 무슨 말이야? 누가?
남: 방금 한 남자아이가 빈 과자봉지를 횡단보도에 버리는 걸 봤어.
여: 횡단보도에?
남: 응. 아이는 자신의 행동에 대해 전혀 죄책감을 느끼는 것 같지 않았어.
여: 음, 난 놀랍지 않은데. 길거리에 쓰레기통이 충분히 있지 않아.
남: 알아, 하지만 그게 아이의 행동을 정당화하지는 않아.
여: 아이 가까이에 쓰레기통이 있었다면 어땠을까? 아이가 과자봉지를 그렇게 버리지 않았을지도 몰라.
남: 모르겠어. 하지만 무엇보다도 아이들은 공중도덕에 대해 보다 더 제대로 교육받을 필요가 있어.

문제 해결

한 남자아이가 횡단보도에 과자봉지를 아무렇지도 않게 버리는 모습을 본 남자는 아이들에게 공중도덕에 대해 제대로 교육시킬 필요가 있다고 말하고 있다.

어휘·표현

wonder 궁금해하다 empty 빈, 비어 있는 crosswalk 횡단보도 guilty 죄책감이 드는, 유죄의 behavior 행동 justify 정당화하다 more than anything else 무엇보다도 public etiquette 공중도덕

## 03 ①

남: 안녕하세요. 만나 뵙게 되어 반갑습니다. 일전에 이사 왔어요.
여: 안녕하세요. 네, 알아요. 집을 고치셨지요?
남: 네, 3주 동안에요. 소음 일으켜서 죄송합니다.
여: 아니에요, 괜찮았어요. 새 집은 맘에 드시나요?
남: 네, 맘에 들어요, 근데 문제가 하나 있어요. 그래서 지금 당신 집을 방문하고 있는 거고요. 어제부터 욕실 문 근처 천장에서 물방울들이 떨어지고 있어요.
여: 오, 저런. 저희 집 때문에 그러는 건지 알아보기 위해 저희 집을 확인하셔야 하나요?
남: 네. 오늘 밤에 살펴볼 수 있도록 사람을 보내도 될까요?
여: 물론이죠.
남: 이해해 주셔서 감사합니다.

문제 해결

남자가 아래층에 집을 고쳐 이사를 왔는데 천장에서 물이 새기 시작하여 위층 여자에게 집을 좀 볼 수 있냐고 부탁하러 온 상황이다.

어휘·표현

move in 이사 오다 the other day 일전에 remodel 고치다, 개조

하다 cause 유발하다 ceiling 천장

## 04 ③

여: Nick, 우리가 곧 이사를 하니까 내가 이걸 그려봤어. 좀 볼래?
남: 오, 제 방 가구 배치네요.
여: 응. 우선 침대를 오른쪽에 뒀어.
남: 나쁘지 않아요. 그리고 책상이 위쪽 창문 가까이에 있네요. 좋아요.
여: 다행이네. 스탠드는 책상과 침대 사이에 뒀어.
남: 스탠드를 책상 왼쪽으로 옮기는 게 어때요?
여: 문제 없어. 옷걸이가 아래쪽에 있어. 괜찮아?
남: 컴퓨터가 책상 가까이에 있는 게 좋으니까 그것은 거기에 있어야 해요.
여: 그래, 그래서 내가 컴퓨터를 왼쪽 중앙에 뒀어.
남: 잘하셨어요. 전체적으로 마음에 들어요.

문제 해결

엄마는 스탠드를 책상과 침대 사이에 두었다고 했는데 그림에는 책상 왼쪽에 있으므로 ③이 내용과 일치하지 않는다.

어휘·표현

furniture 가구 arrangement 배치 lamp 스탠드
clothes rack 옷걸이 on the whole 전체적으로

## 05 ④

*[휴대전화벨이 울린다.]*
여: 응, Daniel 이니?
남: Cindy, 어디야?
여: Max를 씻기고 있어. 방금 공원으로 산책 갔다 왔거든. 왜?
남: 기억 안 나? 오늘 저녁 6시 30분에 Max 예방 접종하기로 되어 있잖아.
여: 오, 맞다. 새카맣게 잊었네. 몇 시야?
남: 6시니까 30분밖에 안 남았어.
여: 언제 도착해?
남: 집에 도착하려면 20분 조금 더 걸릴 것 같아.
여: 좋아, 그럼 6시 20분에 버스 정거장에서 날 태워줘. Max 씻기고 그곳으로 갈게.
남: 그렇게 짧은 시간에 끝낼 수 있겠어?
여: 해볼게. 좀 있다 봐.

문제 해결

여자는 강아지 Max를 공원에 산책시키고 와서 목욕을 시키던 중에 당일 저녁에 예방 접종 예약이 되어 있다는 남자의 전화를 받고 Max를 얼른 목욕시키고 버스 정거장으로 갈 테니 남자에게 그리로 태우러 오라고 했다.

어휘·표현

preventive 예방의 shot 주사 completely 완전히

## 06 ⑤

남: 뭘 찾으시나요, 아주머니?
여: 제 딸이 이 초콜릿 다섯 상자를 사 달라고 부탁했어요.
남: 두 종류가 있는데요, 한 종류는 냉장고에 있고 다른 한 종류는 밖에 있어요.
여: 딸은 냉장고에 있는 것들을 원해요.
남: 그것들은 냉장고에 있지 않은 것들보다 1달러 더 비싸요.
여: 냉장고에 있지 않은 것들은 얼마인가요?
남: 한 상자에 8달러예요.
여: 냉장고에 있는 것들은 비닐 아이스백을 사야 하나요?
남: 네, 사야 해요. 그것은 1달러예요. 아이스백 하나에 최대 다섯 상자까지 넣을 수 있어요.
여: 좋아요, 그럼 이 다섯 상자를 살게요.

문제 해결

여자는 냉장고에 있지 않은 8달러짜리 초콜릿보다 1달러 비싼 냉장고 안의 초콜릿을 다섯 상자 살 것이고 1달러 하는 비닐 아이스백 하나를 사서 그 안에 다섯 상자를 담을 것이므로 (9달러×5)+1달러=46달러이다.

어휘·표현

refrigerator 냉장고 up to ~까지

## 07 ③

*[휴대전화벨이 울린다.]*
여: 여보세요, Brian.
남: 안녕하세요, Rachel.
여: 왜 안 오시죠? 또 늦잠 잤나요?
남: 아니요, 오늘은 아니에요. 일찍 일어났어요.
여: 그럼 버스를 놓쳤나요?
남: 아니요, 버스는 타지도 않았어요.
여: 무슨 말씀을 하시는 거예요? 오늘 바쁠 거니까 얼른 출근하세요.
남: 죄송하지만 그럴 수 없어요. 앞니 하나가 빠졌어요.
여: 앞니 하나가 없다는 말씀이세요? 어쩌다가요?
남: 어젯밤에 집에 오는 길에 뭔가에 걸려 넘어졌어요.
여: 괜찮아요? 치과에 가봤어요?
남: 지금 치과에 있어요. 끝나면 바로 다시 전화할게요.

문제 해결

남자는 전날 밤 귀갓길에 뭔가에 걸려 넘어졌는데 앞니 하나가 빠져 버려 출근을 하지 않고 치과에 와 있는 상황이다.

어휘·표현

sleep in 늦잠 자다 miss 놓치다; 빠트리다 get to work 출근하다
trip over ~에 걸려 넘어지다 call back 다시 전화하다

## 08 ④

여: Kurt, 미스터 인터내셔널에 출전하는 거 어때?
남: 농담하지 마. 미스 인터내셔널은 여자들만을 위한 거야.
여: 아니. 미스터 인터내셔널 말이야. 이건 남성 미인 대회야.
남: 오 맙소사. 그러니까 그게 다른 전국 미인 대회들처럼 해마다 열린다고?
여: 응. 경쟁 대회인 미스터 월드와 더불어 이것은 세계에서 가장 규모가 큰 2개의 남성 미인 대회 중 하나야.

남: 역사가 길어?
여: 그런 편이야. 2006년에 싱가포르에서 창설되었어. 그리고 그거 알아? 이승환이라는 이름의 한국인이 올해 미얀마, 양곤에서 왕관을 썼어.
남: 내년에는 어디서 열려?
여: 관심 있으면 웹사이트 www.misterinternational.net에 들어가 봐.
남: 정보 고마워, Shirley.

문제 해결

개최 주기(매년), 창설 국가(싱가포르), 올해 우승자(이승환), 공식 사이트(www.misterinternational.net)에 대한 언급은 있지만 다음 개최지는 웹사이트를 가보라고 했을 뿐 대화에선 언급이 안 되었다.

어휘·표현

beauty pageant 미인 대회 along with ~와 더불어 rival 경쟁자, 경쟁 상대 found 창설하다 crown 왕관을 씌우다

---

## 09 ⑤

남: 안녕하세요, 학부모 여러분. 벌써 휴가 계획을 세우셨나요? 아직 정하지 않으셨다면, 건강한 가족 캠프에 참가해 보시는 거 어떨까요? 이 프로그램 참가를 통해 부모님 여러분은 자녀들과 건강 증진 활동과 관련된 다양한 실외 체험을 즐길 수 있습니다. 여러분의 가족은 4인을 초과해서는 안 됩니다. 세 곳 중에서 고르실 수 있는데 세 곳 모두 경치가 아름답습니다. 이 프로그램은 모든 가정이 참여할 수 있고 참가비가 무료이나 한 학교에서 4가정만 이 프로그램에 참가할 수 있습니다. 선착순이므로 서두르십시오. 더 자세한 정보는 학교 웹사이트를 방문하십시오. 신청하시면 결과는 문자 메시지를 통해 전달될 것입니다.

문제 해결

당첨 결과는 학교 웹사이트가 아니라 문자 메시지를 통해 전달된다고 했으므로 ⑤가 일치하지 않는다.

어휘·표현

retreat 후퇴; 휴양지 related to ~와 관련된 promote 증진시키다 scenic 경치가 좋은 entry free 참가비 on a first-come first-served basis 선착순으로 inform 공지하다 via ~을 통하여

---

## 10 ③

여: Mason, 이 휴대용 미니 선풍기들 좀 봐.
남: 오, 가격이 꽤 적당하네.
여: 날개가 없는 선풍기 어때?
남: 멋져 보이지만, 미니 선풍기에 많은 돈을 쓰고 싶지 않아.
여: 그럼 날개가 3개 달린 거 사. 겨우 10달러야.
남: 응, 하지만 속도가 한 가지뿐이야. 나는 속도를 조절할 수 있는 게 좋아.
여: 그럼 날개가 3개 달리고 속도가 2가지인 걸 사는 거 어때?
남: 그것도 나쁘지 않지만, LED 등이 달린 게 나에게 더 좋겠어.
여: 그건 무더운 여름 밤에 확실히 유용할 거야, 하지만 비싸.
남: 알아, 하지만 감당할 수 있어. 그리고 2가지 속도면 충분해.
여: 그럼 이게 그거네. 날개가 5개야.

문제 해결

남자는 LED 등이 달려 있고, 속도가 두 가지고, 날개가 5개 달린 모델을 원한다.

어휘·표현

handheld 손으로 들고 다닐 수 있는 fan 선풍기 reasonable (가격 등이) 적당한, 합리적인 bladeless 날개 없는 adjustable 조절할 수 있는 definitely 확실히, 분명히 afford (비용을) 충당하다, 감당하다

---

## 11 ③

여: Jack, 어디 갔다 왔어? 자러 간 줄 알았어.
남: 자려고 했는데 안 됐어. 그래서 바깥에서 약 5분간 줄넘기했어.
여: 피곤해서 쉽게 잠들 수 있게?
남: 응, 그게 바로 내가 원하는 바야.

문제 해결

자러 간 줄 알았던 남자가 잠이 안 와서 줄넘기를 하고 왔다는 말에 여자가 피곤하게 해서 쉽게 잠들게 하려고 그런 거냐고 했으므로 ③이 적절하다.
① 맞아. 하지만 나중에 할래.
② 네 생각대로 안 될 거야.
④ 음, 우유 마시면 도움이 될 거야.
⑤ 그건 좋은 생각이 아닌 것 같아.

어휘·표현

jump rope 줄넘기를 하다 fall asleep 잠들다 though (문장 끝에 와서) 그러나, 하지만 work 효과가 있다, 작용하다

---

## 12 ⑤

남: 학교에 도착하려면 몇 정거장이 더 남았어, Ellie?
여: 두 정거장 더 가야 하는데 버스가 안 가고 있어.
남: 왜? 버스에 무슨 문제라도 있어?
여: 아니. 저기 사고 난 것 좀 봐.

문제 해결

학교까지 몇 정거장 안 남은 상황에서 버스가 안 가고 있다는 여자의 말에 남자가 버스에 문제가 생겼냐고 물었으므로 ⑤가 적절하다.
① 응. 우리는 버스를 갈아타야 해.
② 걱정 마. 사람들이 곧 버스를 고칠 거야.
③ 모르겠는데, 버스가 고장 났어.
④ 아니. 두 정거장 지나서 버스에서 내려.

어휘·표현

fix 고치다 break down 고장 나다

---

## 13 ③

*[휴대전화벨이 울린다.]*
여: Rodney, 지금 어디니?
남: 지금 집에 있지 않아요, 엄마.

여: 내가 집에 있으니까 알아. 자동차 열쇠가 어디에 있는지 아니?
남: 있어야 하는 곳에 있지 않나요, 신발장 위의 그릇 안에요?
여: 아니, 거기 없어. 그런데 내가 지금 차를 써야 해.
남: 보조키 있지 않나요?
여: 있어, 그런데 지금 아빠가 갖고 계시고, 오늘 밤에 늦게 귀가하셔.
남: 잠깐만요. 열쇠가 여기 제 배낭에 있어요.
여: 오, Rodney. 그래, 괜찮아. 나한테 갖다 줄 수 있니?
남: 죄송해요, 엄마. 엄마가 이리로 오실 수 있을까요? 모퉁이의 카페에 Vincent와 함께 있어요.
여: 알았어. 5분이면 그곳에 도착할 거야.

문제 해결

아들이 자동차 열쇠를 갖고 있다는 것을 알게 되어 갖다 달라고 했으나 친구와 카페에 있으니 엄마가 오면 안 되겠냐고 물었으므로 ③이 적절하다.
① 걱정하지 마라, Rodney. 나는 기다릴 수 있어.
② 미안해, Rodney. 나중에 너에게 합류할게.
④ 고마워, Rodney. Vincent에게 미안하다고 말해 줘.
⑤ 그래, 물론이지. 하지만 나를 오래 기다리게 하지 말아 줘.

어휘·표현

bowl (오목한) 그릇 shelf 선반 spare 여분의 backpack 배낭

## 14 ④

남: 기분이 안 좋아 보여요. 무슨 일 있나요, Jennifer?
여: 저의 어머니 생일이 3일 전이었는데 이제야 막 생각이 났어요.
남: 오 저런. 어쩌다 그런 걸 잊었어요?
여: 모르겠어요. 이제 왜 어머니가 지난 며칠간 화가 나계셨는지 알겠어요.
남: 저라면 내 생일이 돌아온다고 미리 말할 텐데요.
여: 그게 나중에 화를 내는 것보다 훨씬 더 낫지요.
남: 어쨌거나 늦었을지라도 어머니 생신을 축하해 드리세요.
여: 그러려고요. 늦더라도 안 하는 것보다 낫다는 속담이 있잖아요.
남: 생각하고 있는 선물 있나요?
여: 새 헤어드라이기를 사드리려고요. 지금 게 아주 오래됐거든요.
남: 좋네요. 그거면 노여움이 좀 풀리실 거예요.

문제 해결

어머니께 무슨 선물을 할 거냐고 묻자 여자가 어머니의 헤어드라이기가 오래되어 ④가 가장 적절하다.
① 나쁘지 않지만 천천히 생각해요. 생신이 월요일이니까요.
② 아니에요. 정반대였어요. 헤어드라이기를 맘에 들어 하셨어요.
③ 아니에요. 당신은 다른 모델을 샀어야 해요.
⑤ 그것보다 더 좋을 순 없어요. 이번에 그것을 살 거예요.

어휘·표현

upset 화난, 속상한 in advance 미리 celebrate 축하하다, 기념하다 even though ~일지라도 saying 속담, 격언 take one's time 서두르지 않고 하다 the opposite 정반대(의 것)

## 15 ④

여: Maria와 Fred는 둘 다 일하는데 그들에게는 Ryan이라는 12살짜리 아들이 있다. 그는 초등학교에 다닌다. 오늘이 그의 생일이라서 그들은 오늘 저녁에 축하할 것이다. 부부는 그의 방과 후 수업이 끝나는 시간에 학교 정문에서 그를 만나기로 되어 있다. Fred는 Maria보다 일찍 도착하여 정문 가까이에 차를 주차시킨다. 잠시 후 Maria가 도착하여 Fred가 차를 그곳에 주차한 것을 발견한다. 그녀는 아들이 일전에 가정통신문을 가져왔던 기억이 난다. 학부모들은 자녀들의 안전을 위해 어린이보호구역 바깥에 차를 주차시키라는 내용이었다. 이런 상황에서 Maria는 Fred에게 뭐라고 말하겠는가?

문제 해결

아이들 안전을 위해 어린이보호구역 내에 주차하지 말라는 가정통신문 내용이 기억난 상황이므로 ④가 적절하다.
① Ryan이 늦네요. 그의 방과 후 수업이 끝났는지 알아보세요.
② 서둘러야 해요. 5분밖에 안 남았어요.
③ 속도를 줄여요. 이제 막 어린이보호구역에 진입했어요.
④ 여기 있으면 안 돼요. 어린이보호구역 밖으로 차를 옮겨요.
⑤ 어디 다른 데서 만나요. 이곳은 아주 혼잡해요.

어휘·표현

school zone 어린이보호구역 safety 안전 slow down 속도를 줄이다 pull over 길 한쪽으로 차를 대다 somewhere 어딘가에 crowded 혼잡한, 붐비는

## 16-17

남: 안녕하세요, 학생 여러분. 여름 방학이 다가옵니다. 휴가 계획이 어떻게 되시나요? 바다로 수영하러 가신다면 여기 여러분을 위한 몇 가지 주의사항이 있습니다. 첫째, 날씨를 확인하세요. 그렇지 않으면 어려움에 처한 자신을 발견하게 될지 몰라요. 다음으로, 많은 양의 식사는 피하세요. 배고픈 상태로 수영해야 한다는 말은 아닙니다. 바나나같은 가벼운 간식이면 족합니다. 많은 양의 식사를 하면 배탈이 날 수 있습니다. 셋째, 탈수로 고생하지 않도록 물을 가져가세요. 또한, 물에 들어가기 전에 준비운동하는 것을 잊지 마세요. 준비운동 없이 물속으로 뛰어들면 심장마비가 올 수 있습니다. 마지막으로, 지정된 장소 내에서 물놀이를 즐기세요. 그 너머의 물은 깊어서 물에 빠지기 쉽습니다. 이 정보들을 명심하세요. 바다에서의 시간이 재미있고 안전하게 되도록 해줄 것입니다.

어휘·표현

be (just) around the corner 목전에 있다 avoid 피하다 upset stomach 배탈, 복통 dehydration 탈수 plunge into ~으로 뛰어들다 heart attack 심장마비 designated area 지정된 장소 beyond 그 너머의[에] drown 물에 빠지다, 익사하다

## 16 ②

문제 해결

바다로 여름 휴가를 갈 경우 주의해야 할 여러 가지 사항을 언급하고 있다.
① 여름철 바닷가 예절
② 바다에서 안전하게 수영을 하는 방법들
③ 여름 방학을 계획하기 위한 방법들
④ 여름 방학을 즐기기 위한 묘안들

⑤ 바다에서 심장마비를 방지하기 위한 주의사항들

## 17 ③

문제 해결

바다로 휴가를 갈 경우 날씨를 확인하고, 많은 양의 식사를 하지 말고, 준비운동을 하고, 지정된 장소에서만 놀라고 했다. 자외선 차단제에 대한 언급은 없었다.

① 날씨 ② 식사 ③ 자외선 차단제
④ 준비운동 ⑤ 장소

# 17 영어 듣기 모의고사

정답 및 해설

» pp. 54~55

| | | | | | |
|---|---|---|---|---|---|
| 01 ⑤ | 02 ③ | 03 ③ | 04 ③ | 05 ④ | 06 ③ |
| 07 ③ | 08 ② | 09 ② | 10 ⑤ | 11 ② | 12 ③ |
| 13 ⑤ | 14 ④ | 15 ② | 16 ③ | 17 ② | |

## 01 ⑤

남: 안녕하세요, 학부모 여러분. 우리 초등학교 옆에 있는 중학교의 미래에 대해 틀림없이 궁금해하고 계실 겁니다. 여러분의 자녀들이 대부분 이 중학교를 다닐 것이니까요. 이 학교를 둘러싸고 있는 아파트 단지가 재건축 중이지요. 이 학교가 어떻게 될 것인지 그리고 학교가 계속 유지될 것인지 아닌지 아마 궁금하실 겁니다. 오늘 저희 지역교육청으로부터 공식적인 통보를 받았습니다. 이 중학교는 2020년 3월부터 3년간 휴교를 하게 됩니다. 학교는 휴교 전까지 학생들을 받을 것이지만 추후 모든 학생들이 근처 학교들로 전학을 가게 될 것입니다. 우리 학생들 모두에게 최고의 행운이 따르기를 소망합니다!

문제 해결

자녀들이 앞으로 진학할 초등학교 옆 중학교가 그 학교를 둘러싸고 있는 아파트 단지 재건축으로 2020년 3월부터 3년간 휴교하는 것으로 지역교육청으로부터 통보를 받은 내용을 전달하고 있다.

어휘·표현

complex 단지 surround 둘러싸다 reconstruction 재건축 remain ~인 채로 있다 receive 받다 official 공식적인 school district 지역교육청 admit (학생을) 받아들이다 closure 폐점, 휴업 transfer 전학[전근]시키다 nearby 근처에 있는

## 02 ③

여: 저기서 무슨 일이 벌어지고 있는 거야, Fred?
남: 오, Angela. 경찰이 노점상들을 단속하고 있어.
여: 불쌍한 노점상들.
남: 그러게. 그들 덕분에 물건 사러 멀리 가지 않아도 돼서 좋았는데.
여: 그렇지. 그리고 그들이 팔던 물건들은 저렴할 뿐만 아니라 유용하기도 했어.
남: 맞아, 하지만 우리 지역이 깨끗하고 더 좋아지기를 원한다면 모든 것을 가질 수는 없어.
여: 무슨 말이야? 경찰이 옳은 일을 하고 있다는 거야?
남: 아마도. 사실 노점상들이 지역을 지저분하게 만들고 있어.
여: 그건 그래. 많은 테이블과 커다란 손수레들이 여기 저기 있었어.
남: 노점상들과 깨끗한 지역 둘 다를 갖는 것은 가능해 보이지 않아.

문제 해결

경찰이 노점상을 단속하고 있는 것을 보며 두 사람은 그들이 있어 물건 사러 멀리 안 가도 되었기 때문에 좋았지만 그들 때문에 지역이 깨끗해 보이지는 않기 때문에 지역이 깨끗해지기를 원한다면 어쩔 수 없이 노점상 단속을 해야 한다는 내용의 대화를 하고 있다.

어휘·표현

crack down on ~을 단속하다 street vendor 노점상 thanks to ~ 덕분에 perhaps 아마도 messy 지저분한, 엉망인 cart 손수레

## 03 ③

남: 안녕, Drew. 들어와. 예상보다 일찍 왔네.
여: 마지막 수업 끝나고 바로 학교에서 출발했어. 어때?
남: 괜찮아. 그래 내가 부탁한 책들 가져왔어?
여: 여기 있어. 여기 얼마나 오래 있어야 해?
남: 엄마나 아빠가 아무 말씀 안 하셨어?
여: 응. 그냥 네가 당분간 여기 있어야 한다고만 하셨어.
남: 글쎄, 나도 몰라. 의사 선생님 말씀이 수술 후 경과를 지켜봐야 한대.
여: 집에서 또 뭐 갖고 올 거 필요해? 갖다 줄게.
남: 고마워, 하지만 지금은 아니야.
여: 음, 몸 조심해. 나 갈게. Fiona와 만나기로 했거든.

문제 해결

병원에 입원한 남자와 그가 부탁한 책을 가져다 주려고 학교 수업 마치고 바로 온 여자 형제의 대화이다.

어휘·표현

ask for ~을 요구하다 for the time being 당분간 observe 관찰하다 progress 진행 상황 operation 수술

## 04 ③

여: 안녕, Dylan. 이 그림 괜찮아?
남: 오, 안녕 Ashley. 응. 내 어린 시절이 생각나게 하네.
여: 계곡으로 가족 소풍 갔던 때를 생각하며 이 그림을 그렸어.
남: 왼쪽에 있는 저 커다란 나무를 좀 봐. 가족들에게 커다란 그늘을 만들어 주고 있구나.

여: 나무 밑에서 부부가 앉아 물에서 아이들이 노는 것을 보고 있지.
남: 아내가 수박을 자르고 있네. 맛있어 보여.
여: 응, 그리고 남편은 팔짱을 낀 채로 아내가 수박 자르는 것을 보고 있어.
남: 여자아이들 좀 봐. 오빠에게 같이 물을 튕기고 있네.
여: 응. 그가 반격을 하지만 두 여자아이들을 이기진 못해.
남: 응. 그들이 아주 행복해 보여.

문제 해결

남편은 팔짱을 낀 채로 아내가 수박 자르는 것을 보고 있다고 했으므로 남편의 모습이 일치하지 않는다.

어휘·표현

remind A of B A에게 B가 생각나게 하다 valley 계곡 shade 그늘 with one's arms crossed 팔짱을 낀 채로 splash 물장구를 치다, 물을 튀기다 fight back 반격하다 beat 이기다

## 05 ④

*[휴대전화벨이 울린다.]*
남: 안녕, Emily. 집에 오고 있어?
여: 응. 당신은 지금 어디야?
남: 집이야. 일이 오늘 일찍 끝났어, 그래서 집으로 바로 왔어.
여: 오, 잘됐네. Trevor 집에 있어?
남: 응. 숙제하고 있어. 숙제 끝나면 TV 보는 거 허락해 줄 거야.
여: 아주 좋아. 나는 일본 여행 때 빌린 임대 전화 반납하러 우체국에 들를 거야.
남: 알았어. 내가 해야 할 거 있어?
여: 오늘 밤에 저녁으로 카레를 만들까 해. 거기에 쓸 채소들을 씻어서 깍둑썰기 해줄 수 있을까?
남: 물론이지. 우리에게 감자, 양파, 당근, 호박이 있네.
여: 맞아. 고마워, 여보. 좀 있다 봐.

문제 해결

저녁 카레 메뉴에 쓸 채소를 씻어서 깍둑썰기를 해달라는 아내의 부탁을 받고 남자는 그렇게 하겠다고 했으므로 ④가 적절하다.

어휘·표현

straight 곧장, 바로 drop by ~에 들르다 rental 임대의 cube 깍둑썰기하다 zucchini 호박

## 06 ③

남: 오, Belle, 이 푸드코트는 셀프 주문 키오스크를 운영 중이야.
여: 오 이런. 주문 받는 사람이 없어?
남: 한 사람도 안 보여. 다른 데로 가자.
여: 아냐, 그냥 여기서 먹자. 뭐 먹을래?
남: 12달러짜리 치킨 세트 먹을게. 오른쪽 위에 있어.
여: 그렇군. 한국 음식 메뉴는 어디에 있지?
남: 녹색의 '한식' 메뉴를 눌러.
여: 오, 여기 있군. 음… 나는 10달러짜리 냉면 먹을래.
남: James도 냉면 먹는 거 어때? 2달러 더 싸.
여: 아냐, James는 배 안 고파. 냉면 세트 메뉴에 만두 2개가 있는데 이거면 James에게 충분해.
남: 알았어, 그럼 '결제' 상자를 터치하고 신용카드를 넣어.

문제 해결

아들은 따로 주문하지 않고 여자가 먹을 냉면 세트에 포함되어 나오는 만두 2개를 먹이기로 했으므로 남자가 먹을 치킨 세트 12달러와 자신과 아들이 먹을 냉면 세트 10달러만 지불하면 된다. ($12+$10=$22)

어휘·표현

operate 운영하다 kiosk 키오스크(공공장소에 설치된 터치스크린 방식의 정보전달 시스템) take an order 주문을 받다 bar 막대 include 포함하다 dumpling 만두 insert 삽입하다, 넣다

## 07 ③

여: Nate, 제가 오늘 일찍 퇴근할 수 있을까요?
남: 왜요? 오늘 아주 바쁠 텐데요, Hilary.
여: 아들이 병원에 있는데 오후에 제가 필요하게 됐어요.
남: 아들에게 무슨 문제가 있는데요?
여: 작년에 다리에 골절을 입어 철심을 박았어요.
남: 오, 그랬다니 유감이네요.
여: 오늘 아침에 철심을 제거하는 수술을 받았어요. 지금은 아빠와 같이 있어요.
남: 당신 남편이 그와 더 오래 있을 수는 없는 거예요?
여: 그러겠다고 했는데, 사무실에 급한 회의가 생겨서, 일찍 가야 한대요.
남: 오, 그럼 지금 가셔도 좋아요. 아들에게 행운을 빌어요.
여: 고마워요, Nate.

문제 해결

여자는 아들이 오늘 아침에 다리에 박았던 철심을 빼는 수술을 해서 병원에 입원해 있는데 현재는 남편이 아들을 돌보고 있지만 남편 사무실에 급한 회의가 생겨 남편이 예정보다 일찍 가야 하는 상황이라 남자에게 조기 퇴근을 요청하고 있다.

어휘·표현

fracture 골절이 되게 하다 metal pin 철심 operation 수술 remove 제거하다 urgent 긴급한 come up (일 등이) 생기다

## 08 ②

여: Jake, 이 여름 스포츠 캠프에 참여해 보라고 Mike에게 말해 보는 거 어떨까요?
남: 그가 거기에서 뭘 할 수 있어요?
여: 축구, 배드민턴, 배구, 농구, 육상을 할 수 있어요. 사격 연습도 할 수 있고요.
남: 캠프가 여름 방학에만 열리나요?
여: 네, 그런데 정확한 날짜는 다 달라요. 그리고 캠프는 우리 지역의 6개 서로 다른 학교에서 열려요.
남: 신청 마감이 언제인가요?
여: 7월 15일 자정이에요.
남: 학교로 직접 신청서를 제출해야 하나요?
여: 아니에요. 온라인으로만 접수할 수 있어요.

남: 괜찮네요. Mike와 캠프 얘기를 해봅시다.

문제 해결

운영 기간(방학 동안), 운영 장소(지역 내 6개 서로 다른 학교), 신청 기간(7월 15일 자정까지), 신청 방법(온라인으로만 가능)에 대한 언급은 있지만, 참가 조건에 대해서는 언급되지 않았다.

어휘·표현

encourage 독려[권장]하다 track and field 육상 shooting 사격 exact 정확한 deadline 마감 시간 application 신청, 접수; 신청서 hand in ~을 제출하다 in person 직접, 몸소

## 09 ②

여: 동물을 좋아하시나요? 그러면 펫시터가 돼보는 거 어떨까요? 펫시터 중개 앱서비스인 펫랜드가 미래의 펫시터를 찾고 있습니다. 관심 있으시면 인터넷으로 지원하세요. 지원서가 심사를 통과하면 그들이 당신의 집을 방문합니다. 당신의 집에서 그들은 당신을 인터뷰하고 환경이 펫시팅에 적합한지 알아보기 위해 확인을 합니다. 2차 심사 후에 그들은 펫시팅 수업과 실습을 제공합니다. 또한 그들은 펫시팅 요령과 펫랜드 앱 사용법도 가르쳐 줍니다. 펫랜드는 주간 돌봄 서비스는 20달러에 야간 돌봄 서비스는 40달러에 제공합니다. 애완동물을 많이 키우게 되면서 펫시터에 대한 수요가 늘고 있습니다.

문제 해결

펫시터 지원 서류는 방문 제출이 아니라 인터넷으로 해야 한다고 했다.

어휘·표현

pet sitter 펫시터(애완동물을 돌봐주는 사람) broker 중개인 application 앱 seek 찾다; 추구하다 would-be 미래의, 장래의 screening 심사 suitable 알맞은, 적합한 practice 실습 due to ~ 때문에 ownership 소유(권) demand 수요

## 10 ⑤

남: Paula, 이것 좀 한 번 봐. Jeremy가 너를 위해 작성해 준 중고차 목록이야.
여: 오, 좋네. 어디 보자. 내가 예상한 것만큼 비싸지는 않네.
남: 네가 그에게 2만 달러가 넘지 않는 차들로 골라 달라고 부탁했다고 들었어.
여: 맞아, 하지만 쌀수록 더 좋지. 이 SUV 어때?
남: 내가 너라면 그걸로 할 거야. 하지만 너는 디젤차 안 좋아하잖아, 그렇지?
여: 안 좋아하지, 환경을 해롭게 하잖아. 그리고 나는 큰 차도 좋아하지 않아.
남: 그럼 이 휘발유 동력의 소형 세단 어때? 12,000달러야.
여: 나쁘지 않아, 하지만 나는 세단보다는 해치백이 더 좋아.
남: 그럼 딱 1개 남네. 가격 괜찮아?
여: 좋아. 가장 중요한 건 그게 환경친화적이라는 거야.

문제 해결

여자는 디젤차와 큰 차를 안 좋아한다고 했고 세단보다는 해치백 스타일이 좋다고 했으며 환경친화적인 것이 좋다고 했으므로 15,000달러짜리 해치백 스타일의 소형 전기차인 E모델을 구입할 것이다.

어휘·표현

gasoline 휘발유 power 동력을 공급하다 compact 소형의 eco-friendly 환경친화적인 fuel 연료

## 11 ②

여: 미안하지만, David, 우리 계획을 내일 오후까지 미루자.
남: 괜찮아. 그런데 이유를 알 수 있을까?
여: 첼로 연습을 더 해야 해. 너도 알다시피, 내가 일요일마다 학교 오케스트라에서 첼로를 연주하잖아.
남: 알았어. 연습을 해야 완벽해지지.

문제 해결

여자가 계획을 미루는 이유로 일요일마다 학교 오케스트라에서 첼로 연주를 하는데 연습을 더 해야 하기 때문이라고 했으므로 ②가 적절하다.
① 알았어, 너에게 새 첼로를 사줄게.
③ 미안하지만, 내일 하자.
④ 알았어, 오늘 오후에 보자.
⑤ 응. 너는 나한테 미리 말했어야 했어.

어휘·표현

put off ~을 미루다 cello 첼로 in advance 미리

## 12 ③

남: 어젯밤에 영화 '인크레더블 2' 보러 갔어?
여: 응, 갔었어. 친구들과 근무 끝나고 바로 갔어.
남: 영화 어땠어? 남동생 말이 영화 중간 부분이 지루했대.
여: 아니, 재미있었어. 난 또 볼 것 같아.

문제 해결

영화 '인크레더블 2'를 보러 간 여자에게 남자가 남동생 말이 영화 중간 부분이 지루했다는데 영화 어땠냐고 물어봤으므로 ③이 적절하다.
① 그럼 그는 즉시 자는 게 좋겠어.
② 그는 친구들과 그것을 봐야 해.
④ 응. 중간 부분이 정말 재미있었어.
⑤ 너는 영화 도중에 자서는 안 돼.

어휘·표현

incredible 믿기 힘든, 믿기 어려운 at once 즉시

## 13 ⑤

남: 엄마, 드릴 말씀이 있어요.
여: 막 장 보러 나가려던 참이었으니까 짧게 해줘.
남: 제 일주일 용돈을 5만 원으로 올려 주실 수 있을까요?
여: 3만 원이 충분하지 않아?
남: 전혀 충분하지 않아요. 아껴서 쓰려고 노력하는데 늘 부족해요.
여: 하지만 너도 이미 알다시피, 우리가 지출이 아주 많아.
남: 제가 아르바이트를 하는 거 어떻게 생각하세요?

여: 하지만 네 공부에 지장이 될 수 있어.
남: 성적을 유지할 것을 약속드릴게요, 그리고 주말에만 일할게요.
여: 음, 엄마는 허락해도 아빠는 그것에 대해 다른 의견이 있으실지 몰라.
남: 알아요. 집에 오시면 제가 아빠와 얘기해 볼게요.

문제 해결

주말에만 아르바이트하겠다는 아들의 말에 엄마가 자신은 허락하는데 아빠는 반대할지도 모른다고 말한 상황이므로 ⑤가 가장 적절하다.

① 물론이에요. 엄마는 아빠와 사이가 좋잖아요.
② 저도 그렇게 생각해요. 아빠는 그 일을 아주 많이 좋아해요.
③ 아빠는 허락하지 않을 테니까 그냥 지금 포기해요.
④ 걱정 마요. 저는 하루에 4시간만 일해요.

어휘·표현

be about to 막 ~하려고 하다 grocery shopping 장보기 allowance 용돈 sparingly 아껴서 expense 지출 interfere with ~에 지장을 주다, ~을 방해하다 keep up ~을 유지하다

## 14 ④

여: Matthew, 보고서 어떻게 돼가고 있어요? 오늘 아침쯤에 끝낸다고 약속했는데요.
남: 죄송해요, 아직 쓰고 있어요. 하지만 걱정하지 마세요, 늦어도 정오 전에 끝낼게요.
여: 그리고 회의실은 어떻게 됐죠? 예약하셨나요?
남: 죄송해요, 아직 못했어요. 오늘 꼭 할게요.
여: Matthew, 당신 요즘 좀 달라 보여요. 무슨 일이에요?
남: 밤에 잠을 잘 못 자서 약간 피곤해요.
여: 왜요? 시끄러운 이웃이 있나요?
남: 아니에요, 저희 동네는 조용해요. 제 이빨 때문이에요.
여: 잠깐만요. 나 좀 봐요. 얼굴이 부어 보여요.
남: 사랑니가 나고 있어요. 정말 아파요.
여: 그럼 더 이상 기다리지 마요. 당장 뽑으세요.

문제 해결

사랑니 때문에 아파서 잠을 잘 못 잔다는 남자에게 할 말로 ④가 적절하다.

① 걱정하지 마세요. 오늘까지 제출하기만 하면 돼요.
② 알아요. 아프기 시작하기 전에 빼는 게 좋을 거예요.
③ 안됐네요. 그에게 사실대로 말하는 게 어때요?
⑤ 이해해요. 두 개를 동시에 하는 건 어려워요.

어휘·표현

at the latest 늦어도 conference 회의, 학회 book 예약하다 for sure 확실히 swollen 부은 wisdom tooth 사랑니 come in 나오다

## 15 ②

남: Paula는 아빠와 오빠랑 같이 산다. 그들 셋 모두 일하지만, 아직 작은 집에서 산다. 방이 2개밖에 없어서 오빠 Mason과 아빠가 한 방을 같이 쓰고 Paula가 다른 방을 사용한다. 그녀는 늘 이것이 미안하여 더 큰 집으로 이사하기를 원한다. 그녀의 오빠 Mason은 그녀의 소망에 대해 알고 있다. 그녀의 소망을 더 빨리 실현하기 위해 Paula는 3주 전에 투잡을 하기 시작했다. 그때부터 계속 그녀는 밤낮으로 일했고 급기야 어제 과로로 병이 났다. 이런 상황에서 Mason은 Paula에게 뭐라고 말하겠는가?

문제 해결

더 큰 집으로 빨리 이사하고 싶은 마음에 3주 전부터 밤낮을 가리지 않고 투잡을 하다 전날 결국 병이 나 버린 Paula에게 오빠 Mason이 할 말로 ② '과로하지 마. 천천히 하자.'가 적절하다.

① 내 말 들어. 당장 직장을 바꿔.
③ 이거면 됐어. 더 이상 그 얘기하지 마.
④ 정말이야. 진료받는 거 미루지 마.
⑤ 네가 틀렸어. 우리는 확실히 그것을 이룰 수 있어.

어휘·표현

share 공유하다, 함께 쓰다 from then on 그때부터 계속 day and night 밤낮으로 overwork 과로하다 mistaken 잘못 알고 있는

## 16-17

여: 안녕하세요, 학부모 여러분. 올해의 드림 어린이 합창단 콘서트가 겨우 한 주 남았네요. 아시다시피, 내일은 마지막 연습 겸 첫 번째 리허설이 될 겁니다. 원활한 연습을 위해, 알아두셔야 할 몇 가지가 있습니다. 첫째, 연습은 평소대로 Sun Creek 학교에서 오전 10시부터 오후 12시까지 있을 것이니 지각하거나 결석하지 마세요. 아이가 지각하거나 결석할 것 같으면, 지휘자에게 미리 알려주세요. 또한 간식을 준비하는 데 도움이 될 테니 저에게도 알려주세요. 다음으로, 아이들이 단복을 입을 것이므로 연습 때 단복을 가져오게 하는 것을 잊지 말아 주세요. 셋째, 연습 중에 목이 마를 테니 학생들이 개인용 물병을 갖고 오게 해주십시오. 늘 협조해 주셔서 감사합니다. 내일 뵐게요.

어휘·표현

choir 합창단 rehearsal 리허설 smooth 원활한, 부드러운 note 주목[주의]하다 creek 개울, 시내 as usual 평소대로 notify 알려주다, 통보하다 conductor 지휘자 cooperation 협조 step 단계 score 악보

## 16 ③

문제 해결

어린이 합창단 학부모 대표가 학부모들에게 콘서트 전 마지막 연습을 앞두고 몇 가지 주의사항을 전달하는 내용이다.

① 콘서트에 대한 정보
② 연습 때 갖고 와야 하는 것들
③ 연습을 위해 주의해야 할 사항들
④ 합창단 단원이 되기 위한 절차
⑤ 성공적인 콘서트를 개최하기 위한 요령

## 17 ②

문제 해결

① Sun Creek 학교에서 연습할 거라 했고, ③ 단복을 지참해야 한다고 했으며, ④ 텀블러를 갖고 오라고 했고, ⑤ 간식을 준비하는 데 도움이 되니 지각이나 결석을 하게 되면 학부모 대표에게도 알려달라고 했지만, ② 악보에 대해서는 언급된 바가 없다.

① 장소 ② 악보 ③ 단복
④ 텀블러 ⑤ 간식

# 18 영어 듣기 모의고사

정답 및 해설

» pp. 56~57

| | | | | | |
|---|---|---|---|---|---|
| 01 ④ | 02 ② | 03 ① | 04 ④ | 05 ⑤ | 06 ③ |
| 07 ④ | 08 ④ | 09 ⑤ | 10 ⑤ | 11 ② | 12 ② |
| 13 ⑤ | 14 ③ | 15 ③ | 16 ② | 17 ⑤ | |

## 01 ④

여: 좋은 아침입니다, 여러분! 저는 특별활동부장 Sara Kim입니다. 지난주 댄스부와 사진부를 포함한 일부 동아리들이 (외부 활동) 허가서를 제출하지 않고 활동을 하러 학교를 나갔습니다. 교장 선생님께서 일부 학생들이 책임감 없이 행동한 것을 아시고는 매우 언짢아 하셨습니다. 허가서는 어떤 동아리든지 학교 밖을 나갈 경우 반드시 제출해야 합니다. 양식은 우리 부서 중앙 탁자 위에 있습니다. 쉽게 찾을 수 있을 것입니다. 여러분 모두 동아리 외부 활동 전에 양식을 반드시 제출할 것을 재공지 드립니다. 이것은 모두의 안전을 보장하기 위한 것입니다. 감사합니다.

문제 해결

동아리 외부 활동 시 허가서 양식을 사전에 반드시 제출해 줄 것을 요청하고 있다.

어휘·표현

extra-curricular activity 특별활동 photography 사진 submit 제출하다 permission 허가 irresponsibly 무책임하게 ground 땅, 부지 ensure 확실하게 하다

## 02 ②

남: 안녕, Judy! 너 Cathy가 학교에 결석했다는 거 들었어?
여: 아니. Cathy에게 무슨 일이 생겼어?
남: 미세먼지 때문이래. 목이 아프대.
여: 아, 그래서 오늘 내 남동생 초등학교가 휴업을 하는 거구나.
남: 내 생각에 중학교와 고등학교 학생들도 대기오염이 심각하면 휴업을 해야 된다고 봐.
여: 나도 같은 생각이야!
남: 청소년들의 건강도 어린아이들과 똑같이 보호받아야 돼. 우리도 다르지 않거든!
여: 전적으로 동감이야. 학교에 오려고 우리의 건강을 감수하는 것은 위험해.
남: 학교에 오는 길에 먼지를 너무 많이 마시게 돼. 공식적으로 학교 휴업을 하게 허락해주는 게 나아.
여: 맞아. 조치를 취하도록 학교 자치위원회와 이야기해 보자.

문제 해결

미세먼지가 심한 날은 중고등학교도 초등학교와 마찬가지로 휴업을 해야 한다고 말하고 있다.

어휘·표현

be absent from 결석하다 fine dust 미세먼지 sore throat 인후염 take a day off 휴업하다 severe 심각한

## 03 ①

여: 안녕하세요. 도와드릴까요?
남: 네, 275 사이즈 흰 줄이 있는 운동화를 찾고 있어요.
여: 이건 어떠세요?
남: 멋진데요! 제가 기대하던 디자인과 똑같은 거예요.
여: 한번 신어보세요. 우리가 가진 재고 중 가장 큰 사이즈예요.
남: *[잠시 후]* 거의 맞는데 완전 딱 맞진 않는데요.
여: 그럼 두 가지 방법이 있어요. 구두수선가게에서 발조정을 하거나 발사이즈에 맞는 신발을 주문할 수 있어요.
남: 음… 제가 주문하면 얼마나 걸릴까요?
여: 대개는 3일이요. 하지만 수선가게에서 추가 비용없이 조정할 수 있어요.
남: 그럼 주문해서 받기보단 차라리 수선할래요.

문제 해결

마음에 드는 신발의 사이즈가 꼭 맞지 않는 남자에게 여자가 수선 혹은 주문 중 선택할 수 있다고 하자 남자는 수선을 선택하고 있으므로 신발 판매원과 고객의 관계가 알맞다.

어휘·표현

sneakers 운동화 stripe 줄무늬 fit 맞다 adjust 조정하다

## 04 ④

남: 너 강당에 학교 축제 포스터 걸 준비됐어?
여: 거의. 위쪽 끝부분 잡아줘 봐.
남: 알았어. 왼쪽에 타원형 잎사귀를 가진 꽃 세송이를 그렸네. 해바라기처럼 보여.
여: 멋진데! 너 오른쪽 윗부분에 '우리 학교 축제에 햇빛이여 비춰주길!' 이란 문구 봤어?
남: 응, 그리고 가운데 우리 학교 대표들이 마치 우리를 반겨주는 것처럼 촛불을 들고 있는 게 보이네.
여: 응. 둘 다 물방울 무늬 모자를 쓰고 있어.
남: 모자 없이 그렸다면 더 좋았을 텐데. 그랬다면 훨씬 멋졌을 거야.

여: 나도 그렇게 생각해. 그들 오른쪽으로 공개 연주회 날짜와 함께 피아노가 그려져 있네.
남: 오, 이번엔 오케스트라 연주회를 놓치고 싶지 않아.

문제 해결

학교 대표인 남녀 두 학생은 물방울 무늬 모자가 아니라 스카프를 목에 두르고 있으므로 ④가 일치하지 않는다.

어휘·표현

hang 걸다 auditorium 강당 oval-shaped 타원형의 representative 대표 dotted 물방울 무늬의 showcase 공개 연주회 session 연주회

---

## 05 ⑤

여: 아빠, 저 학생 교통카드를 못 찾겠어요. 혹시 보셨어요?
남: 오, 얘야. 항상 똑같은 곳에 두라고 내가 말했잖니.
여: 죄송해요. 제가 한 시간 전에 지하철에서 내릴 때 카드를 쓴 건 기억나거든요.
남: 너 주머니 속에 다시 넣었니?
여: 카드 판매기에서 재충전한 다음에… 오 이런!
남: 그러고 나서 어디에 두었는데?
여: 주머니에요. 주머니에서 흘러나온 게 틀림없어요. 제가 온 길을 되짚으며 찾는 게 낫겠어요.
남: 내가 같이 가줄까?
여: 네, 아빠가 도와주면 시간을 아낄 수 있을 것 같아요.

문제 해결

교통카드를 잃어버린 여자가 되찾으러 가는 것을 아빠가 같이 가주겠다고 제안하고 여자가 그러면 도움이 될 거라고 했으므로 ⑤가 알맞다.

어휘·표현

transportation 교통 recharge 재충전하다 vending machine 자판기 slip 미끄러지다, 빠져 나가다 retrace 되짚어가다

---

## 06 ③

남: 안녕하세요. 무엇을 도와드릴까요?
여: 이어폰을 찾고 있어요.
남: 유선 이어폰과 무선 이어폰 중에 무엇을 원하세요?
여: 한번 보고요. 최대 50달러까지 쓸 수 있어요.
남: 가장 잘 팔리는 유선 모델은 25달러이고요. 휴대가 간편한 블루투스 스피커와 같이 나오는데 5달러만 추가로 내면 돼요.
여: 나쁘지 않네요.
남: 이 무선 이어폰은 세일해서 40달러고요.
여: 질적으로 큰 차이가 없다면, 저렴한 것이 더 좋아요. 어느 것을 추천하시나요?
남: 고객님이 아주 활동적이시면 무선이 더 좋아요. 그 모델에서 10% 더 깎아줄 수 있어요.
여: 블루투스 스피커가 딸린 유선 모델을 살래요. 2달러 상품권도 있어요.

문제 해결

블루투스 스피커가 딸린 유선 모델을 선택했다. 이어폰이 25달러이고 블루투스 스피커 부속품이 5달러여서 총 30달러인데 2달러 상품권을 쓴다고 했으므로 지불할 금액은 28달러이다.

어휘·표현

ear bud 이어폰 wireless 무선의 at most 최대한 handy 손쉬운, 간편한 recommend 추천하다

---

## 07 ④

남: Julie야! 너 어디로 가는 길이야?
여: 나 도서관 가는 길이야. 무슨 일인데?
남: 나 방금 도서관을 우연히 지나왔는데 바깥에 사람이 많이 모여 있더라.
여: 정말? 서둘러야겠네. James Cook이라는 유명 작가 책 사인회가 있거든.
남: 멋진데! 그 사람 베스트셀러 작가잖아.
여: 일생에 한 번밖에 없는 기회야!
남: 그래서 네가 그가 쓴 책들을 들고 가는 거구나.
여: 나와 같이 가는 게 어때? 너도 그의 사인을 받을 수 있어!
남: 나도 가고 싶지만 친구를 보러 가야 해.

문제 해결

여자는 도서관에서 하는 유명 작가의 책 사인회에 사인을 받으려고 책을 들고 가는 도중에 남자를 만나 같이 가자고 제안하고 있다.

어휘·표현

head 가다, 향하다 happen to 우연히 ~하다 sign 서명하다, 사인하다 once-in-a-lifetime 일생에 한 번의

---

## 08 ④

남: 너 무슨 안내 책자를 보고 있어?
여: 우리 동네에 새롭게 개장한 스포츠 센터에 대한 거야. 거기에 가장 큰 어린이용 수영장이 있대. 게다가 학생용 무료 이용권도 제공한대.
남: 기간은?
여: 다음 달 말까지야. 총 두 달이네.
남: 좋은데! 시설 이용하려면 회원 가입해야 하는 거야?
여: 응. 회원 가입비는 10달러이고, 우리 동네 거주민이어야 해.
남: 합리적이네! 다른 건 무엇을 강습해주니?
여: 배드민턴, 스쿼시와 GX야. 헬스비도 회원 이용비에 포함되어 있어.
남: 우리 언제 같이 가보자.
여: 좋아, 곧 만나자.

문제 해결

무료 이용권의 이용 기간은 언급되었지만 회원 등록 기간은 언급되지 않았다.

어휘·표현

brochure (안내·광고용) 책자 newly 새롭게 facility 시설 resident 거주민 district 구역, 행정(동) include 포함하다

## 09 ⑤

남: 안녕하세요! 주택 박람회가 엑스포 전시홀에서 5월 14일부터 21일까지 열립니다. 국내 최대 규모의 주택 박람회인데요. 건설, 인테리어 디자인과 관련된 다양한 기업들이 참여하게 됩니다. 시작하고 3일 동안, 신생 기업과 자영업자들에게 기업 대 기업의 컨설팅 서비스가 가능합니다. 역대 최고 규모인 236개의 사업체 부스가 세워질 것이고, 그 중 1/4은 건설업계입니다. 미리 등록한 누구든지 무료로 입장 가능하지만, 현장 등록은 10달러를 내야 합니다. 최신 주택 경향에 대해 파악할 수 있는 이 소중한 기회를 놓치지 마세요!

**문제 해결**

참가비는 미리 등록할 경우 무료이고, 현장 등록 시에 10달러를 내야 한다고 했다.

**어휘·표현**

housing fair 주택 박람회 exhibition 전시회 construction 건설
kick-off 시작, 개시 B2B 기업 대 기업(business-to-business)
self-employed 자영업을 하는 booth 부스 register 등록하다
on site 현장에서

## 10 ⑤

여: Jim! Anne의 생일 선물로 손목시계 사는 거 어때?
남: 찬성이야. 염두에 두고 있는 타입이 있어? 가격대는?
여: 날이 더워지고 있으니, 가벼운 게 좋을 것 같아. 80달러 이상 쓰고 싶지는 않아.
남: 좋은 가격이야. Anne이 아날로그를 좋아할까 디지털을 좋아할까?
여: 아날로그 시계가 디자인이 고전적이고 고급스러워서 Anne이 그것들 중 하나를 더 좋아할 거 같아.
남: 선택 사항이 두 개 남았네. 너는 어느 것이 좋아?
여: 난 가죽 줄보다 금속 줄이 더 멋져 보여서 좋아.
남: 그래. 이 마지막 두 개는 둘 다 방수 기능이 있네.
여: 내 생각엔 Anne에게 30미터 이상 갈 수 있는 방수 기능은 필요 없을 것 같아.
남: 나도 그렇게 생각해. 그렇게 깊은 물속엔 거의 들어가는 일이 없잖아.
여: 그렇다면 우리가 최종 선택을 한 것 같네.

**문제 해결**

80달러 이하의 아날로그이면서 금속 줄에 방수 기능은 30미터 이하인 ⑤번이 답이다.

**어휘·표현**

price range 가격대 classy 고전적인 strap 손목밴드, 줄
waterproof 방수의

## 11 ②

여: John, 나 너한테 전화 걸었는데 모르는 사람이 받더라.
남: 전화기를 바꿔서, 전화번호도 바뀌었어.
여: 아, 그럼 네 번호 좀 알려줘.
남: 네 번호 찍어주면 내가 걸게.

**문제 해결**

여자가 남자의 바뀐 전화번호를 알려달라는 상황에서 남자가 할 말로 ②가 가장 적절하다.

① 너는 왜 전화번호를 바꿨니?
③ 호출 단추를 누르면 작동할 거야.
④ 모르는 사람에게 전화해서 내 번호를 물어보렴.
⑤ 어떻게 다시 전화할 수 있니?

**어휘·표현**

stranger 낯선 사람 switch 바꾸다, 변경하다

## 12 ②

남: Sandy, 너 배고프지 않니?
여: 응, 그런 것 같아. 난 사실 저녁으로 프라이드치킨이 몹시 먹고 싶어.
남: 그럼 우리 샐러드 같이 가벼운 음식 먹고 프라이드치킨은 야식으로 주문하는 게 어때?
여: 좋은 생각이야! 10시에 시키자.

**문제 해결**

치킨을 몹시 먹고 싶어 하는 여자에게 저녁은 가볍게 먹고 야식으로 치킨을 주문하자는 남자의 제안에 대한 응답으로 ②가 적절하다.

① 아니. 난 그걸 먹을 때마다 속이 안 좋아.
③ 좋아! 내가 지금 그것을 요리하기를 원하니?
④ 미안해. 전에는 치킨을 좋아했지만 지금은 아니야.
⑤ 그래, 하지만 난 전혀 배고프지 않아.

**어휘·표현**

crave 몹시 갈망하다 light meal 가벼운 식사 late-night snack 야식

## 13 ⑤

여: Tom, 오늘 점심은 뭐야?
남: 주메뉴는 된장찌개와 함께 나오는 새우와 김치를 넣은 볶음밥이야.
여: 나 먹지 못할 수도 있어. 배가 아파.
남: 왜?
여: 나 어젯밤에 과식했어. 우리 아빠가 매운 치킨을 사다주셨거든.
남: 보건 선생님께 가보는 게 어때?
여: 나 못 움직일 것 같아. 식사를 거르는 게 좋겠어.
남: 내가 수프나 죽 같은 부드러운 것 좀 사다 줄까? 굶는 것보단 낫잖아.
여: 고마워. 너 학교를 나가려면 담임 선생님께 외출 허가증을 받아야 해.
남: 그래. 너 보건 선생님 보러 가서 소화제 좀 받는 게 어때?
여: 미안하지만, 나한테 약 좀 가져다 줄래?

문제 해결

배가 아픈 여자에게 보건 선생님 보러 가서 소화제를 좀 받아오는 게 어떠냐는 남자의 말에 가장 적절한 응답으로 ⑤가 알맞다.

① 너 어떻게 밖으로 나가려고 하니?
② 오늘 음식이 뭐가 특별해?
③ 고마워! 나 벌써 알약을 먹었어.
④ 그러고 싶지만, 외출 허가증을 받을 수 없어.

어휘·표현

shrimp 새우 soybean 콩 stew 찌개 overeat 과식하다 school nurse 보건교사 skip 건너뛰다, 거르다 porridge 죽 starve 굶다 permission slip 허가서 digestion 소화 pill 알약

## 14 ③

남: 여보, 세탁소에서 세탁물 찾아왔어요?
여: 아직요. 셔츠는 괜찮은데 내가 담요를 들고 오기엔 너무 무거워요.
남: 미안해요, 우리에게 두꺼운 겨울 담요가 있었다는 것을 깜빡했네요. 운전해서 가는 게 낫겠어요.
여: 그러면 고맙지요. 나 요리하느라 지금 바빠요.
남: 그런데, 집 배달 서비스가 없었나요?
여: 잘 모르겠네요. 집에서 세탁물을 수거해 가라고는 해봤지만요.
남: 집 배달 서비스가 되는지 전화해서 알아볼게요.
여: 그럼 얼룩진 카페트도 취급하는지 물어보세요.
남: 알겠어요. 다 합해서 얼마지요?
여: 걱정 말아요, 이미 지불했으니까요. 당장 세탁소에 전화해 보세요.
남: 그들이 배달해주지 않는다면, 내가 바로 갈게요.

문제 해결

배달 서비스를 해 주는지 알아보기 위해 세탁소에 당장 전화해보라는 여자의 말에 ③이 가장 적절한 응답이다.

① 난 어젯밤에 벌써 거기에 전화했어.
② 그들이 나를 태우러 오는 길이에요.
④ 내 셔츠와 담요를 세탁하고 싶어요.
⑤ 여기에서 세탁소까지 얼마나 멀지요?

어휘·표현

laundry 세탁물 dry cleaners 세탁소 bulky 부피가 큰 delivery service 배달 서비스 stained 얼룩진

## 15 ③

여: Claire와 Judy는 아이돌 그룹 BOS의 광팬이다. 그들은 막판에 가장 큰 세계 팬미팅 투어 콘서트 티켓을 예약하는 데 성공했다. 그들은 구하기 어려운데도 불구하고 표를 갖게 되어 매우 신이 났다. 콘서트 전날 밤, 그들은 Claire의 집에서 플래카드를 같이 만들기 위해 만난다. 다음 날 아침 Claire는 플래카드를 가지고 오기로 되어 있고, Judy는 형광 머리띠를 가지고 오기로 되어 있다. 하지만 콘서트 당일, Claire는 집에서 계단을 내려오다가 다리가 부러진다. 그녀는 거의 걸을 수조차 없다. 이 상황에서 Claire는 Judy에게 뭐라고 말하겠는가?

문제 해결

고대하던 콘서트 당일에 다리가 부러져서 갈 수 없는 상황이므로 ③ '미안하지만, 난 콘서트에 갈 수 없어.'가 가장 알맞다.

① 콘서트 표 값이 많이 비싸지 않았어.
② 너 형광 머리띠 가지고 왔니?
④ 표 값이 얼마야?
⑤ 오늘 밤 널 보고 싶어 죽겠어.

어휘·표현

huge 커다란 idol 우상 reserve 예매하다 at the last minute 마지막 순간에 banner 플래카드

## 16-17

남: 안녕하세요! 저는 수석 정원사 Thomson이고 오늘 여러분께 정원 가꾸기의 기초에 대해 간략히 말씀드리겠습니다. 정원을 가꾸는 것은 훌륭한 취미가 될 수 있습니다. 그것은 우리가 바쁜 삶에서 벗어나서 쉴 수 있는 좋은 방법이지요. 하지만, 꽃 정원을 만드는 것은 만일 여러분이 한 번도 정원을 가꾸어본 적이 없고, 필요한 도구가 없다면 힘들고 어려운 작업이 될 수 있습니다. 정원 가꾸기에 필요한 도구들로는 정원용 삽, 스프링클러, 정원용 호스, 고무장갑, 온도계, 정원용 가위가 있습니다. 땅이 비옥하고 따뜻한지 확인을 하십시오. 식물을 심기 최소한 6주 전에 토양을 준비해야 합니다. 토양은 6에서 10인치 정도로 파져야 합니다. 유기 물질을 토양 위에 층으로 덮는 것이 땅을 강하게 해줍니다. 흐린 날이나 보슬비가 내리는 날 심는 것을 추천합니다.

어휘·표현

gardener 정원사 gardening 정원 가꾸기 get away from 탈출하다, 벗어나다 challenging 도전적인, 어려운 overwhelming 압도적인, 엄청난 essential 필수적인 shovel 삽 sprinkler 스프링클러 thermometer 온도계 layer 켜켜이 쌓다 organic 유기농의, 화학 비료의 strengthen 강화하다 drizzle 보슬비

## 16 ②

문제 해결

정원 가꾸기 초보자들을 위한 기본적인 조언을 해주고 있다.

① 주말농장을 구입하는 방법
② 정원 가꾸기 초보자들을 위한 기본적인 조언
③ 다양한 종류의 농업용 도구들
④ 정원 가꾸기 기술을 향상시키는 방법
⑤ 꽃밭을 장식하는 방법

## 17 ⑤

문제 해결

정원 가꾸기에 필요한 도구로 쟁기는 언급되지 않았다.

① 삽 ② 스프링클러 ③ 장갑
④ 온도계 ⑤ 쟁기

# 19 영어 듣기 모의고사

정답 및 해설

» pp. 58~59

| | | | | | |
|---|---|---|---|---|---|
| 01 ② | 02 ⑤ | 03 ⑤ | 04 ③ | 05 ④ | 06 ① |
| 07 ② | 08 ⑤ | 09 ③ | 10 ④ | 11 ④ | 12 ④ |
| 13 ② | 14 ⑤ | 15 ① | 16 ③ | 17 ② | |

## 01 ②

여: 지하층에서 쇼핑을 하시는 고객 여러분들은 주의를 기울여주시겠습니까? 일부 점포의 천장에서 물이 새고 있습니다. 저희는 여러분이 겪은 모든 불편함에 대해 사과드립니다. 그 물은 이상 고온 기후로 오작동한 스프링클러에서 나온 것입니다. 우리는 가능한 빨리 적절한 조치를 취하고 물을 청소하기 위해 보수 작업 반원을 보냈습니다. 고객 안전이 우리의 최우선이고, 우리는 모든 것이 괜찮다고 보장 드립니다. 쇼핑 몰에서 즐거운 시간 되시길 바랍니다.

**문제 해결**

스프링클러 오작동으로 쇼핑몰에서 물이 새자 고객들에게 오작동을 해명하고 사과하며 안심시키기 위해 안내방송을 하고 있다.

**어휘·표현**

underground 지하의 leak 새다 inconvenience 불편 encounter 마주치다 malfunction 오작동하다 abnormally 이상하게, 이례적으로 maintenance 유지 take measures 조치를 취하다 priority 우선순위 ensure 보장하다

## 02 ⑤

남: Wilson 선생님, 토론 수업 어떻게 진행되고 계세요?
여: 꽤 좋아요. 학생들이 전반적으로 매우 열정적이에요.
남: 제 토론 수업은 잘 되고 있지 않아서 부럽군요.
여: 왜요?
남: 저는 경쟁적인 토론을 좋아하는데 적극적인 학생들만 토론에 참여하니까요. 어떻게 모든 학생들이 집중하고 뒤처지지 않도록 해야 하는지 잘 모르겠어요.
여: 토론 전에 배경지식을 좀 소개하길 추천드려요. 미리 브레인스토밍 시간도 좀 주고요.
남: 저도 가끔씩 그런 활동들을 사용해요.
여: 학생들에게 토론 주제에 대해 질문과 답을 하도록 시켜보세요. 그렇게 함으로써, 자신들의 생각을 정리할 기회를 얻어서 토론 시간 동안 주의를 집중할 수 있을 거예요.
남: 조언 고맙습니다!
여: 별말씀을요.

**문제 해결**

남자가 여자에게 토론 수업의 비결을 묻고 학생들의 참여를 높일 수 있는 다양한 방법에 대해 얘기하고 있다.

**어휘·표현**

discussion 토론 enthusiastic 열정적인 jealous 질투하는, 부러워하는 competitive 경쟁적인 stay focused 집중하다 fall behind 뒤처지다 regarding ~에 대해서 organize 조직하다

## 03 ⑤

남: 무엇을 도와드릴까요?
여: 안녕하세요. 제 와이퍼가 잘 작동하지 않는 것 같아요.
남: 고객님 차 모델이 무엇이고 언제 그것을 구입하셨는지요?
여: 3년 전이요. 품질 보증서도 있습니다. 여기요.
남: 잠시만요. *[타이핑 소리]* 죄송하지만, 보증 기간이 벌써 만료되었습니다.
여: 뭐라구요? 당신네 회사에서 제게 만료기간을 알려주셨어야지요. 그러면 제가 무엇을 해야 하나요?
남: 고객님이 휴대폰 번호 수집에 동의하지 않으셔서 저희가 고객님 이메일 계정으로 통지서를 보내드렸습니다. 공인된 자동차 정비소로 가보실 것을 추천드립니다.
여: 어디 있나요?
남: 이 길따라 내려가서 왼편에 있어요. 그분들께 와이퍼 고치러 왔다고 말씀하세요.

**문제 해결**

여자가 서비스센터에 와이퍼 수리를 맡기러 왔으나 보증기간이 지나버려서 공인정비소로 가볼 것을 안내받고 있으므로 차량 소유주와 서비스센터 직원의 관계가 적절하다.

**어휘·표현**

wiper 와이퍼 warranty 품질 보증, 보증 기간 expire 만료하다 notification 알림, 통지 authorized 공인된

## 04 ③

남: 엄마, 여기 와서 보세요. 학교 소풍에서 찍은 사진을 받았어요.
여: Steve, 모두가 멋져 보이네. 뒷배경 풍경도 참 맘에 드는구나!
남: 저 찾으실 수 있겠어요? M이 쓰인 야구모자를 쓴 Peter 옆에 있어요.
여: 물론이지. 너는 두 손을 뻗어 하늘 위로 향하고 있잖아.
남: Peter 뒤에 가장 친한 친구 John이 브이자를 하며 윙크하고 있네요.
여: 그렇구나. 네 담임 선생님은 John 옆에서 그의 등에 손을 올리고 계시네.
남: 네. 선생님은 체크 셔츠를 입고 토끼 머리띠를 쓰시고는 John 오른쪽에 서계시네요.
여: 선생님이 참 젊고 귀여워 보이시는구나. 뒤쪽에 있는 분수 이름은 뭐야?
남: 그건 삼단 분수대예요. 물고기 입모양의 꼭대기 층에서 물이 흘러내려오지요.

**문제 해결**

Peter 뒤에 John은 브이자를 하고 있다고 했으므로 양 손으로 하트 모양을 만들고 있는 모습은 내용과 일치하지 않는다.

어휘·표현

landscape 풍경 stretch 뻗다 fountain 분수 tier 단, 층

## 05 ④

여: 마침내 우리가 캠핑장에 도착했다니 믿지 못하겠는 걸!
남: 이 국립휴양림까지 오기 정말 긴 여정이었어. 먼저 손수레로 우리 짐을 옮기자.
여: 그래. 난 화장실과 싱크대 시설 위치를 알아볼게.
남: 좋아. 난 최적의 장소를 물색한 뒤 텐트를 설치할 거야.
여: 알겠어. *[잠시 후]* 나 다 끝났어. 너는 어때?
남: 거의. 잠깐 좀 도와줘. 여기 지지대를 좀 잡고 있으면 내가 지지대 주변에 장막을 묶을게.
여: 물론. 자 이제 끝났어!
남: 배고파지는데. 내가 침낭을 꺼내서 펼치는 동안 저녁 준비 좀 해 줄래?
여: 알았어, 그게 훨씬 쉽지. 바로 할게.

문제 해결

남자가 마지막에 침낭을 꺼내서 펼치는 동안 여자에게 저녁 준비를 요청하고 있다.

어휘·표현

camping site 캠핑지 national forest 국유림 carry 옮기다 baggage 짐 cart 수레 spot 장소 pole 기둥, 버팀목, 지지대 screen 장막 lay out 펼치다 unpack 꺼내다

## 06 ①

남: 안녕하세요. 무엇을 도와드릴까요?
여: 짚라인과 워터슬라이드 티켓이 필요해요.
남: 여러분들 중 몇 명이나 탑니까?
여: 어른 두 명과 아이 두 명이요.
남: 워터슬라이드 티켓은 8세 이상 아이들은 4달러이고, 8세 이하 아동은 3달러에요. 짚라인은 2달러씩 추가되고요.
여: 음, 아이 둘 중 한 명은 여섯 살이고 다른 한 명은 아홉 살이에요. 어른은 얼마인가요?
남: 워터슬라이드는 5달러이고 짚라인은 2달러가 추가돼요. 짚라인은 아동에겐 추천하지 않아요, 보기보다 더 무섭거든요.
여: 조언에 감사해요. 워터슬라이드 티켓 4장 주세요, 짚라인은 아니구요.

문제 해결

어른 두 명과 아이 두 명 모두 워터슬라이드만 탄다고 했다. 아이 두 명의 워터슬라이드 비용이 각각 3+4=7달러이고, 어른 워터슬라이드는 5×2=10달러이므로 총합은 17달러이다.

어휘·표현

waterslide 워터슬라이드 zipline 짚라인 scary 무서운

## 07 ②

남: Fulham 광장에서 '여성들이여, 가라!' 집회가 있다는 소식 들었어?
여: 응. 난 벌써 몇 번 그곳에 참여했었어.
남: 오 정말? 넌 그 운동의 일원이니?
여: 아니, 하지만 난 여성들이 사회에서 평등을 요구하는 것은 대단하다고 생각해. 많은 여성들이 요즈음에도 여전히 차별과 성희롱으로 고통받고 있어.
남: 그래. 직장 내 여성 불평등 대우는 끝내야 해.
여: 나도 동의해. 하지만 내가 집회를 가는 진짜 이유는 표지 기사를 다루기 위해서야.
남: 이제 이해되네. 넌 학생 신문에 실을 인터뷰를 따기 위해서 가는 거구나.

문제 해결

여자가 집회에 가는 이유는 여성 운동의 인터뷰를 따서 표지 기사인 커버스토리를 싣기 위해서라고 말하고 있다.

어휘·표현

rally 집회 down there 아래쪽에서 movement (사람들이 조직적으로 벌이는) 운동 demand 요구하다 equality 평등 suffer from ~로 고통 받다 discrimination 차별 harassment 성희롱 unfair 불평등한 workplace 직장 cover story 표지 기사, 커버스토리

## 08 ⑤

여: 안녕하세요. Star 위성 방송 서비스입니다.
남: 안녕하세요. 서비스 가입을 고려 중입니다.
여: 어떤 채널에 관심이 있으세요?
남: 저는 최근 영화 개봉작을 보고 싶어요.
여: 그럼 매달 12달러가 자동 결제되는 M2를 추천해요. 모든 주요 영화 채널에 다 접근 가능하고, 북마크 서비스도 되거든요.
남: 좋네요. 북마크는 어떻게 써요?
여: 보다가 멈춘 곳을 표시하고 보다가 멈춘 곳에서 다시 시작하는 거예요.
남: 멋진데요! 또 다른 거래는 없나요?
여: 고객님이 멤버십 가입을 한다면, 일년 내내 세계 스포츠 채널을 볼 수 있어요.
남: 멤버십 가입비는 얼마죠?
여: 이번 달 말까지 멤버십 가입비는 무료예요.

문제 해결

이번 달 말까지 멤버십 가입비는 무료라고 나오지만 가입 방법은 언급되지 않았다.

어휘·표현

satellite 위성 broadcasting service 방송 서비스 sign up for 가입하다 release 개봉작 get access to 접근하다 pick up 다시 돌아가다 leave off 중단하다, 멈추다

## 09 ③

여: 저는 Aileen이고 여러분에게 학생 진로박람회에 대한 안내 말씀

드리려고 합니다. 이번 박람회는 서울시 교육청의 후원으로 7월 11일부터 13일까지 3일 동안 열립니다. 우리가 손목 밴드를 나누어 주었으므로, 여러분은 방문하는 모든 부스에 그것을 보여주어야만 합니다. South 섹션에 있는 부스를 제외하고는, 참여에 소정의 비용이 발생합니다. 100개 이상의 교육업체와 온라인 대학들이 참가합니다. 유명 대학의 입학처 직원들은 여러분들에게 학부 프로그램에서 일대일 멘토를 매치해주기 위해 컨설팅과 상담 서비스를 제공해 줄 수 있습니다.

문제 해결

South 섹션에 있는 부스를 제외하고 소정의 참가비를 내야 한다고 했으므로 ③은 일치하지 않는다.

어휘·표현

guide through 안내하다 sponsor 후원하다 distribute 분배하다 strap 끈, 줄, 띠 exception 예외 recruit 모집하다 renowned 유명한 one-on-one 1대 1로 undergraduate 대학 학부생

---

## 10 ④

여: Mason, 너 내일이 엄마 생신인 거 알았어? 엄마 생신 선물로 뭘 사야 할까?
남: 꽃다발 어때? 엄마는 꽃을 가장 좋아하시잖아.
여: 좋아! 엄마가 가장 좋아하는 꽃은 장미와 튤립이야.
남: 무슨 색깔을 사드려야 할까? 골라야 할 색깔들이 너무 많아.
여: 엄마는 빨강과 핑크색 둘 다 좋아하셔. 하지만 작년에 아빠가 빨간 꽃을 사드렸어. 장미꽃 100송이와 안개꽃이었음에 틀림없어.
남: 그럼 올해는 핑크색으로 사자!
여: 우리 돈이 얼마 있지?
남: 우리 예산은 20달러야.
여: 가격이 똑같다면, 사이즈가 더 큰 게 더 좋아.
남: 그렇다면 우리가 엄마에게 제격인 꽃을 찾은 거 같네!
여: 훌륭해.

문제 해결

핑크 색상의 장미나 튤립으로 20달러의 예산 범위에 맞는 것 두 가지 중에 small 사이즈보다 medium 사이즈를 선택하는 게 낫다고 했으므로 핑크 튤립이 알맞다.

어휘·표현

bouquet of flowers 꽃다발 baby's breath 안개꽃

---

## 11 ④

여: 너 또 쓰레기 분리를 안 했구나! 각각의 재활용함에 쓰레기를 분리해서 넣으라고 말했잖아!
남: 미안. 깜빡했어.
여: 나 혼자 못하겠어. 너 쓰레기 좀 비우고 오지 않을래?
남: 물론이지. 도와줄게.

문제 해결

남자가 분리수거를 하지 않아서 여자가 쓰레기 비우는 것을 도와달라고 요청하고 있으므로 ④가 알맞다.
① 미안. 나 지금 바빠.
② 사실, 나 혼자 할 수 있었어.
③ 물론 싫지. 쓰레기통 어디 있어?
⑤ 플라스틱과 종이류를 분리수거하는 것을 깜빡했어.

어휘·표현

sort 분류하다, 정리하다 trash 쓰레기 separate 분리시키다 recycling bin 재활용함 slip one's mind 깜빡하다, 잊어버리다 take out 끄집어내다, 제거하다

---

## 12 ④

남: 이런, 연료 비상등이 막 들어왔어. 기름이 바닥나고 있어.
여: 그건 우리가 연료가 바닥나기 전에 30킬로미터 정도 갈 수 있다는 뜻이잖아.
남: 우리는 거의 40킬로미터를 더 가야 하는데.
여: 연료를 채우는 거 외에 다른 수가 없네.

문제 해결

차 연료가 떨어져서 목적지까지 가기 힘든 상황에서 할 말로 알맞은 것은 ④이다.
① 서둘러, 그렇지 않으면 우린 늦을 거야.
② 그래. 난 위험을 감수하는 거 좋아하지 않아.
③ 제발 차를 지금 당장 세워줘.
⑤ 너 기름값이 얼마나 하는지 아니?

어휘·표현

fuel light 연료등 run out of 닳다, 바닥나다, 모자라다 nearly 거의 have no choice but to ~할 수밖에 없다 take a risk 위험을 무릅쓰다

---

## 13 ②

*[전화벨이 울린다.]*
여: 안녕하세요. 블루 여행사입니다.
남: 안녕하세요. 몽골 사막을 횡단하는 패키지 투어에 대해 문의드리고 싶은데요.
여: 무엇을 알고 싶으세요?
남: 출발 확정된 날짜가 언제이고, 여행 기간은 어떻게 되나요?
여: 두 가지 옵션이 있어요. 첫 번째 여행은 8월 1일에 출발해서 5박 6일이고요. 다른 하나는 8월 7일이 출발 날짜이고 일주일 짜리예요.
남: 각각의 여행은 얼마인가요?
여: 첫 번째 여행이 700달러이고, 반면 후자는 800달러예요. 그것은 왕복항공권과 여행자 보험을 포함한 것입니다.
남: 여행자 보험은 무엇을 보장합니까?
여: 짐 분실과 상해입니다.
남: 두 번째가 더 좋은 것 같네요. 상세한 여행 일정표를 볼 수 있을까요?
여: 우리 웹사이트 몽골리아 하단에서 찾을 수 있어요.

문제 해결

마지막에 상세한 여행 일정표를 볼 수 있는지 물었으므로 ②가 적절하다.

① 우리는 고객님 항공권을 당장 예약할 수 있어요.
③ 그곳은 당신이 전화하는 곳에서 너무 멀리 떨어져 있어요.
④ 우리는 벌써 몽고 여행 일정표를 보내드렸어요.
⑤ 우리에게 이름을 알려주시면, 고객님의 좌석을 마련하겠습니다.

어휘·표현

enquire 문의하다 cross 횡단하다 airfare 항공권 travel insurance 여행자 보험 baggage 짐, 캐리어 injury 부상, 상해 detailed 상세한 itinerary 여행 일정표

---

## 14 ⑤

남: Amy, 너 에어컨 설치했어?
여: 주문했는데 설치기사가 이틀 내로 오기로 되어 있어. 왜?
남: 어제 우리집 에어컨이 고장 났어. 고객센터에서는 고치는 데 일주일 걸린데!
여: 일주일? 이렇게 더운 날씨를 어떻게 견디려고 해?
남: 모르겠어. 아마도 도서관이나 어딘가 더 시원한 곳으로 옮겨야겠는 걸.
여: 너 대여 서비스에는 전화해봤어?
남: 아니. 그게 뭐야?
여: 차를 빌리듯이 대여료를 지불하고 에어컨을 빌리는 거지.
남: 비싸진 않니?
여: 지금 홍보 기간이라서 온라인에선 꽤 싸.
남: 지금 당장 대여 서비스에 가입해야겠는걸.

문제 해결

고장난 에어컨을 수리하는 데 일주일이 걸리므로 그 사이에 빌려서 쓸 수 있는 대여 서비스를 여자가 추천하고 있으므로 ⑤가 가장 적절하다.
① 내가 가서 에어컨을 가져올 수 있어?
② 언제 에어컨을 받을 수 있지?
③ 너희 것과 가격을 비교해야 해.
④ 고치는 데 얼마나 오래 걸려?

어휘·표현

install 설치하다 engineer 기술자 break down 고장 나다 endure 견디다, 이겨내다 rental 대여의 promotion 홍보; 승진

---

## 15 ①

여: Chen은 먹지도 않은 점심 비용이 왜 청구되고 있는지 알아보려고 행정실에 와 있다. 그는 다이어트 중이라서 이번 달 시작하고 일주일이 지나 급식을 취소했다. 그는 점심을 영양사 선생님을 통해 취소했는데, 급식비는 여전히 부모님의 통장 계좌에서 출금되고 있다고 설명한다. 그의 말을 듣고 나서 행정 선생님은 영양사 선생님이 아마도 그들에게 말해주는 것을 깜빡한 것 같다면서 Chen이 와서 알려 주었어야 한다고 말한다. Chen은 점심을 먹지 않았기 때문에 환불을 원하고 있다. 이 상황에서, Chen은 선생님에게 뭐라고 말하겠는가?

문제 해결

영양사 선생님을 통해 점심 급식을 취소하고 먹지 않고 있는데도 급식비가 빠져 나가서 환불을 원하는 상황이므로 ① '죄송하지만 어떻게 환불받을 수 있을까요?'가 가장 적절하다.

② 저는 학생식당에서 점심 먹는 것을 좋아하지 않아요.
③ 실례지만, 저는 취소할 권리가 있어요.
④ 왜 제 지불금을 환불받을 수 없나요?
⑤ 다이어트를 하지 말았어야 했어요.

어휘·표현

administration office 행정실 charge 청구하다 meal plan 급식 withdraw 인출하다 nutrition 영양

---

## 16-17

남: 획기적인 상품을 개발하려는 기업들이 우주 속의 가장 위대한 발명품을 무시하는 경향이 있다. 하지만 많은 발명품들이 독창적이거나 고유하지 않다는 것을 알면 여러분은 놀랄 것이다. 학자들과 기술자들은 새, 상어, 야생의 많은 생명체들을 관찰함으로써 몇 가지 신상품을 발명해 왔다. 그들은 동식물과 그것들의 물리적 특성으로부터 영감을 받는다. 예를 들어, 벨크로는 우엉 바늘이 한 남자의 바짓가랑이와 그의 개털에 달라붙은 것을 사냥 여행 후에 발견한 후 발명되었다. 일본의 신칸센 초고속 열차는 물총새의 부리에서 영감을 얻었다. 또한 과학자들은 반딧불의 백열전구를 본따 비슷한 구조를 LED에 만들고 설치했다. 거미줄 같은 특수 유리는 거미줄을 본따 만들었다. 편평한 표면을 단단히 움켜쥐는 흡입 컵은 문어에게서 영감을 받았을지도 모른다.

어휘·표현

seek 추구하다, 찾다 breakthrough 돌파구 ignore 무시하다 original 원래의, 독창적인 unique 유일무이한, 독특한 physical 육체의, 물리(적)인, 물질의 attribute 속성, 자질 attach 부착하다 pant leg 바짓가랑이 kingfisher 물총새 similar 유사한 suction 흡입 grip 움켜잡다

---

## 16 ③

문제 해결

자연에서 영감을 받은 다양한 발명품을 예를 들어 설명하고 있다.
① 자연이 얼마나 경이로운가
② 발명품을 만들려는 연구원들의 노력
③ 자연에서 영감을 얻은 독특한 발명품들
④ 천연 소재로 만들어진 상품들
⑤ 발명품들의 유사점과 차이점

---

## 17 ②

문제 해결

자연에서 영감을 받은 발명품들의 예로 고양이에 대한 언급은 없다.
① 우엉 ② 고양이 ③ 물총새
④ 거미 ⑤ 문어

# 20 영어 듣기 모의고사

정답 및 해설

» pp. 60~61

| | | | | | |
|---|---|---|---|---|---|
| 01 ④ | 02 ③ | 03 ⑤ | 04 ③ | 05 ④ | 06 ② |
| 07 ② | 08 ② | 09 ③ | 10 ③ | 11 ③ | 12 ② |
| 13 ④ | 14 ① | 15 ④ | 16 ① | 17 ① | |

## 01 ④

여: Seaside 해변에 오신 것을 환영합니다. 우리 해변은 서핑족들의 낙원으로 알려진 바와 같이, 수영하는 사람들과 서핑하는 사람들이 가끔씩 보트와 요트 타는 사람들과 부딪치곤 합니다. 그래서 여러분에게 붉은 깃발 부표로 표시된 안전선을 넘지 말라고 요청드립니다. 서퍼들 스스로도 조심하셔야 합니다. 경계선을 넘기 전에는 절대 일어나지 마시고 수영자들을 조심하세요. 요트나 세일링 같은 해양 스포츠를 즐기는 사람들은 노란선 너머에서 올라타셔야 합니다. 비록 우리 해양 안전요원들이 모두를 예의주시하고 있지만, 사고는 항상 일어날 수 있습니다. 작은 충돌이 익사 사고로 이어질 수 있으므로, 기본 규칙을 양지해주시기 바랍니다.

**문제 해결**

해양 스포츠 활동 시 충돌사고와 익사사고를 방지하기 위한 안전 수칙 준수를 당부하고 있다.

**어휘·표현**

renowned 유명한 paradise 낙원 collide 충돌하다 safety line 안전선 float 뜨다 cautious 조심스러운 borderline 경계선 keep an eye on 주의깊게 지켜보다 collision 충돌 drown 익사하다 be aware of ~을 알다, 인지하다 regulations 규칙, 규정

## 02 ③

남: Ellie, 누구와 통화하고 있었어?
여: 치아 보험회사에서 걸려온 전화를 받고 있었어.
남: 너를 유혹해서 자기들 매출 올리려고 무작위로 한 전화 아니야?
여: 맞아. 보통 이런 전화 걸려오면 바로 끊는데 유익했어. 내가 치아 보험에 가입할까 고려 중이었거든.
남: 작년에 우리 어머니가 임플란트 받으셨을 때 어머니 치아보험 안 들어 둔 걸 후회하긴 했지.
여: 내가 잇몸이 약해서 가끔씩 이가 흔들리거든. 미리 준비를 해야 할 것 같아서.
남: 그렇다면 너 그 보험으로 분명히 혜택을 받을 거야.
여: 맞아. 늦어도 안하는 것 보단 낫지.
남: 그래. 과도하게 비싸지만 않으면 보험 드는 걸 추천해.
여: 조언 고마워.

**문제 해결**

여자가 치아보험 가입을 고민하던 차에 보험회사의 전화를 받은 상황에서 남자는 어머니 사례를 통해 치아보험 가입이 유리하겠다고 조언해주고 있다.

**어휘·표현**

dental 치아의 insurance company 보험회사 random 무작위의 hook up 낚다, 유혹하다 hang up 끊다 regret 후회하다 gum 잇몸 shaky 흔들리는 overly 과도하게

## 03 ⑤

남: 안녕하세요. 책을 찾고 있는데 정확한 제목이 기억이 안나요. '상처받지 않을 권리' 비슷한 제목인데요.
여: 장르라던가 저자 이름 아세요?
남: 장르는 잘 모르겠지만 잡지에서 신간으로 소개되었어요.
여: 잠시만요. *[타이핑 소리]* 여기 찾았어요. 저자는 Richard O'Neil이고 철학 섹션에 있어요.
남: 고맙습니다! 철학 섹션이 어디 있나요?
여: 3층 오른편에 있어요. 세 번째 줄에서 두 번째 책장입니다.
남: 분류 기호를 적어 주시겠어요?
여: 여기 있습니다. 다음에 책을 찾으실 때는 저에게 묻거나 컴퓨터로 찾으실 수 있습니다.
남: 고맙습니다.

**문제 해결**

남자가 신간을 찾기 위해서 책의 위치를 물어보고 여자가 도서의 위치와 책 분류 기호를 알려주고 있으므로 도서관 이용객과 사서의 관계가 알맞다.

**어휘·표현**

exact 정확한 author 저자 newly released 새롭게 출시된 philosophy 철학

## 04 ③

남: 엄마, 이 에코백 뭐예요? 화려하고 독특해 보여요.
여: 직장 동료 Susanne이 나에게 준 거야. 그녀가 직접 그렸단다.
남: 와, 가운데에 큰 해바라기가 하늘 위로 올려다 보고 있는 게 보여요.
여: 그래. 그녀는 자연을 사랑해. 그것은 예쁜 것 같아.
남: 긴 휘어진 꼬리를 한 잠자리가 꽃에 앉으려고 하고 있어요. 오른쪽에는 점박이 날개를 가진 나비가 날개를 펄럭이고 있고요.
여: 아랫쪽에는 아이들 두 명이 있어. 소년은 청바지를 입고 있고, 소녀는 스커트를 입고 있어.
남: 소년은 잠자리를 가리키고 있고, 소녀는 곤충 채집망을 들고 있어요. 그들은 곤충을 잡으려고 하고 있네요.
여: 그래. 태양은 윗 오른쪽 모서리에 있구나.
남: 무척 밝아 보여요.

**문제 해결**

해바라기 오른편에 점박이 날개 무늬 나비가 있다고 했으므로 줄무늬 날개 나비인 ③은 내용과 일치하지 않는다.

**어휘·표현**

colleague 직장 동료 dragonfly 잠자리 curved 곡선의, 휜 dotted 점박이의 flutter 펄럭이다 insect 곤충

## 05 ④

여: 안녕, Jack. 네가 한국에 워킹홀리데이 학생으로 왔다고 들었어.
남: 응.
여: 이 까페에서 지금까지 일해보니 어때?
남: 정말 보람 있고 재미있다고 생각해. 왜냐하면 많은 한국인들과 대화할 수 있거든.
여: 너 한국어가 정말 빨리 는 것 같다.
남: 맞아. 일상적이고 비격식적인 언어를 익히고 젊은이들의 문화를 배우는 게 도움이 돼.
여: 관찰하고 연습하는 것이 외국어를 통달하는 데 가장 좋은 방법이야.
남: 지당한 말씀이야. 아 나 저 테이블 좀 닦으러 가야겠다.
여: 그래, 그런데 너 싱크대에 있는 컵 말렸어?
남: 응. 벌써 했지.

**문제 해결**

이미 싱크대의 컵을 말린 남자는 테이블을 닦으려고 한다.

**어휘·표현**

rewarding 보람 있는 enjoyable 즐거운 pick up 배우다, 주워듣다 informal 비공식적인, 일상적인 casual 평범한, 비격식의 observe 관찰하다 wipe 닦다

## 06 ②

여: 안녕하세요. 자전거를 빌리고 싶은데요.
남: 네. 우리는 재미있는 다양한 종류의 자전거가 있습니다.
여: 네. 선택사항이 많은 것 같네요. 가격이 얼마인가요?
남: 바퀴 4개인 가족용 자전거는 19달러이고요, 2인용 자전거는 10달러, 1인용은 5달러 50센트입니다.
여: 타고 싶어지는데요! 우리 가족은 다섯 명이에요.
남: 가족분 모두가 타신다면, 할인해드릴 수 있습니다.
여: 네. 제 남편과 저는 막내딸과 같이 가족용 자전거를 탈게요. 그리고 남자 아이 둘은 각각 1인용 자전거를 탈게요.
남: 그러면 전체 가격에서 10%를 할인해 드리겠습니다.
여: 좋아요! 길을 알려주세요.
남: 물론이죠.

**문제 해결**

가족용 자전거 19달러와 1인용 자전거 두 개(11달러)의 총합은 30달러인데 10% 할인을 받으면 27달러가 된다.

**어휘·표현**

a variety of 다양한 option 선택권 four-wheeled 4륜식의, 바퀴가 4개인 single 개인의 separately 따로따로, 별도로

## 07 ②

남: Erin, 널 위해 오늘 내가 저녁을 만들었단다!
여: 아빠! 감자칩은 내가 가장 끊기 힘들어하는 음식인데요.
남: 어서 와라. 너 나에게 피쉬앤칩스를 가장 좋아한다고 말했잖니.
여: 미안해요. 요즘 과일 다이어트 중이라 저녁은 걸러야 해요. 그리고 남자친구와 데이트하기로 했어요.
남: 도대체 왜 계속 다이어트를 하는 거니? 너 살도 안 빠지잖아.
여: 이번 여름에 반바지에 민소매를 입고 싶어서 그래요.
남: 내 생각에 넌 규칙적으로 운동해야 해. 그냥 굶거나 다이어트를 하는 게 아니라.
여: 더 건강해지려고 내일 운동 수업을 시작할 거예요.
남: 좋은 생각이다! 날씬해지는 건 괜찮지만 너무 마른 것은 안돼.

**문제 해결**

여자는 여름에 노출이 있는 옷을 입고 싶어서 다이어트를 하는 중이라 저녁을 먹지 않으려고 한다.

**어휘·표현**

cut out 끊다 skip 거르다 go out with ~와 데이트하다 constantly 끊임없이 sleeveless 민소매 starve 굶다 slim 날씬한 skinny 깡마른

## 08 ②

여: 뭔가 냄새가 좋은 걸. 뭐 만들고 있니?
남: 바질과 오징어를 사용해서 새로운 유형의 리조또를 만들고 있어.
여: 정말? 그것들은 특별한 재료들이니?
남: 그런 편이지. 스위트 바질과 오징어는 우리 지방의 특산품이야.
여: 요리하는 데 시간이 얼마나 걸려?
남: 다 합쳐서 약 한 시간 반. 요리 전에 현미를 물에 한 시간 동안 불려. 그러는 동안, 오징어를 삶아서 채를 썰어.
여: 멋지다. 바질은 언제 넣는데?
남: 다 지은 밥과 오징어를 올리브 오일에 볶고 나서 바질을 그 위에다 올려.
여: 후추는 어떻게 해?
남: 좋아하면, 위에다 뿌리면 돼.

**문제 해결**

스위트 바질과 오징어가 지방 특산물이라고 나오지만 요리가 처음 만들어진 지방은 언급되지 않았다.

**어휘·표현**

squid 오징어 ingredient 재료 province 지방 specialty 특산물 soak 불다, 불리다 slice 채썰다 sprinkle 뿌리다

## 09 ③

남: 안녕하세요, 여러분. 여러분들에게 Pivot 국립 삼림공원에 대해 소개하게 되어 기쁩니다. 우리는 East 저수지에 가까운 Pivot 평야의 남쪽 지역에 위치해 있습니다. 우선 우리는 소나무로 만들어진 17개의 통나무집이 있습니다. 그 중 절반만 테라스가 딸린 2층 건물이지만, 모든 건물에는 바비큐 설비가 되어 있습니다. 우리는 또한 숲속 산책, 숲속의 명상, 잘 먹고 잘 살기와 같은 정규 프로그램들이 있습니다. 이 프로그램들은 예약 가능하며 선착순으로 진행됩니다. 이달에 우리는 부모와 청소년을 위한 미술과 수공예 수업을 새롭게 시작합니다. 조리기구, 장난감, 장식품 같은 목공품을 만들고 싶은 사람들은 로그인해서 무료로 등록하세요!

문제 해결

통나무집 절반만 테라스가 있고 바비큐 시설은 모든 건물에 구비되어 있다.

어휘·표현

reservoir 저수지 log cabin 통나무집 two-story 2층의 terrace 테라스 equipment 설비, 장비 stroll 산책하다 meditation 명상 reservation 예약 first-come first-served 선착순 launch 개시하다 handicraft 수공예의 sign up for ~을 등록하다, 신청하다

## 10 ③

여: 아휴! 이번 여름은 정말 끓는 듯이 덥구나. 우리 에어컨 사야겠어.
남: 새로운 모델을 홍보하는 전단지를 봤어. 동네 상점에서 대규모 할인행사도 하고 게다가 최신 기술을 서로 뽐내려고 경쟁하고 있던데.
여: 어디 보자. 우리 예산은 380달러를 넘으면 안돼. 그리고 나는 인버터 모델이면 좋겠어.
남: 동의해. 그리고 전기 효율을 무시할 순 없지.
여: 전기 효율을 어떻게 알지?
남: 사용료를 보면 돼. 한 달에 100달러면 좀 비싼 것 같아.
여: 그럼 두 모델이 남았네.
남: 우리에게 청정기가 필요하다고 생각해?
여: 아니. 필터를 청소하기 힘들어.
남: 그래. 소음은 어때?
여: 낮을수록 좋지. 최고의 모델을 찾은 것 같아.

문제 해결

380달러 이하의 인버터 모델 중 사용료가 한 달에 100달러 미만이면서 소음이 낮은 것은 C 모델이다.

어휘·표현

sizzling 지글지글 끓는 flyer 전단지 local store 동네 상점 compete 경쟁하다 show off 자랑하다 cutting-edge 최신의 efficiency 효율 purifier 청정기

## 11 ③

여: Jack, 너 미술 수업 어떻게 되어 가고 있어?
남: 사실, 나 지난주에 그만뒀어. 스케줄을 못 따라가겠더라고.
여: 안됐구나. 대신에 미술사 수업을 듣는 건 어때?
남: 난 그림은 좋아하는데, 역사는 아니야.

문제 해결

여자가 미술 수업 대신 미술사 수업을 제안하고 있으므로 제안에 대한 승낙이나 거절의 응답이 알맞다.

① 좋은 생각이야. 나는 좀 더 연습해야 해.
② 그래. 그러면 내가 미술 수업에 들를게.
④ 사실, 나 그림 잘 못 그려.
⑤ 너 미술에도 관심이 있니?

어휘·표현

drop 떨어뜨리다, 그만두다 keep up with ~을 따라가다 drop by 들르다, 방문하다

## 12 ②

남: 아니 이게 누구야! 너 Amy Smith 맞지?
여: 아니 이런! 안녕, James! 우리가 Saint Mary 초등학교를 졸업한 지 10년 만이네!
남: 맞아. 세상 좁구나! 여기는 어쩐 일이야?
여: 우리 할머니 할아버지께서 여기에 살고 계셔.

문제 해결

오랜만에 만난 남자가 무슨 일로 여기에 왔느냐는 물음에 적절한 응답은 ②이다.

① 미안해. 나 아무것도 안 가져왔어.
③ 잘 모르겠는데. 나 여기 처음이야.
④ 너에게 좋은 소식을 가져왔어.
⑤ 우리 졸업식 굉장했지!

어휘·표현

graduate 졸업하다 graduation ceremony 졸업식

## 13 ④

여: 안녕하세요. 저희에게 주신 고구마는 감사했어요.
남: 별 말씀을요. 우리 농장에서 기른 고구마예요.
여: 정말이요? 선생님께서 채소를 기르시는지 몰랐어요.
남: 우리는 이번 지난 봄에 시골에 작은 토지를 구입하였지요.
여: 멋진 일임에 틀림없어요. 사실 남편과 저도 선생님 것과 같은 작은 농장을 살까 생각하고 있거든요.
남: 작은 농장이 있어서 스스로 채소를 재배해 먹는다는 것은 건강을 지켜주지요.
여: 동의해요. 또 무엇을 기르시나요?
남: 우리는 양파와 토마토를 재배해요.
여: 멋지네요. 나중에 선생님 농장에 구경가도 될까요?
남: 물론이죠. 그런데 요즘에 우리는 채소를 수확하느라 많이 바빠요.
여: 괜찮으시다면, 제가 그 일을 도와드릴 수 있어요.

문제 해결

농장에 구경가도 되는지 묻는 여자의 말에 그러라고 하면서 요즘에는 채소를 수확하느라 바쁘다고 했으므로 ④가 적절하다.

① 그럼 제가 고구마를 뽑을게요.
② 농장에 얼마나 지불했나요?
③ 당신이 바쁘더라도 나는 전혀 신경 안 써요.
⑤ 신경 쓰지 마세요. 제가 할게요.

어휘·표현

countryside 시골

## 14 ①

남: 엄마, 우리 편의점 들러도 될까요?
여: 내 차가 그 앞에 주차 못하도록 되어 있어서 걱정이네. 게다가 주차장은 이미 꽉 찼어.
남: 그럼 전 어디서 내릴까요?
여: 갓길에 세우면 너 빨리 다녀올 수 있겠어?

남: 일 분 이상 안 걸릴 거예요.
여: 알지만, 안전이 우선이라서.
남: 비상등을 켜면 어떨까요?
여: 좋아, 그럴게. 네가 사고 싶은 것을 빨리 사오렴.
남: 네. *[잠시 후]* 엄마, 점원이 건물 뒷편에 고객 전용 주차장에 주차할 수 있대요.
여: 아주 잘됐네. 천천히 하렴.
남: 몇 분밖에 안 걸릴 거예요.

**문제 해결**

건물 뒷편의 고객 전용 주차장에 주차할 수 있다는 남자의 말에 여자가 잘 됐다고 하며 편의점에서 천천히 볼일 보라고 했으므로 가장 적절한 응답은 ①이다.

② 고객 전용 주차장이 어디 있어요?
③ 건물 맞은편 끝에서 제게 전화하세요.
④ 비상등이 작동하지 않으면 어쩌지요?
⑤ 점원에게 몇 시인지 물어볼게요.

**어휘·표현**

drop by 들르다 convenience store 편의점 pull over 주차하다 side road 갓길 hazard light 비상등

## 15 ④

여: Daniel은 제주도로 수학여행을 가게 되어 신이 나있다. 그들은 어제 오리엔테이션 시간에 기내용 캐리어에 챙겨야 할 것과 넣지 말아야 할 것에 대해 들었다. 그들은 제주도에 비행기를 타고 가기 때문에, 따라야 할 지시사항이 많았다. 그 중에서 학생증을 가져올 것과 공항 카운터에 탑승 시간 2시간 전에 도착하라고 들었다. 그들은 기내용 캐리어 속에 배터리 충전기를 넣지 않기로 되어 있으나 Daniel은 잊어버리고 그 안에 넣었다. 이 상황에서 Daniel은 담임 선생님께 뭐라고 말하겠는가?

**문제 해결**

기내용 캐리어에 배터리 충전기를 넣지 말라고 했는데 깜빡 잊고 그 안에 넣은 상황이므로 ④ '죄송하지만, 짐에서 충전기 빼는 것을 잊어버렸어요.'가 가장 적절하다.

① 제 짐은 이동하기에 너무 무거워요.
② 탑승권과 신분증을 찾을 수 없어요.
③ 죄송하지만 제 배낭에 휴대폰을 넣었어요.
⑤ 죄송하지만, 배낭 하나와 캐리어 두 개가 있어요.

**어휘·표현**

excursion 수학여행 checked luggage 기내용 수하물 direction 지시사항 charger 충전기

## 16-17

남: 안녕하세요. 여러분들에게 드론을 어떻게 만드는지 기초를 가르쳐 주려고 합니다. 여러분들이 초보자라면 드론을 만드는 것은 연습이 필요한 어떤 것이라는 걸 알려드립니다. 여러분이 빨리 '날리기를' 희망한다면 아마도 바로 날릴 수 있는 기성 모델을 사는 게 좋습니다. 드론은 프로펠러가 4개인 헬기, 또는 무인항공기를 의미하는 UAV와 동의어입니다. 그것은 프레임, 보드, 팔부분, 전기 속도 제어장치, 비행 제어장치, 전력 분배 장치, 모터, 받침 어댑터로 이루어져 있습니다. 이제 프레임의 종류와 재료에 대해 말씀드리겠습니다. 프로펠러가 4개인 형태는 가장 흔한 프레임입니다. 네 개의 팔이 있고, 각각은 하나의 모터와 연결되어 있습니다. 저는 여러분이 프레임을 탄소 섬유로 만들 것을 강력히 추천하는데 그 이유는 가벼우면서도 강하기 때문입니다. 그러면 여러분은 허용된 구역에서 날릴 수 있습니다.

**어휘·표현**

remind 상기시키다 synonymous 비슷한 뜻을 갖는 quadcopter 프로펠러가 4개인 헬기 stand for ~을 상징하다, 의미하다 unmanned 무인의 be composed of ~로 구성되다 distribution 분배 recommend 추천하다 carbon fiber 탄소 섬유

## 16 ①

**문제 해결**

드론의 기본적인 구조에 대해 설명하고 있다.

① 드론의 기본 구조
② 드론의 다양한 종류
③ 드론이 날 수 있는 원동력
④ 드론이 사용되는 산업들
⑤ 바로 날릴 수 있는 기성 드론의 장점

## 17 ①

**문제 해결**

드론의 구성 요소로 모니터는 언급되지 않았다.

① 모니터 ② 프레임 ③ 비행 제어장치
④ 전력 분배 ⑤ 모터

# Dictation Test 정답

## 01
### Dictation Test
» pp. 64~67

01 has been running for 20 years / we're looking for donations / would be highly appreciated
02 why my face got dark / protects you from sunburn and skin cancer / slow down the development of wrinkles
03 I'm a big fan / give you time to thank her / your friendship lasts forever
04 two penguins standing on the big gift box / He's wearing glasses like me / a big star at the top
05 I'm aching all over / don't need to call your teacher / feel better after some rest
06 looking for shampoo for my daughter / All the items on this shelf / cannot be used for sale items
07 to see if you can go / had a job interview this week / have a first date with
08 the classes are at her house / choose the menus we want to cook / thirty dollars per lesson
09 invite you to join our club / how to prevent animal cruelty / New members are always welcome
10 a frying pan should be light / made in a more environmentally friendly way / should be over 11 inches
11 Where is it located
12 take the subway instead
13 I'm getting ready to go out / I want to look nice / pick out one for me
14 how to get good grades / need to focus on my classes more / to ask questions to teachers
15 putting on a performance in two weeks / he is under a lot of stress / a one-on-one lesson will be very helpful
16-17 may be a sign of a cold / contribute to sore throat pain / keep these tips in mind

## 02
### Dictation Test
» pp. 68~71

01 to go strawberry picking / choose the jam-making option / If you're interested in visiting
02 haven't been able to sleep well / enjoy drinking coffee after dinner / avoid drinking coffee in the evening
03 My right ankle hurts / would get better in a week / practice your serve a little more
04 have a beautiful garden / a special meaning to you / is planning to plant roses
05 Things are going well / What else should we prepare / I'll call her right now
06 for admission tickets / provide an audio guide service / get a 10% discount off
07 taking part in a winter ski camp / spend my vacation with my cousins / I'm supposed to show them
08 I don't have any plans yet / Who is hosting the event / the opportunity to make and try Korean dishes
09 who have studied their instruments / The camp ends with a grand concert / Private lessons are available
10 I want to buy you something / One with a hood / don't worry about the price
11 this is better than the old one
12 Have you ever purchased
13 won ten to eight / we were losing by two points / I should have watched it
14 Do you have plans / messed up the last math exam / think positively about the result
15 have left the water running / saving water will protect the environment / to be aware of the fact
16-17 how we should react / take cover under a desk / get to high ground immediately

## 03
### Dictation Test
» pp. 72~75

01 consists of a shirt and pants / too hot for the summer / The results will be announced

02 Pretty basic things / wouldn't it be more convenient / buying one with a bigger screen
03 what might have happened / She's worried about missing the dance practice / should be her number one priority
04 redecorate our room virtually / hung a picture above the bed / wanted to get rid of our curtain
05 can't stand these mosquitoes / taking a shower before bed / we should cover them
06 reserve a room for the trip / because of the membership I got / we're both under 30 years old
07 they're all gone / I got them all stamped / post them a week after authorization
08 My eyes are red / spent too much time surfing the net / stay away from the computer
09 for only three days / try all of them yourself / kids aged 13 and under
10 durable as well as stylish / boring and too formal to me / put frequently used items there
11 Have you read
12 doesn't work at all
13 whether or not to start watching / find it hard to understand / read them first before watching the movies
14 any plans for this weekend / It won't be what you're thinking / as good as you make it sound
15 is supposed to take part in / start the practices right away / the festival is two months away
16-17 senior citizens who live alone / dispose of it yourself / they take up a lot of space

## 04
## Dictation Test

» pp. 76~79

01 what you've accomplished / won't be needed anymore / will be used to help
02 gain some weight / to be physically fit / the amount you eat
03 about your son's future career / He's very artistic / haven't seen such talent
04 Just take a look at / on the right side of / which part do you like
05 go over everything again / send the invitation cards / pick it up from her house
06 more than 10 hours / these will be perfect / offer you a 50% discount
07 information about backpacking / I've never been to / asked me to help her
08 a kind of fundraiser / a banner for ticket purchases / help the disabled
09 was composed by / reached 10th place / over 7 minutes long / perform a modern version
10 classes at the community center / The earlier, the better / get free toys
11 what are your plans / Is it OK
12 I have no idea
13 preparing for a job interview / my dream to work there / the job would suit you
14 one of my best friends / good excuse for doing nothing / what to do with him
15 quite different in every aspect / yields to her sister / wouldn't give in
16-17 easiest way to save / better access to back teeth / Avoid sugary foods

## 05
## Dictation Test

» pp. 80~83

01 only two days away / cancel any outdoor activities / go on as planned
02 why the long face / still shine like a star / show your character's unexpected charm
03 She's getting better / can be harmful to cats / give her some injections
04 the man holding you / must have seen me / the girl with the baseball cap in her hand
05 much better than I expected / How about the food / will you do me a favor / write a review on our blog
06 with two extra buttons / there's a foldable one / has a discount limit
07 bring the receipt / within seven days of purchase / exchange for another item
08 It's a new material / where can it be used / sounds like an amazing material
09 I'm in charge of / anyone in our school can take / don't need to bring a camera

10 a table with a marble top / have two choices left / better material is used
11 take a walk there
12 How was it compared to
13 every question except two / can't read your answers / we can do to help you
14 sprained my ankle / apply an ice pack / while running on / cannot emphasize that enough
15 is very busy working / lets her son do what he wants / it's time to limit his playing time
16-17 makes them look tame and cute / known to be very smart / pass cultural traditions down to future generations

## 06
## Dictation Test

» pp. 84~87

01 want to master a skill / I regret to tell you / during the renovation period
02 change the light bulb / thick enough to step on / think of your safety first
03 make this city a better place / go out to meet various people / working hard for our city
04 in the center of the circle / on the right side of the circle / it'd be scary
05 my bones are totally fine / to get some medication / should get physical therapy
06 How have you been / a 10% discount coupon / can you buy one more
07 today is your day off / something urgent to take care of / participate in the meeting instead of her
08 run as fast as they can / is leading the race now / Despite the name of the game
09 a new means of transportation / carry one passenger at a time / their poor battery capacity
10 Can you recommend one / one with a dryer / used to wash thick blankets
11 go on a blind date
12 changed its route last month
13 it feels harder than ever / the best exercise for weight loss / Half of what you've lost
14 the perfect place / We can afford it / very hard to commute
15 on the way to meet / drives as fast as possible / get a ticket from the police
16-17 switch off their lights / what to do without your phone / lead to bigger changes

## 07
## Dictation Test

» pp. 88~91

01 in case of an earthquake / stay away from the classroom windows / follow what your teacher says
02 study for my final exams / there is little chance of rain / what the forecast predicts
03 want to return them / exchanging them for a bigger size / visit us again for other products
04 on the bottom right-hand corner / feel like it's smiling at me / save a lot of room
05 The higher the price / a special model is needed / have to get the connecting cable
06 buy four entrance tickets / applies to children under 15 / I'd like to upgrade them
07 participate in the medical seminar / my son broke his leg / take a business trip
08 it's cheaper than ever now / take 20 minutes to get there / will last for a month
09 can create great inventions / a floating cleanup machine / doesn't cause any harm
10 compare various phones / one that is waterproof / a large battery capacity
11 couldn't help eating it all
12 have to reserve a ticket
13 withdraw my money from the bank / such a large amount of money / it's too dangerous to ride
14 He spoke highly of you / hang out with your friends / let me give you a suggestion
15 decided to drive out / hadn't fastened her seat belt yet / persuade her to fasten her seat belt
16-17 Those who want to serve / voice their needs and ideas / arrive at school earlier than usual

## 08
### Dictation Test
>> pp. 92~95

01 closing in 10 minutes / the temporary checkout counter / wrap up your shopping

02 should be banned on TV / opposed to it / lead to obesity / Now you are talking

03 have my picture taken / plans to go overseas / care for a shampoo

04 waiting for their turn / a rabbit mask / is holding a balloon

05 live in an apartment / have to accept our situation / some fish in a bowl

06 You have good taste / a dollar discount / on the total amount

07 a promotional offer / have your order number / receive the special gift

08 taking part in a marathon / to join us / The entry fee is free

09 children under age 3 / a donation table / let us know in advance

10 Your shoe size / either of those colors / The cheaper, the better

11 get a cup of coffee

12 congratulations on your promotion

13 let me take a look / keeps bouncing back / clean out her inbox

14 stayed up late watching dramas / how time passes so quickly / addicted to them

15 the same size feet / bent out of shape / angry at her

16-17 the average life expectancy / maintaining good health / tends to rise sharply

## 09
### Dictation Test
>> pp. 96~99

01 construction is underway / can be very dangerous / watch out for falling objects

02 Dog owners are responsible for / should be kept on a leash / they are under control

03 Haven't you rehearsed your lines / is up to you / more careful about your pronunciation

04 had a perfect day / built a huge sand castle / on a striped tube

05 finish a sales report / have a few extra days / make four copies of this

06 have a great selection / on the second item / use this store coupon

07 I've never been to / conduct a test drive / to come with me

08 the total number is eight / some vegetables to eat / don't need to worry about it

09 take about three hours / may see dolphins jump / don't need to bring any

10 the bigger, the better / They get dirty easily / It's settled then

11 What was your favorite one

12 I'll buy a new one

13 the book you lent me / spilt a glass of water / It's all my fault

14 get used to a new position / demands too much from me / more work to do

15 he is waiting for the bus / to cover the bus fare / wants to get her help

16-17 blood is pumped faster / gaining extra weight / flush out bad substances

## 10
### Dictation Test
>> pp. 100~103

01 prevent this kind of crime / your vehicle is locked / close to your destination

02 majoring in art education / difficult to get a job / what is better for me

03 what you're looking for / all equipped with closets / except for the price

04 Take a look at it / save the whole world / to draw a couple of clouds

05 get off work / wrapped them with a pretty ribbon / we'll be a little late

06 register for a course / sign up for two people / pay for the whole course at once

07 he didn't show up / What's so urgent / I'd better go there

08 takes about one hour / enjoy various water sports / Pets are not allowed

09 is open to all grades / as an e-mail attachment / Prizes will be awarded

10 cordless ones would be better / longer run time

is important / this model fits your needs
11 took violin lessons together
12 That's more than I expected
13 a home delivery customer / Let me check / have the milk delivered
14 have a stomachache again / Let's eat out then / I'm tired of it
15 their favorite dishes / enough money to pay for them / there must have been a mistake
16-17 small pieces of plastic / not only affect the ocean / with some interesting solutions

## 11
## Dictation Test

›› pp. 104~107

01 talk about trash disposal / which should be separated / be considerate of others
02 I'm feeling a little bit down / got too difficult for me / to preview before every class
03 since we worked together / a kind of crime story / make a thriller movie
04 this is the staff lounge / I should try that later / sent it to be repaired
05 have to finish my report / bring some snacks or something / needs to be a little louder
06 It's quite popular with girls / I'll take two of those / How much does it cost
07 I have a therapy appointment / your appointment is for tomorrow / there is no opening this evening
08 booking an airline ticket / have a long history / create and publish children's books
09 starting today for 7 days / you must fix them first / there's a play cafe for kids
10 spent too much money / How about noise level / more important than various other functions
11 How far is it from here
12 take care of her
13 to check out some books / I'm supposed to present it / similar to that of mystery novels
14 Sorry for the inconvenience / Can I get an exchange / want to test it
15 She burned her finger / needs to put off the appointment / must be there on time

16-17 visitors follow the rules / avoid bright colored clothing / get too close to the animals

## 12
## Dictation Test

›› pp. 108~111

01 some instructions you must follow / bump into other students / should be only taught by me
02 an article about hand gestures / different things in other countries / using body language
03 What a big accident / without reducing its speed / have to check on them
04 is preparing for its travel / hanging from the farm building / control it with his head
05 Thanks for your effort / confirm once more / Please wrap the presents
06 How much do you charge / my first visit here / offer a 20% discount
07 postpone this afternoon's speech test / won't be able to come / It's so hot these days
08 got a school newsletter / have the open classes / fill out this application form
09 are said to have lived / spread out into the next room / Around five million visitors
10 as you add various functions / to take care of the machine / choose the cheaper one
11 it is freezing cold outside
12 what are you going to do
13 Long time no see / at the end of every month / if it's not urgent
14 it's getting very dark / not to exercise outside at night / you should try something else
15 they've been very close friends / good at science / bad at math / no one will help him
16-17 help you improve your mood / find an appropriate time and place / Have a safe and fun trip

## 13
### Dictation Test
» pp. 112~115

01 do you spend on yourself / time is as essential for our lives as / we can't live meaningful lives
02 have many benefits / get better health care / take classes for free / get to know your coworkers
03 you are practicing for the play / have difficulty with memorizing many lines / try to imagine the situation
04 spend a lot of time playing games / we do those chores every Sunday / need to say something
05 throw a housewarming party / hasn't been installed yet / send out a mass email
06 at a discounted price / In this case / give you a 10% discount
07 a very stupid thing / wrapped and sent each person / sent the presents to the wrong people
08 I'll be visiting there / public transportation to the airport / I've decided on the dates
09 a chance to feed horses / we prefer advance reservations / have an exciting experience
10 do you have in mind / You are kidding me / I'd rather get the other gift
11 work out on a daily basis
12 It was a waste of time
13 I haven't received it yet / was sent back to us / I'll just get a refund
14 reorganizing your bookshelf / you've not read one of those books / taking up too much space
15 the alarm didn't go off / goes to school by bus / some time to prepare for the quiz
16-17 cost you an arm and a leg / avoid using disposable items / Set up labeled bins

## 14
### Dictation Test
» pp. 116~119

01 installed new parking management equipment / should be issued a parking pass / apologize for any inconvenience
02 play video games too much / learn English through it / take playing games for granted
03 a fan of this show / any difficulties while shooting / can't wait to watch it
04 what are you looking at / One looks like a teacher / stand for wisdom / intelligence
05 I'm excited about our trip / drop by to feed / My passport expired last month
06 buy tickets for the sauna / Can they get a discount / we're getting a great deal
07 preparing for the interviews / there will be good results / I should give one up
08 need something better than that / gifts we can buy with money / the one and only handwritten letter
09 with the support of many people / was consulted on this facility / will be open to the public
10 to wear around the house / two options left to choose from / I'll choose the cheaper ones
11 what kind of food
12 why don't you learn yoga
13 neither good nor bad / need to study grammar more / a little difficult for me
14 at home or outside / to make working more comfortable / need that feature or not
15 has trouble waking up / unable to change his bad habit / he listens to what she says
16-17 makes us take action / effective way of relieving stress / guide you through the meditation process

## 15
### Dictation Test
» pp. 120~123

01 with a red leather case / the owner of this phone / be careful not to lose your belongings
02 look good in those pants / what I saw on the screen / after seeing them myself
03 find a spot in the parking lot / need to bring proof of age / a parent accompanies
04 a picture of my first birthday party / showing it to the guests / holding a pencil in her hand
05 two-story house with the red roof / looking for a new tenant / call you back right away
06 open to members only / I'd rather choose to come / think about that later

07 a cafe near the subway station / much earlier than usual / need to renew your passports
08 at least once in a lifetime / Only standing tickets are left / let's go and relieve some stress
09 traveling to the past / it is back again / won't be open for the entire month
10 They are on sale now / ones that don't stand out too much / I would pick the black ones
11 do something for a change
12 leaving 30 minutes earlier than usual
13 only two days left / have dinner at a fancy restaurant / didn't get enough sleep
14 where have you been / plans to study abroad / can you send them for me
15 planning a trip for the summer holidays / dog's crying disturbed the neighbors / if pets are allowed on the plane
16-17 have been a rash of break-ins / don't let your mail pile up / Keep it a secret

## 16
## Dictation Test

» pp. 124~127

01 A dishwasher will be installed / cutting down on the use of / customers who bring their own cups
02 throw garbage on the streets / feel guilty about his behavior / children need to be better educated
03 moved in the other day / all the noise it caused / water drops have been falling
04 Can you take a look / between the desk and the bed / in the middle to the left
05 get a preventive shot / pick me up at the bus stop / in such a short time
06 five boxes of this chocolate / those not in the refrigerator / put up to five boxes in a bag
07 Did you sleep in again / you're missing a front tooth / call you back right after I'm done
08 It's a male beauty pageant / Along with its rival contest / have a long history
09 enjoy various outdoor experiences / must not have more than four members / without any entry fee
10 the prices are quite reasonable / three blades and two speeds / but I can afford it
11 can fall asleep easily
12 the bus isn't moving
13 where the car key is / he'll be back late tonight / Can you come here
14 it just struck me now / much better than getting upset later / It's better late than never
15 they are going to celebrate / parks the car near the gate / outside the school zone
16-17 just around the corner / don't forget to do some warm-ups / you are likely to drown

## 17
## Dictation Test

» pp. 128~131

01 the future of the middle school / whether it will remain open or not / admit students until the closure
02 cracking down on the street vendors / not only cheap but also useful / making the area messy
03 earlier than I expected / stay here for the time being / need anything else from home
04 reminds me of my childhood / a lot of shade for the family / watching his wife cut the watermelon
05 Are you on the way home / drop by the post office / Can you wash and cube the vegetables
06 anyone who takes orders / It's on the top right / which is enough for him
07 can I leave early today / to remove the metal pins / an urgent meeting came up
08 open only for the summer vacation / the deadline for the application / We can only apply online
09 how about becoming a pet sitter / the environment is suitable for pet sitting / high levels of pet ownership
10 not as expensive as I expected / they hurt the environment / the price right for you
11 play cello in the school orchestra
12 How was the movie
13 raise my weekly allowance / we have so many expenses / I'll keep my grades up

14 before noon at the latest / you seem a little different / A wisdom tooth is coming in
15 have only two bedrooms / wants to move to a larger house / she fell ill from overworking
16-17 only one week away / please don't be late or absent / don't forget to have them bring them

## 18
### Dictation Test

» pp. 132~135

01 without submitting permission forms / wants to leave the school grounds / to ensure everyone's safety
02 She has a sore throat / when air pollution is severe / to risk our health to come
03 I've been hoping for / almost fit but not quite / I'd rather get them repaired
04 three flowers with oval-shaped leaves / as if they were welcoming us / with the date of the showcase
05 put it in the same place / After I recharged the card / I'd rather retrace my steps
06 spend $50 at most / I'd prefer the cheaper one / I'll take the wired ones
07 Where are you heading / a book signing event / You can get his autograph
08 a newly opened sports center / Until the end of next month / have to be a resident
09 the biggest housing exhibition / For three days after the kick-off / those who register on site
10 a light one would be better / she'd prefer one of those / rarely go in water that deep
11 let me have your phone number
12 having a light meal
13 might not be able to eat / I'd better skip the meal / It's better than starving
14 too heavy for me to lift / pick up clothes from home / call the cleaners right away
15 huge fans of the idol group / The night before the concert / while walking down the stairs
16-17 about the basics of gardening / Tools necessary for gardening / as early as six weeks before planting

## 19
### Dictation Test

» pp. 136~139

01 has leaked from / due to / clean up the water as soon as possible
02 how's your discussion class going / stay focused and not fall behind / get the chance to organize their thoughts
03 don't seem to work well / the warranty has already expired / need to fix the wipers
04 the landscape in the background / You're stretching both hands up / where the water flows down
05 carry our baggage with the cart / Just give me a hand / lay out the sleeping bags
06 How many people are / kids over the age of eight / it's scarier than it looks
07 Are you part of / end the unfair treatment / cover stories
08 the latest movie releases / gives you the bookmark service / Until the end of this month
09 It is being sponsored by / there'll be a small charge for / to match you with
10 She likes both red and pink / let's go for pink this year / the bigger the better
11 It slipped my mind
12 before we run out
13 enquire about the package tour / When is the fixed date of departure / Can I see a detailed itinerary
14 take a week to get it repaired / pay a rental fee to borrow / it's quite cheap online
15 he is being charged for lunches / because he is on a diet / should have come let them know
16-17 it might surprise you to learn / They are inspired by plants and animals / was made after a spider's web

## 20
## Dictation Test

» pp. 140~143

01 do not cross the safety line / People who enjoy marine sports / keeps an eye on everyone
02 a random call to hook you up / I've got weak gums / Better late than never
03 I'm looking for a book / as a newly released book / Second bookshelf in the third row
04 She drew it herself / is about to land on the flower / the girl is holding a net
05 as a working holiday student / have improved quite quickly / I've already done that
06 a variety of interesting bikes / I can give you a discount / Please show us the way
07 the hardest food for me to cut out / You don't even lose weight / Don't just starve yourself
08 Are these special ingredients / an hour and a half in total / you can sprinkle some on top
09 Only half of them / These programs are available by reservation / log in and sign up for free
10 is having a big sale / Our budget cannot go over / As low as possible is best
11 keep up with the schedule
12 What brings you here
13 you were growing vegetables / raise vegetables on our own / we are too busy picking vegetables
14 where should I get out / but safety comes first / pull over behind the building
15 to be going on a school excursion / what they should and shouldn't pack / 2 hours before boarding time
16-17 how to make a drone / which stands for unmanned aerial vehicles / you build your frame out of

Supreme
수프림

정답 및 해설

# 수능 영어 듣기 모의고사 20회 기본

Supreme수프림

**수능과 내신을 한 번에 잡는,**

**수능 프리미엄 고등 영어 시리즈**

'수프림(supreme)': 최고의, 가장 뛰어난

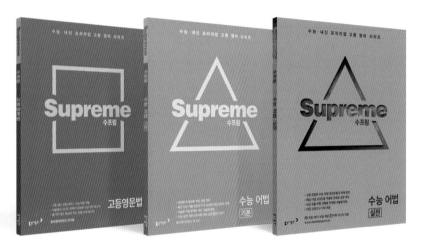

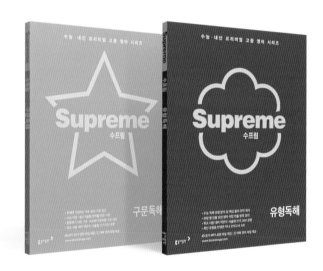

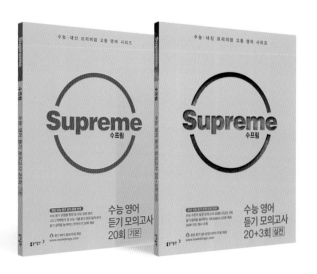